DE OORLOG
TEGEN
VROUWEN

Sue Lloyd-Roberts

DE OORLOG
TEGEN
VROUWEN

en de moed om terug
te vechten

Vertaald door
Miebeth van Horn en Anne-Marie Vervelde

UITGEVERIJ BALANS

Tweede druk, december 2016
Eerste druk, augustus 2016

Oorspronkelijke titel *The War on Women*
Oorspronkelijke uitgever Simon & Schuster UK
Copyright © 2016 Erven Sue Lloyd-Roberts
Copyright Nederlandse vertaling © 2016 Miebeth van Horn en
  Anne-Marie Vervelde/Uitgeverij Balans

Omslagontwerp b'IJ Barbara
Typografie en zetwerk Aard Bakker, Amsterdam
Druk Bariet, Steenwijk

ISBN 978 94 600 3116 8
NUR 740
www.uitgeverijbalans.nl

 facebook.com/uitgeverijbalans
 twitter.com/balansboeken
 instagram.com/uitgeverijbalans
✉ uitgeverijbalans.nl/nieuwsbrief

Inhoud

Voorwoord

Op Valentijnsdag stond ik op een podium op Trafalgar Square een praatje te houden toen het idee voor dit boek in me opkwam. De bekende Britse feministe Lynne Franks had me overgehaald om een van de sprekers te zijn op 'One Billion Women Rising'-dag. Sinds Eve Ensler, bedenker van de Vagina Monologen, dit evenement voor het eerst organiseerde, wordt elk jaar op deze dag stilgestaan bij het geweld tegen vrouwen wereldwijd.

God is duidelijk geen feminist. De dag ervoor en de dag erna was het helder, zonnig winterweer. Deze dag kwam de regen met bakken uit de hemel. Voor me stonden een paar honderd verfomfaaide vrouwen. Hier en daar zag ik een man, in elkaar gedoken onder een paraplu. Opeens trof me de absurditeit van dit gebeuren – niet het weer, maar de reden dat we hier waren.

Ik dacht aan eerdere keren dat ik hier op Trafalgar Square had gestaan – bij acties voor Tibetanen, Koerden, Palestijnen en de Bosjesmannen van de Kalahari. Hoe is het mogelijk dat vrouwen, die samen toch 51 procent van de wereldbevolking vormen, in de eenentwintigste eeuw nog altijd moeten strijden voor een gelijke, menselijke behandeling, vroeg ik me af. Alsof we een vervolgde minderheid zijn.

Mijn vrienden noemen me 'bbc-correspondent hopeloze gevallen'. Terugkijkend op dertig jaar verslaggeving over mensenrechten zie ik dat bij mijn pogingen om leed en onrecht aan de kaak te stellen – van Argentinië tot Moldavië, van Ierland tot Pakistan – meestal vooral vrouwen betrokken waren. Is dat het lot van vrouwen, om een of ander hopeloos geval te zijn? En als dat zo is, hoe komt dat dan?

Ik beweer niet dat ik een uitgewerkte visie heb op dit probleem, en een oplossing heb ik evenmin. Het leven van een verslaggeefster is daarvoor te kort. Veeleer is dit een anekdotisch verslag van mijn persoonlijke kijk op de kwestie. Het is gebaseerd op de drie decennia waarin ik als buitenlandcorrespondent voor ITN en de BBC vele ontmoetingen had met vrouwen die beter verdienen en met hen die de moed hebben om terug te vechten.

Sue Lloyd-Roberts
2015

1

Het wrede mes

Maimouna beweegt even in haar slaap, haar oogleden schieten open. Er klopt iets niet. Door het open raam naar de gemeenschappelijke binnenplaats ziet ze dat het nog donker is, en toch hoort ze het herkenbare geluid van de buurvrouw die pinda's aan het pletten is in een metalen kom om *domodah* te maken, de traditionele pindastoofpot van Gambia. Ze voelt haar binnenste samenknijpen en haar ogen schieten helemaal open, omdat ze het ineens weer weet: het is besnijdenisdag.

Haar moeder, Mouna Jawo, is de besnijdster van hun dorp. Het gezin staat in hoog aanzien bij hun mededorpelingen, en de extra inkomsten die de besnijdenissen opleveren zijn zeer welkom. Afgezien van die ene rol zijn haar ouders te oud om te werken. Haar moeder is net zestig geworden en heeft Maimouna laten weten dat zij de uitverkorene is van de twee dochters – zij zal de volgende dorpsbesnijdster worden. Haar moeder geeft toe dat ze tegenwoordig te zwak is om de meisjes in bedwang te houden als ze zich tijdens het besnijdenisritueel verzetten. Maimouna heeft haar moeder in het verleden bij verschillende gelegenheden geholpen en bij de volgende ceremonie zal zij leidinggeven aan de besnijdenis.

Maimouna ligt in bed na te denken over de dag die voor haar ligt en over haar toekomst, en ze weet dat het een behoorlijk grote verantwoordelijkheid is die ze op zich neemt door deze taak in het dorp Wellingara over te nemen. Het dorp ligt op krap een halfuur rijden van de hoofdstad Banjul, en het is een welvarende gemeenschap van zo'n tweeduizend leden van de Fula-stam, aanhangers van de traditie om vrouwen te besnijden. Alle vrouwen in haar gemeenschap zijn ervan overtuigd dat ze hun dochters onmogelijk aan de man kunnen krijgen als ze niet zijn besneden. Dan zouden ze onrein of oneerbaar gevonden worden.

Ze hoort haar dochter Ami van de matras naast haar rollen en naar haar toe komen. 'Is vandaag de dag, mama?'

Maimouna knikt. De vijfjarige Ami weet niet wat deze dag precies betekent. Ze weet alleen wat haar moeder en tantes haar hebben verteld: dat eens in de twee jaar de meisjes van het dorp zich in hun beste spullen moeten steken en dan onder begeleiding van dorpelingen die op trommels slaan en met takken zwaaien naar een speciaal huis worden geleid waar ze 'vrouw worden'.

Maimouna steekt haar hand uit naar haar beste *grandmuba*, een volumineuze jurk die tot op de grond reikt en de armen bedekt, en die ze de avond tevoren al heeft klaargelegd, met een bijpassende hoofdtooi. Ami trekt met zorg de hemdjurk aan die ze weken geleden voor deze speciale dag heeft gekregen. Er is nog wat visstoofschotel met rijst over van de avond ervoor, maar moeder noch dochter heeft trek; de een is te zenuwachtig en de ander te opgetogen. Het is inmiddels licht en ze horen de trommelaars dichterbij komen, al slaand op hun *tama*'s.

De dochter van de buren komt binnenstormen en grijpt Ami bij haar pols. 'Vlug! Straks komen we nog te laat,' zegt ze op weg naar de deur. Ami loopt achter haar aan en vergeet haar moeder gedag te zeggen. Maimouna heeft geen haast. De processie zal diverse keren rond het dorp trekken om meisjes te verzamelen, voordat ze halt houden bij de hoofdcompound van de familie Jawo, waar haar moeder woont. Ze heeft de matrassen al klaargelegd op de grond in de kamer waar de meisjes een aantal dagen zullen doorbrengen om te herstellen, en ze heeft de tomatenpasta klaargemaakt waarmee ze hun open wonden zal behandelen. Ze rilt bij de gedachte aan de meisjes die in die kamer zijn doodgebloed.

Langzaam loopt ze naar het huis van haar moeder. Mama Jawo is al op de binnenplaats waar de besnijdenis zal plaatsvinden, samen met haar zuster, de tante van Maimouna. Zij leggen de scheermesjes klaar, en de lappen om het bloed op te deppen. Maimouna sleept een van de matrassen uit de ziekenkamer de binnenplaats op en gaat op het eerste meisje zitten wachten. Het meisje zal geblinddoekt de binnenplaats op worden geleid en op de grond worden gelegd, zodat mama snelle, effectieve sneden kan aanbrengen. 'Goed kijken,' zegt ze tegen haar dochter. 'De volgende keer moet jij het doen.'

Maimouna hoort de trommels en het geschreeuw van de processie die optrekt naar de familiecompound. 'Er wordt altijd veel op trommels geslagen,' legt Maimouna uit. 'Ze gebruiken trommels en pannen om heel veel lawaai te maken, zodat mensen het niet horen als de meisjes het uitschreeuwen als ze worden besneden. De meisjes die zitten te wachten tot ze worden besneden, weten dat er iets gaande is, maar dankzij die pannen waarmee wordt geslagen en het klappen en schreeuwen, weten ze niet wat het is.'

Maimouna wacht zenuwachtig op het moment dat het eerste meisje door een lange, smalle gang wordt geduwd en dan langs het gordijn dat tussen het huis en de binnenplaats hangt. Haar moeder staat klaar met het scheermes en haar tante met proppen stof om in de mond van de meisjes te stoppen als ze te hard schreeuwen. Mama Jawo instrueert haar zuster om de armen van de meisjes in bedwang te houden en Maimouna krijgt te horen dat ze hun benen omlaag moet duwen. 'En als het een fors meisje is,' zegt mama Jawo, 'moet je maar op haar borstkas gaan zitten.'

Tegen de middag zei Maimouna vier meisjes te hebben vastgehouden die spuugden, beten, worstelden en vochten. Ze is fysiek en emotioneel uitgeput. Het eerste kind dat op de binnenplaats verschijnt, is uitgelaten en blij. Ze verwacht een cadeautje, of misschien iets speciaals te eten om haar rijpheid te vieren. Haar tante heeft gesuggereerd dat ze misschien een glimp zal opvangen van de jongen die is uitgekozen om ooit met haar te trouwen.

Maar in plaats daarvan krijgt ze te horen dat ze moet gaan liggen en worden haar benen uit elkaar geduwd, en dan volgt de verschroeiende pijn als eerst haar clitoris en dan haar schaamlippen met een scheermes worden weggesneden. Zo'n helse pijn heeft ze nog nooit gevoeld. Ze krijst en krijst, maar het snijden gaat onverminderd door. Ze hoort mama Jawo tegen Maimouna roepen: 'Hou haar goed vast, anders lukt het me niet.' Wanneer het snijden eindelijk ophoudt, draagt een andere vrouw haar naar de ziekenkamer en legt haar op een matras. Ze moet huilen en er stroomt bloed langs haar benen. Ze denkt dat ze doodgaat.

En intussen blijven de mannen op de binnenplaats maar op hun tama's slaan om de bloedstollende kreten van de meisjes te overstemmen. Maar als het volgende meisje langs het smerige rode gordijn wordt geduwd, staat haar gezicht al een stuk angstiger en door paniek bevangen. Ondanks het getrommel en het geschreeuw heeft ze de wanhopige kreten van haar vriendinnen gehoord en beseft ze dat er iets niet klopt aan deze speciale dag.

Het meisje is Ami. Maimouna legt haar geblinddoekte dochter op de matras, die inmiddels doordrenkt is van bloed, en drukt haar armen omlaag. De grootmoeder van het kind maakt een eerste snede met het scheermes. Ami krijst: 'Mama, mama, waar ben je? Help. Help!' Ami heeft geen idee dat haar oudtante haar armen tegen de grond gedrukt houdt, terwijl haar moeder haar benen uit elkaar duwt.

Maimouna zegt:

> Kun je je dat voorstellen, dat je je dochter van vijf tegen de grond gedrukt houdt, en dat ze haar besnijden, en zij roept om mama, en mama is degene die haar benen omlaaggedrukt houdt, en mama kan helemaal niets doen? Dus toen schudde ik mijn hoofd en mijn ogen schoten vol tranen, en ik zei tegen mezelf dat wat er ook zou gebeuren, ik dit nooit zou doen, dat ik nooit zelf zou gaan besnijden, maar dat kon ik tegen niemand zeggen. Als ik dat tegen de mensen daar zou zeggen, was ik er nu niet meer geweest. Dus ik hield het voor me. Op dat moment betreurde ik het dat ik een dochter had.

Het was een buitengewoon, revolutionair moment voor deze vrouw van zesendertig, en het kan alleen maar zijn opgeroepen door een bron van menselijkheid en medeleven diep binnen in haar, die in opstand kwam tegen alles wat haar was bijgebracht, alles wat ze geleerd had te verwachten. Het is Maimouna's bestemming om te snijden. Haar moeder, grootmoeder en vele generaties voor hen hadden hun plicht gedaan tegenover de plaatselijke gemeenschap. Maar zonder enige opleiding, en ruimschoots voordat de mensen die actievoeren tegen vrouwenbesnijdenis in haar dorp arriveren om haar dat te vertellen, beseft deze vrouw dat het verkeerd is om een jong meisje zoveel pijn toe te brengen en te verminken.

Als ze eenmaal heeft besloten om met de familietraditie te breken, weet ze dat ze het dorp uit moet vluchten. Wanneer haar moeder in 2009 sterft, wordt de situatie nijpend. Ze begint uitvluchten te verzinnen en zegt dat ze meer tijd nodig heeft en de juiste *juju's* moet verzamelen, de voorwerpen die gepast zijn voor een besnijdster. Eén jaar, twee jaar verstrijken, en de dorpsoudsten komen naar haar huis om te vragen wanneer ze haar verantwoordelijkheden op zich zal nemen.

'Ik heb gezegd dat ik de juju's moest vinden om de meisjes te beschermen. Want als de besnijdenis plaatsvindt, komen heksen de besneden meisjes beheksen en dan kunnen ze doodgaan. Ik zei dat ik tijd nodig had voor de juiste juju's. In feite was ik tijd aan het rekken. Ik nam ze in de maling door te zeggen dat ik niet zomaar kon snijden toen mijn moeder net gestorven was. Dat kost tijd.'

Maar de dorpsoudsten worden ongeduldig. Ze brengen haar juju-kettingen, leren riemen en ornamenten waarvan ze zeggen dat die volstaan voor haar taak. Net als ze haar beginnen te bedreigen, ziet ze kans te ontsnappen uit het dorp en aan de taak die haar afschuw oproept. Haar broer is een paar jaar eerder naar het Verenigd Koninkrijk geëmigreerd en heeft net geschreven dat hij gaat trouwen met een Engelse. Maimouna ziet kans de familie ervan te overtuigen dat zij de aangewezen persoon is om naar de bruiloft te gaan.

Ze regelt een visum bij de Britse ambassade in de hoofdstad Banjul en vlucht naar Engeland om in Derby de ceremonie bij te wonen. Als ze haar broer vertelt dat ze niet van plan is naar Wellingara terug te keren, weigert hij haar bij te staan. Ze is alleen en lijdt honger, maar een Pakistaanse familie die ze bij de plaatselijke moskee heeft ontmoet, krijgt medelijden met haar. Ze bieden haar een slaapplaats aan en adviseren haar om bij het bureau van de immigratiedienst in Crawley asiel aan te vragen. Ze wordt naar het detentiecentrum voor vrouwelijke asielaanvragers Yarl's Wood gestuurd, waar ze te horen krijgt dat ze waarschijnlijk zal worden uitgezet.

Maimounia moet voor een rechter verschijnen, die haar zaak hoort zonder er een getuige-deskundige bij te halen, en negatief beslist. De fout die ze heeft begaan is dat ze op haar visum heeft gelogen door te beweren dat ze voor een bruiloft naar Engeland wilde komen en niet omdat ze van plan was asiel aan te vragen zodra ze was gearriveerd. De rechter beschuldigt haar van misleiding. Hij beweert dat hij verstand heeft van de gebruiken in West-Afrika en stelt dat uit de manier waarop zij haar hoofdtooi knoopt valt af te leiden dat ze uit een rijke, ontwikkelde familie komt en best in staat is om naar Gambia terug te keren en op eigen benen te staan.

Ze durfde daar op dat moment niets tegen in te brengen, maar later vertelt ze me dat ze niet wist of ze moest lachen of huilen om de zogenaamde kennis van de rechter op het gebied van hoofdbedekkingen. 'De manier waarop wij de lap stof om ons hoofd draperen heeft niets te maken met stam of klasse,' zegt ze verontwaardigd. 'We draperen die lap om ons hoofd zoals we zelf willen. Het is een kwestie van mode!' Ze lacht, maar even later moet ze huilen. Ami is een van haar vijf kinderen. Om niet te hoeven besnijden heeft ze hen allemaal in de steek gelaten.

Maimouna vertelt me haar verhaal in een zit-slaapkamer in Hounslow in het westen van Londen, waar ze haar uitwijzing afwacht. De kamer bevindt zich op de derde verdieping van twee mooie negentiende-eeuwse panden met wit gestuukte gevels, die door de gemeente zijn doorgebroken om er asielzoekers in onder te brengen. Terwijl ik mijn weg zoek langs een chaotische stapel fietsen en kinderwagens die in de gang staan geparkeerd, komt een zwarte tiener een van de deuren uit gevlogen. Het is de zoon van het Somalische stel dat een kamer op de begane grond bewoont.

Op de eerste verdieping woont een Albanees gezin tegenover twee Afghaanse jongemannen. De wereldwijde vluchtelingenpopulatie is hier goed vertegenwoordigd. Sommigen hebben duizenden kilometers gereisd en zich voor het laatste deel van de tocht over het Kanaal in de laadruimte van vrachtwagens verborgen. Stuk voor stuk zitten ze te wachten tot ze te horen krijgen of de immigratiedienst hun verhaal over vervolging gelooft en of ze toestemming krijgen te blijven. Maimouna deelt de kamer met een Iraanse carrièrevrouw van in de veertig die Teheran ontvluchtte nadat ze in 2009 had deelgenomen aan de Groene Revolutie. Zonder succes had ze geprobeerd de heerschappij van de ayatollahs aan de kaak te stellen.

Terwijl de tranen over haar wangen rollen vertelt Maimouna hoe erg ze haar dochter en vier zoons mist. 'Maar ik zit tussen twee vuren. Want als ik nu naar huis ga en die meisjes ga besnijden, zodat ik terug kan naar mijn kinderen, ben ik zelfzuchtig. Soms denk ik dat ik niet eerlijk ben tegenover mijn kinderen en dat ik terug moet en moet gaan besnijden, maar als ik dat denk, zeg ik tegen mezelf: hoeveel meisjes ga ik besnijden ter wille van mijn kinderen? Hoeveel meisjes ga ik schade berokkenen? Hoeveel meisjes ga ik in de situatie brengen waarin ik nu verkeer?'

In Gambia wordt iets ondernomen tegen vrouwelijke genitale verminking, of vgv. De niet-gouvernementele organisatie GAM-COTRAP heeft ongeveer een derde van de dorpen bezocht om de mensen daar over te halen ermee te stoppen. Helaas voor Maimouna hebben ze Wellingara nog niet bereikt. GAMCOTRAP vraagt aan de mannelijke dorpshoofden of ze hun argumenten mogen presenteren tijdens een dorpsbijeenkomst. Zodra ze die toestemming hebben, leggen ze de gevaren van vrouwenbesnijdenis uit en vertellen dat de dood van heel veel meisjes na die besnijdenis en van heel veel vrouwen en baby's tijdens de bevalling juist te wijten is aan vrouwenbesnijdenis, en niet aan de kwade geesten die altijd zo handig met de schuld worden opgezadeld.

Zodra ze de dorpelingen eenmaal zover hebben dat die beloven te stoppen met besnijden, houden ze uitgebreide 'Mes neer'-ceremonies. Ik maak zo'n ceremonie mee in een dorp ten zuiden van Serekunda. De vrouwen dansen en ze zingen de liederen die ze vroeger zongen als ze de meisjes naar een besnijdenisceremonie begeleidden, waarna ze haastig overschakelen op liederen waarin de lof wordt gezongen van hun nieuwe kennis en hun besluit om 'het mes neer te leggen'. Uiteindelijk dans ik met de vrouwen mee, en ik word bevangen door emotie als ik bedenk wat hier is bereikt. Alle vrouwen met wie ik arm in arm aan het dansen ben, zijn besneden. Hun kleindochters, die kraaiend van plezier vanwege de muziek en het feestelijke gebeuren langs ons heen en weer schieten, zijn dat niet. Het is een verheffend, inspirerend moment.

De volgende ochtend word ik met de harde werkelijkheid geconfronteerd. GAMCOTRAP staat voor een sisyfustaak. Ik word meegenomen naar een bijeenkomst van besnijdsters in een streek waar de organisatie nog maar net actief is. Ze zitten in een kring op plastic stoelen op de binnenplaats van een compound die eigendom is van een dorpsoudste. Een van hen heeft een angstig meisje van acht op haar schoot. 'Ik heb dit jaar veertig kinderen besneden,' schept ze tegen me op, 'onder wie mijn eigen kleindochter, en moet je zien hoe bloeiend ze er daardoor uitziet.' Een ander zegt: 'Ik verdien 3 dollar per besneden kind, plus een zak rijst en wat kleren.' Stuk voor stuk zeggen ze tegen me dat ze groot plezier beleven aan het aanzien dat ze genieten in de plaatselijke gemeenschap.

Dr. Isa Touray, de charismatische, moedige CEO van GAMCOTRAP, is realistisch. Deze formidabele vrouw heeft in de gevangenis gezeten voor haar campagne tegen vrouwenbesnijdenis, maar nu straalt ze, met haar traditionele gele, tot de grond reikende jurk, haar bijpassende hoofdtooi en opvallende sieraden. Ze vertelt dat ze meer geld nodig heeft om meer gemeenschappen te bereiken en om vervolgbezoeken af te leggen ter controle of gemeenschappen zich na alle feestjes en ceremonies nog wel echt houden aan wat de organisatie hun heeft bijgebracht. Waarom is het volgens haar zo moeilijk om deze traditie aan te pakken?

'Vrouwenbesnijdenis heeft te maken met de controle over vrouwelijke seksualiteit,' zegt ze. 'Dat wil zeggen: met greep hebben op het plezier dat vrouwen beleven in de erogene zones. We weten allemaal dat het draait om het plezier in seks. Het gaat om de lichamelijke waardigheid en integriteit van vrouwen, iets wat heel veel macht heeft. Het komt neer op de zeggenschap over het lichaam van vrouwen, over hun vermogen plezier te beleven. Als vrouwen geen plezier beleven, zijn ze makkelijker in bedwang te houden. En in Afrika zijn nu eenmaal veel te veel mannen die de touwtjes in handen willen houden.'

De excentrieke president van Gambia, Yahya Jammeh, de man die schijnt te hebben beweerd dat hij met zijn kruidenmiddeltje hiv/aids kan genezen, heeft gezegd dat vrouwenbesnijdenis deel uitmaakt van de Gambiaanse cultuur. In 2013, een maand nadat de BBC mijn film had uitgezonden over vrouwenbesnijdenis in Gambia, stapte hij met zijn land uit het Gemenebest, omdat hij naar eigen zeggen niet wil dat zijn land nog langer blootstaat aan neokoloniale invloeden.[1] Door die beslissing zal het voor activisten tegen vrouwenbesnijdenis in dat land veel moeilijker worden om campagne te voeren tegen iets wat voor de president een traditioneel gebruik is.*

President Jammeh wijst mijn verzoek om een interview van de hand. Ik kom nog het dichtst bij een lid van de regerende klasse in de persoon van de hoogste imam van het land, Muhammad Alhaji Lamin Touray, voorzitter van de Hoogste Islamitische Raad. Het giet van de regen als we bij zijn moskee arriveren in het dorp Gunjur in Kombo South voor het vrijdaggebed. De mannen zitten binnen in de moskee, de vrouwen in de voorvertrekken en op de gangen buiten, waar de gebrekkige dakbedekking hun weinig bescherming biedt tegen het regenseizoen. Ik ga tussen de vrouwen zitten wachten tot de imam klaar is met zijn preek.

* In november 2015 kondigde president Jammeh aan dat vrouwenbesnijdenis zou worden verboden in Gambia. De Gambiaanse regering keurde op 31 december 2015 een wetsvoorstel goed waarin deze praktijk illegaal werd verklaard. In de nieuwe wet staat dat iedereen die betrapt wordt op het beoefenen van vrouwenbesnijdenis veroordeeld kan worden tot maximaal drie jaar gevangenisstraf of een boete van 50.000 dalasi (ca. € 1300).

De imam nodigt mij en mijn cameraman bij hem thuis uit, waar de mannen op stoelen tegen de wanden van de kamer zitten; afgezien van mij is er geen vrouw te bekennen. In de preek van die dag heeft hij gezegd dat vrouwenbesnijdenis deel uitmaakt van de islamitische wet en dat genitale verminking goed is voor vrouwen. Waarom? 'Het is iets prachtigs, iets goeds,' zegt hij tegen me. 'Daarom wordt het ook geaccepteerd in de islam, daarom doen we eraan en daarom is er niets verkeerds aan.'

'Vrouwenbesnijdenis heeft vele voordelen voor vrouwen,' gaat de imam verder. Hij wordt steeds bevlogener, en intussen zit zijn mannelijke publiek instemmend te knikken. 'Dat ding dat ze weghalen wanneer ze het meisje besnijden, kriebelt heel erg. Het kriebelt zo erg dat er voor vrouwen soms niets anders op zit dan een schuursponsje te gebruiken om van het gejeuk af te komen. En bij andere gelegenheden heeft een vrouw die niet is besneden last van een waterige uitscheiding. Als ze opstaat van een stoel, zijn haar kleren helemaal nat, en dat is heel gênant voor haar als ze in het openbaar is.'

Op dat punt moet ik, als enige vrouw in het gezelschap, lichtelijk verontwaardigd ingrijpen. 'Ik heb al zestig jaar een clitoris,' zeg ik, 'en dat is me nog nooit overkomen.'

'Dan bent u een uitzondering onder de vrouwen,' zegt hij, en met gemeen glimmende ogen barst hij in lachen uit.

Waar ik nog het meest woest om word, is niet de idiotie van zijn redenatie, maar dat gelach. Als hij oprecht geloofde dat het verminken van jonge meisjes wordt goedgekeurd door God, en dat het goed is voor vrouwen, zou hij niet lachen. Hij weet dat wat hij beweert bespottelijk is, en dat amuseert hem kennelijk. Het lijkt wel of hij toegeeft dat genitale verminking om onderdrukking gaat. Dat neemt niet weg dat ik hem knarsetandend oprecht bedank voor het interview. Hij was in elk geval bereid met me te praten, en in het kader van mijn verslaggeving heeft hij bevestigd dat chronische misogynie ten grondslag ligt aan dit gebruik.

Waar is het allemaal begonnen met het verminken van kleine meisjes, die gruwelijke pijn, de te vroege dood, het misgunnen van genot en de onbegrijpelijke logica achter deze van vrouwenhaat getuigende daad? Er zijn afbeeldingen in de tomben van farao's van zowel meisjes als jongens die worden besneden, dus lang voordat het christendom of de islam op het Afrikaanse continent arriveerde. De overtuiging dat de seksualiteit van vrouwen dient te worden onderdrukt is diep ingesleten in de geschiedenis van de mensheid. Vanaf het moment dat Eva de verboden vrucht stal, waarschuwden de vroege kerkvaders dat een vrouw niet te vertrouwen is. De christelijke ethiek is nadrukkelijk patriarchaal, van de leerstelling van de Heilige Drie-eenheid tot en met de door mannen gedomineerde kerkelijke hiërarchieën van vandaag de dag. 'De Bijbel haalt in zijn leer van Genesis tot Openbaring vrouwen omlaag,' schreef de suffragette Elizabeth Cady Stanton; en 'de rol van een vrouw is om zich te onderschikken'.[2]

Zelfs de revolutionaire denkers uit de negentiende eeuw die het verhaal van de schepping van de wereld onderuithaalden, zoals dat wordt beschreven in de Bijbel, bezweken voor dit standpunt. Charles Darwin heeft met zijn theorie over de evolutie de mythe rond Adam en Eva dan misschien verworpen, zijn theorie van de natuurlijke selectie viel wel in het voordeel uit van het mannelijke deel van onze soort. Hij geloofde dat vrouwen zwakker en minder intelligent waren en daardoor minder gevoelig waren voor selectiedruk en die ook minder waard waren. Als hij overweegt te trouwen en zijn gedachten laat gaan over de voordelen van een echtgenote, vergelijkt hij de geest van een vrouw met die van een kind, en hij schrijft over 'een voortdurende metgezellin (een vriendin in de ouderdom) die zich voor je interesseert, een voorwerp om te worden bemind en om mee te spelen – in elk geval beter dan een hond – en iemand die het huishouden bestiert'.[3]

Begin twintigste eeuw verklaarde de Franse antropoloog Gustave Le Bon dat er 'een groot aantal vrouwen [is] wier hersenen qua omvang dichter in de buurt komen van die van gorilla's dan van de meest ontwikkelde mannelijke hersenen', en dat 'zij uitmunten in wispelturigheid, onbetrouwbaarheid, het ontbreken van gedachten en logica, en een onvermogen om na te denken'.[4] Hij kwam tot de conclusie dat het gevaarlijk was om meisjes en jongens hetzelfde onderwijs te bieden. Het onvermogen van een vrouw om fatsoenlijk na te denken en zich op verantwoorde wijze te gedragen is een weerkerend thema waarvan de hele westerse beschaving, het christelijke gedachtengoed en de islam zijn doortrokken. Het onderstreept hoe noodzakelijk het is dat vrouwen aan mannen onderworpen zijn en vooral hoe nodig het is om hen in toom te houden.

In de Koran komt het hoofdstuk over de vrouw en haar rol als huisvrouw onder streng toezicht na het hoofdstuk over de koe. We lezen dat een vrouw onoordeelkundig en onbetrouwbaar is. In de islamitische wet heeft de getuigenis van twee vrouwen evenveel gewicht als de getuigenis van één man. Bovendien is ze een verleidster met een gevaarlijke seksuele aantrekkingskracht. 'Wanneer er een vrouw op je afkomt,' zei Mohammed, 'is het Satan die op je afkomt. Als een van jullie een vrouw ziet en zich tot haar aangetrokken voelt, moet hij zich naar zijn vrouw haasten.' Hij waarschuwde dat vrouwen een bron zijn van *fitna*, van onenigheid en verdeeldheid onder mensen.[5]

Noch in de Bijbel, noch in de Koran wordt vrouwelijke genitale verminking aanbevolen, maar het zou er wel makkelijk uit af te leiden zijn; een vrouw is immers inferieur en gegeven haar seksuele behoeften vormt ze een bedreiging. Een vrouw die geen seksueel genot ervaart, zal eerder trouw en gehoorzaam zijn. Het lijkt wel of de enige zaken die ertoe doen voor een vrouw haar vagina, haar maagdelijkheid en haar deugd zijn. De vrouw vindt haar vervulling in de voortplantingsrol van de vagina, en haar maagdelijkheid en deugd zijn onmisbaar voor de instandhouding van de sociale orde. Vanuit zulke overtuigingen is het voorstelbaar hoe het idee van vrouwenbesnijdenis zich ontwikkelde om ervoor te zorgen dat een vrouw seksueel passief bleef, voor het huwelijk haar maagdelijkheid bewaarde en als echtgenote trouw zou zijn. Kortom: haar clitoris is volslagen overbodig.

Mijn lievelingsbeschrijving van de clitoris komt van de wetenschapsjournalist van *The New York Times* en schrijfster Natalie Angier: 'De clitoris heeft een zuiver doel. Het is het enige orgaan in het

lichaam dat enkel en alleen is bedoeld voor genot. De clitoris is eenvoudigweg een bundeltje zenuwen: achtduizend vezels, om precies
te zijn. Zo'n hoge concentratie zenuwvezels komt nergens anders in
het lichaam voor, niet in de vingertoppen, de lippen of de tong, en
die concentratie is tweemaal hoger dan in de penis. Wie heeft nou
een pistool nodig als je een semiautomatisch wapen hebt?'[6] Geen
wonder dat vrouwvijandige types de clitoris gevaarlijk vinden.

De Wereldgezondheidsorganisatie definieert vrouwenbesnijdenis als 'elke procedure waarbij een deel van of de gehele externe
vrouwelijke genitaliën worden verwijderd of enige andere bescha-
diging van de vrouwelijke geslachtsorganen om niet-medische
redenen' en specificeert vier typen. Type 1 is clitoridectomie, de
gedeeltelijke of volledige verwijdering van de clitoris. Type 2 is excisie, de gedeeltelijke of volledige verwijdering van de clitoris en de
kleine schaamlippen, met of zonder excisie van de grote schaamlippen. Type 3 is infibulatie, waarbij de vaginale opening vernauwd
wordt door die af te dekken met een flap. Die flap wordt gevormd
door de binnenste of buitenste schaamlippen door te snijden en
te verplaatsen, met of zonder verwijdering van de clitoris. Onder
type 4 vallen alle andere schadelijke procedures aan de vrouwelijke genitaliën voor niet-medische doeleinden, zoals het prikken,
piercen, insnijden, schrapen en schroeien van het genitale gebied.[7]

De moeder van Maimouna voerde besnijdenissen uit van het type
3, waarbij de clitoris wordt verwijderd en de schaamlippen worden
dichtgenaaid, met nog een kleine opening voor urine en menstrua-
tiebloed. Op de bruiloftsnacht van zo'n meisje zal de dorpsbesnijdster het gat groter maken. Pas dan is er penetratie mogelijk. Soms
is het gat dan nog zo klein dat het zes maanden gruwelijke pijn kost
om tot penetratie te komen. Geen wonder dat sommige vrouwen
me vertellen dat vrijen net zo pijnlijk kan zijn als bevallen. En daarmee wordt die veronderstelde natuurlijke neiging van vrouwen om
clandestien van seks te genieten op effectieve wijze beteugeld.

'Dat vgv-gedoe,' zegt Maimouna, 'betekent dat je de hele tijd pijn
hebt, en driemaal heel erg verschrikkelijke pijn. Die pijn voel je op
de dag dat ze je besnijden en die blijft nog twee, drie maanden daar-

na. Wanneer je gaat trouwen, moeten ze je openmaken voordat je seks kunt hebben met je man, dus dat geeft weer pijn. Wanneer je je kind krijgt, moeten ze je weer openmaken voor de baby. Dat is verschrikkelijk. Dus dat is een hoop pijn waar wij doorheen moeten.'

In Egypte, dat zich erop kan laten voorstaan dat er de eerste bewijzen van vgv zijn aangetroffen, van zo'n vierduizend jaar geleden, komt de praktijk tegenwoordig het vaakst voor. Egypte heeft een inwonertal van rond de 90 miljoen mensen en volgens cijfers van unicef uit 2013 komt er het hoogste aantal verminkte vrouwen voor van alle landen ter wereld, bijna 30 miljoen, oftewel 91 procent van de vrouwelijke bevolking.[8] Dit aantal komt in de dorpen in Opper-Egypte, waar de rivier een diepe, brede doorgang in het woestijnplateau heeft uitgesleten, eerder in de buurt van de 100 procent. Kamelen en ezels trekken karren voort over stoffige paden, zilverreigers schrijden langs de modderige oevers en hoppen laten hun herkenbare *oehoe* horen terwijl ze hoog boven de palmen uitstijgen.

Hier ontbreekt alle drukte van de dorpen in Gambia, waar vrouwen vrijelijk over straat lopen in hun opzichtige, kleurrijke jurken met bijpassende hoofdtooi en onbedekt gezicht. In de dorpen langs de Nijl vindt het leven plaats achter de gesloten deuren van uit lemen baksteen opgetrokken compounds. De mannen gaan naar hun werk en doen de boodschappen, terwijl de vrouwen uit zicht blijven. Als ze het huis uit moeten, bedekken de vrouwen hun hoofd. In de dorpen die ik bezoek, wonen moslims en christenen naast elkaar; beide gemeenschappen praktiseren vgv.

Mijn gids is lid van een in Caïro gevestigde ngo die strijd voert tegen vrouwenbesnijdenis. Ze neemt me om te beginnen mee naar een huis waar een christelijke vrouw me uitnodigt om met haar en haar tienerdochters op bed te komen zitten onder een schilderij van de Heilige Maagd met kind. Nawara vertelt me zonder schaamte dat haar verminking haar heel veel ellende in haar huwelijk heeft bezorgd en dat ze heel dankbaar was toen de activist tegen vrouwenbesnijdenis een paar jaar terug aan de deur kwam om haar te vertellen dat het nu verboden is in Egypte. 'Ik laat mijn dochters niet besnijden,' zegt ze met een glimlach. 'Zij krijgen niet de pijn en de problemen die ik heb gehad.'

Daarna gaan we langs bij haar islamitische buren. De moeder, Fatima, stelt me voor aan haar gezin van vier zoons en vijf dochters. Ze wijst naar de jongste, de elfjarige Aysha, de enige die nog niet is besneden. 'Ik zal dat stukje van mijn dochter laten verwijderen,' zegt ze. 'Anders gaat ze er misschien mee spelen of ze vraagt een jongen om dat ding aan te raken en dan geniet ze er misschien van. En wie weet is dat dan een onbekende of zelfs een neef van haar. Dus de besnijdenis zal haar beschermen en als ze de pijn voelt, zal ze voortaan voorzichtiger zijn met dat deel van haar lichaam.' Aysha lijkt in de war te raken van dit gesprek, en ik kijk haar ongerust aan en zou willen dat ze de dochter van de buurvrouw was.

De dorpsbesnijdster die Aysha over een paar weken gaat besnijden is opgetogen als ze hoort dat er een journalist in het dorp is die vragen heeft over vrouwenbesnijdenis, en ze wil me dolgraag ontmoeten. De fors gebouwde, indrukwekkende vrouw in lange, groen-met-zwarte gewaden brengt haar gezicht tot vlak bij het mijne en al zwaaiend met haar vinger zegt ze: 'Neem van mij aan dat gezuiverde meisjes langer worden en aanzoeken krijgen. Maar niet-gezuiverde meisjes blijven klein en ongehuwd!' Ze barst in lachen uit en slaat me uitgelaten op mijn knie. Ik deins vol afkeer terug, maar zie nog net kans één vraag te stellen. Ik vraag of ze plezier beleeft aan haar werk. 'Ik ben er dol op. Doller dan op mijn eigen ogen. Ik verdien er heel veel geld mee. Dus hoe kan ik er dan niet dol op zijn?'

Degenen die campagne voeren tegen vgv en hun boodschap met uiteenlopend succes van dorp naar dorp verkondigen, vertellen me dat de christelijke kerkleiders veel positiever tegenover hun boodschap staan dan de imams. Dominee Yacoub Eyad leidt me rond in de Gemeente van God-kerk in het dorp Akaka en brengt me in herinnering dat Abraham zijn zoon besneed, maar dat nergens in de Bijbel sprake is van vrouwenbesnijdenis. 'We bidden dat we met Gods hulp in staat zullen zijn de mensen de waarheid bij te brengen,' zegt hij gloedvol.

Ik wacht voor de moskee in hetzelfde dorp om voorafgaand aan het vrijdaggebed de imam te pakken te krijgen. Ik ben kuis gekleed in een losvallende lange broek en een blouse met lange mouwen, maar mijn hoofd is niet bedekt, en bij aankomst weigert de imam me aan te kijken. Ik vraag mijn tolk om hem te vragen hoe hij mee-helpt een eind te maken aan vrouwenbesnijdenis, en hij zegt: 'De Profeet deed het ook, vrede zij met Hem, en dus is het gelegaliseerd door de islamitische wet.'

Wat hij zegt is een flagrante ontkenning van wat er bekend is over het leven van de Profeet en van de Koran, waarin geen mel-ding wordt gemaakt van vrouwenbesnijdenis. Bovendien gaat het in tegen de uitspraak van de voormalige grootmoefti van Egypte, Ali Gomaa, die in 2007 heeft verklaard dat vgv in strijd is met de islam.[9] Daarna verbood de Egyptische regering deze praktijk. De imam stormt weg zonder mijn aanwezigheid te erkennen. Mensen maken een buiging en schieten dan vliegensvlug uit de weg. Hij is duidelijk een gevreesd en gerespecteerd man.

Wat voor verschil maakt een verbod op vgv dat de regering in Ca-iro uitvaardigt, met name in afgelegen dorpen langs de Nijl? Heel weinig, volgens de Egyptische schrijfster en campagnevoerster te-gen vgv Nawal el Saadawi. In de jaren zeventig werd El Saadawi ontslagen door het ministerie van Gezondheid omdat ze zich pu-bliekelijk uitsprak tegen vgv. Sindsdien is er wel het een en ander veranderd, geeft ze toe, maar 'je kunt zulke oeroude, ingesleten ge-bruiken niet alleen met de wet uitroeien. Daarvoor moet je moeders en vaders kennis bijbrengen. Er waart een hoop verkeerde infor-matie rond over dat meisjes besnijden goed is, maar het zijn alle-maal leugens.'[10] Als de belangrijkste bron van informatie voor het gemiddelde moslimgezin afkomstig is van types als de imam van Akaka, is er weinig hoop dat er echt iets gaat veranderen.

De verklaring voor vgv is volgens El Saadawi de obsessie voor het maagdenvlies. 'In de Arabische maatschappij wordt het fragiele membraan dat de opening van de externe geslachtsorganen bedekt nog steeds beschouwd als het meest gekoesterde en belangrijk-ste onderdeel van het lichaam van een meisje, iets wat aanzienlijk kostbaarder is dan een van haar ogen, een arm of een been. Een

Arabische familie zal erger treuren als een meisje haar maagdelijkheid verliest dan wanneer ze een oog kwijtraakt. Sterker nog: als een meisje het leven verliest, is dat een minder grote ramp dan wanneer ze haar maagdenvlies kwijtraakt.'[11]

De Wereldgezondheidsorganisatie schat dat tot 130 miljoen vrouwen in ruim dertig landen aan vgv zijn onderworpen, van wie de meerderheid moslim is.[12] De anti-vgv-activisten doen geweldig hun best, maar het is een reusachtige opgave. vgv wordt geprakti-seerd in Europa, het Midden-Oosten en in twintig Afrikaanse landen, in een strook die zich uitstrekt van Senegal in West-Afrika tot Ethiopië aan de oostkust, en van Egypte in het noorden tot Tanzania in het zuiden. Net als in Egypte betreft het in Guinea, Somalië en Sierra Leone vermoedelijk ruim 90 procent van de vrouwelijke bevolking.

De documentaires die ik in 2012 en 2013 voor de bbc heb gemaakt, waren een van de eerste over vgv die op de Britse televisie werden vertoond. Ik bracht verslag uit vanuit Egypte, Frankrijk, het Verenigd Koninkrijk en Gambia. In de opnames die ik in Parijs maakte, liet ik zien dat de Fransen voor een pragmatische, nuchtere aanpak kozen toen vgv een steeds groter probleem werd vanwege de toenemende aantallen immigranten vanuit Afrika. In 1983 werd een wet aangenomen waarin vgv verboden werd. Honderd besnijders en ouders die hadden meegewerkt verdwenen voor deze misdaad achter de tralies. De Franse overheid geeft een ondubbelzinnige boodschap af: het verminken van kinderen zal niet door de vingers worden gezien en mensen die het verbod overtreden zullen zwaar worden gestraft.

'Het probleem met Engeland is dat jullie heel respectvol omgaan met de tradities van elke gemeenschap die in jullie land komt wonen,' zei Isabelle Gillette-Faye, hoofd van een ngo die campagne voert tegen op gender gebaseerd geweld, gams genaamd (groep voor de afschaffing van de verminking van vrouwelijke geslachtsorganen). 'In ons land is dat volkomen anders. Wij verwachten van migranten dat ze integreren en zich aan onze wetten en tradities houden.' We spreken elkaar bij de terminal van de Eurostar in het Gare du Nord in Parijs. Ze is vooral kwaad op de Britten omdat GAMS net twee meisjes heeft onderschept die op weg naar Londen waren om zich daar te laten besnijden.

'We werken er zo hard aan met onze in het oog springende processen om VGV in Frankrijk uit te bannen,' zegt Gillette-Faye, 'en dan komen we erachter dat ouders even het Kanaal kunnen oversteken om hun kinderen in Engeland te laten besnijden. Iemand uit die gemeenschap nam contact op met onze organisatie om door te geven dat een familie kaartjes voor de Eurostar had om twee meisjes in Londen te laten verminken. Dat telefoontje kwam op vrijdag, en ze zouden zaterdag de trein nemen, dus we moesten heel snel handelen.' De ouders waren ontwikkeld en welgesteld, en Gillette-Faye veronderstelt dat ze een privékliniek in Londen hadden geregeld voor de ingreep.

Het Franse systeem is veel opdringeriger. Tussen de geboorte en de leeftijd van zes jaar krijgt elk Frans kind gratis medische controles en behandeling bij speciale klinieken voor moeder en kind. De geslachtsdelen van alle Franse kinderen van deze leeftijd worden onderzocht, ongeacht hun etnische afkomst. Bij kinderen die ouder zijn dan zes, krijgen artsen, leerkrachten en gezondheidsinspecteurs bijgebracht dat ze extra alert moeten zijn bij kinderen met een achtergrond waardoor ze tot de risicogroep horen. Ouders die hun kinderen van school willen halen of willen meenemen naar landen waar alom wordt besneden, krijgen de waarschuwing dat ze zullen worden aangeklaagd als het kind bij terugkomst iets kwijt blijkt te zijn. 'We hebben al een poosje geen besneden meisjes meer gezien in Frankrijk,' zegt Gillette-Faye.

In Groot-Brittannië is het eerder traditie om de gebruiken van bevolkingsgroepen te respecteren en niet aan te dringen op integratie. Wij hebben tolerantie hoog in het vaandel en accepteren culturele verschillen, maar daarmee sta je toe dat mensen achter gesloten deuren worden mishandeld. Er was een immigrant uit Ghana voor nodig, Efua Dorkenoo, werkzaam bij de nationale gezondheidsdienst in het Verenigd Koninkrijk NHS, om de organisatie Forward op poten te zetten, die de opmaat vormde tot de Wet tot het verbod op vrouwelijke besnijdenis die in 1985 werd aangenomen. Efua werd onderscheiden met een OBE en werkte onvermoeibaar door tot aan haar vroegtijdige dood in oktober 2014. Ze voelde zich gedwarsboomd door het gebrek aan aangespannen rechtszaken en zei vaak: 'We hebben geen tijd om rust te nemen zolang er kinderen worden mishandeld.'[13]

Je kunt eindeloos speculeren over de vraag waarom de bevolking van twee landen, de Fransen en de Britten, die slechts gescheiden worden door een strook water van dertig kilometer breed, op zoveel punten zulke uiteenlopende standpunten innemen. Het idee dat artsen als vaste routine de geslachtsdelen van kinderen onderzoeken, zou in het Verenigd Koninkrijk resoluut van de hand worden gewezen. Het zou beslist leiden tot het verontwaardigdste en luidruchtigste protest in het voortdurende debat over het verlies aan persoonlijke vrijheden tegenover het nut van het algemeen, in dit geval om te voorkomen dat tienduizenden Britse meisjes het risico lopen te worden verminkt. Het hele idee heeft daar geen schijn van kans. Een hoge functionaris bij de afdeling Kinderbescherming van de politie van Londen zei tegen me dat 'inspecties in onze termen op zich al als een soort mishandeling zouden worden beschouwd'.

Net als in Frankrijk is het aantal vrouwen in het Verenigd Koninkrijk die genitaal zijn verminkt toegenomen met het aantal immigranten dat het land binnenkomt vanuit delen van de wereld waar VGV wordt gepraktiseerd. Uit de cijfers die door de City University of London en Efua Dorkenoo zijn opgesteld valt af te leiden dat er in Engeland en Wales ruim 100.000 vrouwen zijn die VGV hebben ondergaan en dat jaarlijks 20.000 kinderen het risico lopen te worden besneden.[14]

Er bestaat nauwelijks twijfel over het feit dat er illegale besnijdenissen plaatsvinden in het Verenigd Koninkrijk. Ik weet nog dat ik met een Ghanese op de zestiende verdieping stond van een van de Red Road-torenflats in Glasgow, waar honderden vluchtelingen zijn ondergebracht, terwijl de wind en de regen tegen de ramen striemden. Ayanna, een moeder van drieëntwintig, is een jaar geleden uit Ghana gevlucht en heeft asiel aangevraagd in het Verenigd

Koninkrijk om te ontkomen aan een gewelddadige echtgenoot en om te voorkomen dat haar baby van zes maanden genitaal zou worden verminkt. 'Mijn man zou erop gestaan hebben,' legt ze uit. 'Alle vrouwen in mijn gemeenschap zijn besneden.'

Met de blik gericht op het treurige stadsgezicht zegt ze: 'Ik ben heel blij dat ik in Groot-Brittannië ben, maar ik ben ook bang.' Contact met de Afrikaanse gemeenschap probeert ze te vermijden. 'Die zeggen toch tegen me dat mijn dochter moet worden besneden. Het wordt hier gedaan,' zegt ze, en ze wijst door het raam naar de andere torenflats waar de wijk Red Road uit bestaat. 'De oudere vrouwen doen het – de grootmoeders,' legt ze uit. 'Ik weet dat er vorige week nog een kleintje van drie jaar en een baby van twee weken zijn besneden.' Wat gebruiken ze, vraag ik. 'Scheermessen en scharen,' antwoordt ze.

En hoe zit het met de processen? Waarom falen we in het Verenigd Koninkrijk op dat punt zo jammerlijk in vergelijking met de Fransen en hun honderd processen? De enige rechtszaak over VGV die tot nu toe in een Britse rechtbank werd gevoerd lijkt eerder een uit paniek geboren zet om de reputatie van het Openbaar Ministerie te redden. Een paar dagen voordat de directeur Openbare Aanklachten, Alison Saunders, voor het comité Binnenlandse Aangelegenheden van het Lagerhuis moest verschijnen om antwoord te geven op de vraag waarom er geen enkele rechtszaak van de grond was gekomen, werd een verloskundig arts van tweeëndertig van Wittington Hospital in het noorden van Londen, dr. Dhahuson Dharmasena, aangeklaagd voor het uitvoeren van een VGV. Hoge politieambtenaren zeiden dat de aanklacht tegen deze arts 'goed nieuws' was, dat een duidelijke boodschap zou overbrengen dat 'mensen die een VGV uitvoeren zullen worden opgepakt en in staat van beschuldiging zullen worden gesteld'.[15]

Het kostte de jury een halfuur om de zaak niet-ontvankelijk te verklaren. Tijdens het proces bleek dat men bij het ziekenhuis had nagelaten de arts te waarschuwen dat de zwangere patiënte was verminkt toen ze als kind in Somalië woonde en dat haar schaamlippen strak tegen elkaar aan waren vastgezet. Dharmasena maakte snel een snede om de baby te verlossen en zijn leven te redden, en had vervolgens de boel weer dichtgenaaid om het bloed dat uit de wond gulpte te stelpen. Een lid van het ziekenhuisteam beschuldigde hem ervan dat hij een vgv had uitgevoerd en haar opnieuw had geïnfibuleerd. Dharmasena voerde aan dat de achtvormige hechting van anderhalve centimeter lang onontbeerlijk was geweest om het bloeden te stoppen. Hij bedankte de collega's die hem hadden gesteund en zei tegen de jury: 'Ik heb altijd gezegd dat vgv een afgrijselijke ingreep is die medisch gezien niet gerechtvaardigd is.'[16] En zo kwam de eerste rechtszaak over vgv in het Verenigd Koninkrijk, waar zo reikhalzend naar was uitgekeken, roemloos ten einde.

Verloskundig artsen in het Verenigd Koninkrijk waren van afschuw vervuld toen zich de eerste verminkte vrouwen in een vergevorderd stadium van de bevalling aandienden bij Spoedeisende Hulp. Ze moesten dringend nieuwe procedures leren voor in de verloskamer. Soms was het geboortekanaal zo goed afgesloten dat een baby er niet uit kon, met als gevolg een langdurige, moeilijke bevalling. Het aantal postpartum-bloedingen en de noodzaak om een keizersnede uit te voeren zijn toegenomen. Als er geen hoogontwikkelde medische hulp beschikbaar is, neemt het aantal sterfgevallen tijdens de bevalling toe.

Vrouwen uit West-Afrika komen met abcessen en genitale zweren bij afdelingen Gynaecologie terecht. Een hoofdvroedvrouw in het St. Thomas-ziekenhuis in Londen laat me foto's zien van cysten ter grootte van een babyhoofdje langs de rand van een schaamspleet. Dit soort zaken is ze diverse malen tegengekomen in situaties waarin ze te maken kreeg met de levensbedreigende gevolgen van vgv. Vrouwen die zich in het ziekenhuis melden met chronische pijn in de rug en het bekken en met nierinfecties, blijken vaak het slachtoffer van vgv te zijn. Momoh laat me de ene na de andere dia zien, en samen putten we ons uit in afschuw over die bewijzen van onnodig geleden pijn uit naam van een traditie die elke grond mist.

We moeten de gemeenschappen hier in het Verenigd Koninkrijk aanspreken die deze gruwelijke procedure nog steeds trouw zijn. Toen ik in Glasgow was, vroeg ik de weg naar een werkmanscafé waar veel Somali's kwamen, om de mannen te vragen naar hun opvattingen over vgv. 'Dat is iets voor vrouwen onder elkaar,' zei een man tegen me. 'De moeders en grootmoeders doen het omdat het traditie is.' 'Het is helemaal aan de vrouw zelf,' zei een ander. 'Sommigen willen misschien graag worden besneden, en anderen niet.' Ik kreeg de indruk dat het hun niet veel kon schelen. En toch zeggen de vrouwen die ik spreek dat ze bang zijn dat hun dochters niet aan de man komen als ze niet besneden zijn. Blijkbaar is het hoog tijd dat de twee seksen eens om de tafel gaan zitten om met elkaar te praten over dit onderwerp.

Het enige glimpje hoop dat ik heb gevonden bij mijn onderzoek naar vgv in het Verenigd Koninkrijk, is afkomstig uit Bristol, waar de verstandige lerares Lisa Zimmerman van de City Academy Bristol haar leerlingen uit gemeenschappen waar vgv wordt gepraktiseerd heeft aangemoedigd om het voortouw te nemen. Zij hebben de film *The Silent Scream* gemaakt, over de spanningen in een migrantengezin waar een oudere dochter haar ouders probeert over te halen haar jongere zus niet te laten besnijden. Nadat ze een aantal muziekvideo's hadden gemaakt en allerlei evenementen in het hele Verenigd Koninkrijk hadden bezocht, werden Zimmerman en de achttienjarige Fahma Mohamed uitgenodigd voor een gesprek met secretaris-generaal van de Verenigde Naties Ban Ki-moon. 'Jij bent de hoop voor onze toekomst,' zei hij tegen Fahma.

Ik heb zelden zo'n pittige, goed geïnformeerde, vastbesloten groep meisjes van tussen de veertien en de zeventien ontmoet. Amina heeft het over 'besnijdenispartijtjes' die in de regio Bristol worden gehouden, en de rillingen lopen me over de rug. 'Ze halen alle meisjes bij elkaar, want dan is het goedkoper. Normaal gesproken doet een oudere vrouw, een grootmoeder, het.' Wat vinden ze dat de premier tegen vgv moet ondernemen? 'Ik zou hem willen vragen wat er gebeurt als die kleine meisjes blond haar en blauwe ogen hadden,' antwoordt Muna Hassan. 'Ik zou tegen David Cameron willen zeggen dat hij eindelijk eens ballen moet tonen en iets aan vgv moet doen, en als hij dat niet kan, is hij niet geschikt voor zijn baan.'

De meisjes willen tegen hun eigen ouders worden beschermd.

In hun film *The Silent Scream* laten ze op een behendige, ontroerende manier zien hoe moeilijk het voor een kind is om de stellige overtuigingen aan te vechten van de mensen van wie ze houden en die ze vertrouwen. In het Verenigd Koninkrijk mislukken veel potentiële aanklachten omdat kinderen geen misdadigers van hun ouders willen maken. Ze willen dat lessen over VGV in het lesrooster worden opgenomen. 'We hebben hulp nodig om met onze ouders in discussie te gaan en hen te overtuigen,' zegt Fahma. 'Als ieder meisje toegang heeft tot feiten over de gevaren van VGV en dat die geen wortels heeft in onze religie, zou dat alles er veel makkelijker op maken voor ons.'

Tijdens de door de Britse overheid en UNICEF georganiseerde 'Girl Summit' in 2014, de eerste bijeenkomst van zijn soort in het Verenigd Koninkrijk, zei David Cameron tegen de honderden vrouwen en vertegenwoordigers van niet-gouvernementele organisaties die tegen VGV strijden: 'Het is overduidelijk wat we proberen te bereiken, het is een eenvoudig, maar nobel en goed streven, namelijk het uitbannen van de verminking van vrouwelijke geslachtsdelen, gedwongen huwelijken van kinderen en jongeren, en wel overal, voor iedereen van deze generatie. Dat is het doel. Dat is ons streven.'[17] De woorden van de premier klinken dapper, maar ze zijn onoprecht en worden niet geschraagd door daden. Er is behoefte aan werkelijke politieke wil en er moeten aanzienlijke middelen ter beschikking worden gesteld om de duizenden immigranten te bereiken die in dit land arriveren met het eeuwenoude geloof dat ze het recht hebben hun dochters te verminken.

De nieuwe uitvoerend directeur van Forward, Naanna Otoo-Oyortey, wijst erop dat er een groot gebrek aan religieuze leiders is tijdens de topconferentie. Die mannen zouden moeten worden aangesproken op de verkeerde interpretatie van een religie die wordt aangevoerd als rechtvaardiging voor VGV. Het respecteren van tradities en culturen lijkt voorrang te krijgen boven de behoefte aan een rechtstreekse confrontatie. Na de topconferentie maakte de regering een bescheiden bedrag van 1,4 miljoen pond vrij voor een VGV-preventieprogramma in het Verenigd Koninkrijk, wat in de ogen van

Otoo-Oyortey een belediging is: 'De regering geeft hiermee te kennen dat deze kwestie niet belangrijk genoeg is.'[18]

Maar het goede nieuws is dat er een nieuwe wet is die het voor mensen in de gezondheidszorg, het onderwijs en maatschappelijk werk verplicht stelt gevallen van vgv die ze tegenkomen bij de politie te melden, wat zou kunnen helpen om meer rechtszaken van de grond te krijgen. Daarnaast heeft de regering beloofd dat er scherper zal worden gecontroleerd bij de grens, om te voorkomen dat meisjes mee teruggenomen worden naar het land waar hun familie vandaan komt om daar tijdens de zomervakantie te worden besneden. In 2003 werd de wet tegen de verminking van vrouwelijke genitaliën zo aangepast dat het illegaal werd om buiten het Verenigd Koninkrijk vgv uit te voeren op mensen met de Britse nationaliteit.[19] Maar nog steeds zijn er geen zaken aanhangig gemaakt op grond van deze wet.

In Gambia praat ik met Aja, een dorpsbesnijdster die bekent dat ze jonge Britse meisjes heeft besneden, familieleden van haar die in het Verenigd Koninkrijk wonen. Aja's dochters hebben de meisjes probleemloos meegenomen naar Gambia om daar tijdens de schoolvakantie te worden besneden. 'Een van mijn dochters is met een Engelsman getrouwd. Haar dochters worden niet besneden. Maar de andere drie die in Engeland wonen, zijn met een Gambiaan getrouwd en zij hebben hun dochters mee terug naar Gambia genomen om hen hier te laten besnijden.'

Het dfid, een Britse overheidsinstantie voor internationale ontwikkeling, heeft 35 miljoen pond vrijgemaakt om in landen buiten het Verenigd Koninkrijk vgv te helpen bestrijden, wat indirect ook ten goede kan komen aan Britse meisjes die het risico lopen te worden besneden in het land waar hun ouders vandaan komen. Maar in de drie jaar dat ik nu zo'n beetje vgv in het Verenigd Koninkrijk en daarbuiten heb onderzocht, heb ik sterk de indruk gekregen dat de Engelse overheid zich liever inzet voor de strijd tegen problemen overzee dan tegen die in eigen land. Het gebrek aan rechtszaken vergeleken met Frankrijk is en blijft onverklaarbaar. Een vaste procedure om de geslachtsdelen van kinderen te onderzoeken is nooit van de grond gekomen. En over de aanzienlijk eenvoudiger optie om onderricht over vGv in het leerplan op te nemen is niet eens echt gediscussieerd.

En dan is er nog Maimouna Jawo, die Gambia ontvluchtte om geen meisjes in haar dorp te hoeven verminken. Waarom is haar asielaanvraag afgewezen? Ze woont inmiddels vijf jaar in het Verenigd Koninkrijk, ze heeft een halfjaar vastgezeten in het uitzetcentrum Yarl's Wood, ze is eenmaal door de rechter gehoord en haar appel is afgewezen. Het team van GAMCOTRAP moet nog toestemming vragen voor een bijeenkomst in haar dorp Wellingara. Als zij gedwongen wordt terug te keren, zal ze gedwongen worden te besnijden.

Zittend op haar bed in Hounslow doet Maimouna haar verhaal: 'Ze zouden me vermoorden als ik nee zei tegen besnijden. Dan word ik afgerammeld door mijn familie en dan ben ik dood.' Twee weken later zit ik met haar zus op een metalen bed dat speciaal voor ons gesprek de binnenplaats van haar huis in Wellingara op gesleept is. Kombeh Jawo is bijna blind; daarom heeft hun moeder Maimouna uitgekozen om haar werk over te nemen. Ik vraag Kombeh Jawo wat er zou gebeuren als haar zus Maimouna naar huis zou komen en weigert de besnijdster van het dorp te worden.

Ze kijkt me aan met haar melkachtige ogen en zegt met een nadrukkelijk dreigement in haar stem: 'Overal hebben wij zwarte mensen onze tradities, en als je niet gehoorzaamt aan die traditie, zal jou iets naars overkomen. Zij is de besnijdster van dit dorp en ze moet snijden. Anders zal er een vloek op haar rusten die ze onmogelijk kan weerstaan. Neem van mij aan dat haar dan van alles kan overkomen.'

Ik bezoek de vijf kinderen van Maimouna, die worden opgevangen door een buurvrouw, een paar kilometer buiten Wellingara. Hun vader is hertrouwd en heeft zijn handen van hen afgetrokken, en het wordt voor Maimouna's kinderen te gevaarlijk geacht om in het dorp te blijven wonen. Ik krijg niet te horen hoe het financieel geregeld is met het onderhoud van de kinderen. De buurvrouw woont op een grote boerderij, maar de vijf tieners lijken in een enkele, duistere kamer buiten het grote huis te wonen.

Hun ogen gaan stralen wanneer ik hun vertel dat ik kort daarvoor hun moeder heb gezien en dat ze hen erg mist, maar verder komen ze over als een verdrietig, verwaarloosd stelletje. De buurvrouw legt uit waar die lusteloosheid vandaan komt: 'Ze hebben het heel moeilijk. Ze zijn de hele tijd verdrietig. Ik probeer ze op te beuren door te zeggen dat hun moeder misschien terugkomt. Het meisje heeft het helemaal zwaar zonder haar moeder, vooral op school. Ze krijgt niets gedaan omdat ze de hele tijd aan haar moeder denkt.'

Ik kijk naar Ami en denk aan dat vijfjarige meisje dat kronkelend van de pijn om haar moeder riep, terwijl Maimouna haar benen in bedwang hield en haar oma haar besneed. Dat was het moment waardoor Maimouna bij haar kinderen vandaan werd gedreven. Ik denk terug aan de tranen die Maimouna over de wangen stroomden toen ze het over haar kinderen had. 'Ik mis mijn kinderen verschrikkelijk,' zei ze tegen me, 'en ik weet dat ze mij missen. Maar als ik terugga om voor hen te zorgen, ben ik niet trouw aan mijn diepste overtuiging dat het verkeerd is.'

En ongelooflijk genoeg wacht het dorp Wellingara nog steeds op Maimouna. Ik hoor van haar zus dat er na de dood van hun moeder en de vlucht van Maimouna niemand is besneden. De dorpsoudsten houden vol dat alleen een lid van de familie Jawo dat werk kan doen. 'Alleen onze familie kan het doen,' zegt Kombeh Jawo. 'Maimouna moet terugkomen.' Maar omdat ze er niet is, blijft tientallen kinderen een verminking bespaard.

Bij de immigratiedienst bevestigt men dat er geen Britse ambtenaar op bezoek is geweest bij Maimouna thuis om haar verhaal na te trekken. De beslissing om haar asiel te weigeren, hoor ik van een woordvoerder, 'was gebaseerd op de overtuiging dat ze veilig naar huis kon terugkeren'. De rechter had immers de conclusie getrokken dat de manier waarop zij haar hoofdtooi knoopt, bewijst dat ze gefortuneerd en ontwikkeld is en elders in Gambia uit de buurt van Wellingara een nieuw leven zou kunnen beginnen en 'kan verkeren onder ontwikkelde mensen'.

Twee jaar na dat eerste interview meld ik me weer bij Maimouna in haar zit-slaapkamer in Hounslow. Ze woont nog in hetzelfde huis, maar heeft inmiddels een kamer voor zichzelf. Ze kijkt de hele dag televisie, belt met haar kinderen in Gambia en eens per maand meldt ze zich bij het plaatselijke asielbureau van de immigratiedienst om haar voedselbonnen op te halen, waar men haar er bij elk bezoek aan helpt herinneren dat ze elk moment kan worden gedeporteerd. Ze mag niet werken, heeft geen geld, en is afhankelijk van de briefjes van tien die haar broer af en toe stuurt om met haar kinderen te kunnen praten.

Ze is wanhopig omdat haar verzoek is afgewezen. 'Als ze me terugsturen, heb ik geen keus. Dan ga ik terug en doe ik mijn werk op de dag dat er wordt besneden. Als ik dat niet doe, zullen ze me doden, en ik kan me nergens verbergen.' Tranen stromen over haar wangen. 'Dat is de enige manier om mijn kinderen weer te kunnen zien. Ik heb de strijd verloren. Ik zal moeten besnijden.'

2

Argentinië

DE GROOTMOEDERS VAN DE PLAZA DE MAYO

Mijn zoon vierde zijn vierentwintigste verjaardag. We gingen naar zijn huis om samen te eten en feest te vieren. We aten taart, zongen 'Lang zal hij leven' en daarna gingen we kaarten. Even na middernacht werd er geklopt. Er stonden drie mannen in burger aan de deur. Ze kwamen binnen en vroegen wat we aan het doen waren. Ik vertelde dat we mijn zoons verjaardag vierden. Ze wilden de boeken zien. Mijn schoondochter opende de kast waarin de boeken stonden. Ze namen de titels door. Er waren politieke boeken bij. Mijn zoon en schoondochter werden meegenomen en in een politieauto gestopt. De mannen zeiden dat ze hen wilden ondervragen en na een paar uur terug zouden brengen. Ik begon te schreeuwen en te huilen. Mijn man vroeg waarom; ze hadden toch gezegd dat ze later terug zouden komen? Ik zei dat hij niet doorhad wat er aan de hand was in Argentinië. Dat we Andres en Liliana nooit meer terug zouden zien. Ik kreeg gelijk.

Ik spreek met Raquel Radío de Marizcurrena af bij het kantoor van de Grootmoeders van de Plaza de Mayo in een mooie straat in het centrum van Buenos Aires dicht bij de Joodse wijk. Koperen naamplaten vermelden namen van advocaten, architecten en accountants. Ik duw de zware houten deur open. Een oudere portier in uniform leidt me naar een ouderwetse lift. Hij opent het ijzeren hek en drukt op de knop voor de derde verdieping.

Het kantoor verschilt niet van een druk advocatenkantoor. De receptionist hangt aan de telefoon, een medewerker loopt langs met een stapel papier, en door openstaande deuren zie ik mensen vergaderen, aan computers werken en thee zetten. Het lijkt een kantoor als alle andere, behalve dan dat iedereen wit of grijs haar heeft, vrouw is en ergens in de zeventig of tachtig.

Ik heb gevraagd of ik drie grootmoeders kan ontmoeten: Raquel, Delia Giovanola de Califano en Rosa Tarlovsky de Roisinblit. Het protocol is streng. Bezoekers worden slechts toegelaten op vertoon van een ruime hoeveelheid Argentijnse lekkernijen. Ik stel ze niet teleur. In mijn tassen zitten amandelcakes, donuts en een ricottataart. Zij zorgen voor koffie en thee, en dan gaan we in een kantoor zitten. Aan de muur voor me hangen foto's van lachende jonge stellen.

De zoon van Raquel verdween op 24 april 1976, een maand na de coup waarbij de militaire dictatuur werd gevestigd en de Vuile Oorlog begon. De socialistische regering van Isabel Perón werd omvergeworpen door het leger onder leiding van generaal Videla. Iedereen die loyaal was aan de oude regering werd beschouwd als een socialist en een dissident. Voor deze mensen was geen plaats in het nieuwe tijdperk van militarisme en rechts-christelijke familiewaarden.

Hoe katholiek de generaals ook waren, het weerhield ze niet van wraakzuchtig en moordlustig optreden. Dissidenten oppakken deden ze bij voorkeur 's nachts. Dan konden soldaten de straat makkelijk afzetten en bleven buren liever in bed liggen dan dat ze de gewapende politiemannen in burger tegen zich in het harnas joegen. Delia:

Op 16 oktober 1976 om twee uur 's nachts kwamen ze mijn zoon Jorge en schoondochter Estela halen. Ze lieten mijn drie jaar oude kleindochter in haar ledikant achter. Bij het verlaten van de flat bonsden ze op de deur van de buurvrouw en riepen: 'Niet opendoen. Dit is het leger. In het huis hiernaast ligt een kind alleen.' Ze keek door het sleutelgat en zag dat haar buren geboeid en met zakken over hun hoofd weggevoerd werden. Estela was hoogzwanger en in paniek omdat ze haar dochtertje niet alleen achter wilde laten. Toen ze het gebouw uit waren, opende de buurvrouw haar deur en zag dat de voordeur naast haar open was gelaten. Ze ging naar binnen en haalde mijn kleindochter Virginia in huis.

Op de basisschool waar Delia lesgaf kreeg ze de volgende dag een telefoontje van de buurvrouw die haar vroeg om haar kleindochter op te halen. 'Ik had geen idee wat er aan de hand was. Hoe bedoel je, Jorge en Estela meegenomen, vroeg ik. Door wie dan? Waarom? Waarnaartoe?'

Niemand leek de antwoorden te kunnen geven. Pas toen ze bij de poort van de legerkazerne en het politiebureau naar de kinderen informeerde, kwam ze erachter dat ze niet de enige was. Overal in Buenos Aires en in het hele land waren jonge mensen ontvoerd. Moeders wisselden informatie uit en begonnen elkaar te ontmoeten, wat voor het Argentinië van toen een kleine sociale revolutie was. Vrouwen werden verondersteld zich op de achtergrond te houden. Vragen stellen en beslissingen nemen was iets van mannen. 'Hun moederschap schiep een band en stelde hen in staat een beweging te beginnen zonder mannen,' schrijft Rita Arditti in haar boek *Searching for Life*.

In het begin gingen de vrouwen voorzichtig te werk. Ze vroegen priesters en journalisten om hulp bij de zoektocht naar de verdwenen kinderen. Maar de katholieke kerk steunde het regime en de meeste journalisten durfden er niet over te schrijven. De pers werd geacht het beeld in stand te houden van de vrouw als moeder en huisvrouw, naar het Duitse nazi-ideaal van de vrouw die toegewijd is aan *Kinder, Küche, Kirche* – kinderen, keuken, kerk. Vrouwenbladen waarschuwden hun lezeressen om hun kinderen te behoeden voor subversieve ideeën.

Alleen de Engelstalige *Buenos Aires Herald* durfde het aan om het verhaal te publiceren. Onder het militaire bewind was censuur aan de orde van de dag, maar Engelse teksten werden meestal ongemoeid gelaten. Uki Goni maakte als beginnend journalist mee dat een groep vrouwen zich, uitzinnig van verdriet, bij het kantoor van de krant meldde met het verzoek hun verhalen te vertellen. Als groentje werd hij naar de receptie gestuurd om de vrouwen te woord te staan. Al snel begreep de redactie dat dit een groot verhaal was. Het artikel over *los desaparecidos*, de vermisten, belandde op de voorpagina. Ik zocht Goni op in zijn mooie appartement in Buenos Aires. Hij vertelde:

Wat me het meest is bijgebleven van de periode dat ik voor de *Buenos Aires Herald* over dit onderwerp schreef was dat het vrijwel altijd moeders waren die de trappen naar de redactie van de krant beklommen om de ontvoering van hun kinderen te melden – vrijwel nooit vaders. De enkele man die naar boven kwam, werd meegetrokken door zijn vrouw. Tijdens het gesprek zei hij dan: 'Hou je mond! Je moet hier niet over praten. Dat is gevaarlijk. Straks verlies ik mijn baan. Wie weet komen ze vanzelf terug.' Volgens mij heeft het te maken met vrouw-zijn of moederschap. Ik was pas drie- of vierentwintig, maar ik herinner me wat de vrouwen antwoordden: 'Hou je mond! Het kan me niet schelen of ze me vermoorden. Of jou vermoorden. Ik wil weten waar mijn kind is.' Die vrouwen ontmoetten elkaar bij de krant en voor politiebureaus, en besloten zich te organiseren.

Het was een unieke beweging. De meeste vrouwen hadden amper middelbare school gehad. Ze waren huismoeder geworden en hielden zich niet bezig met politiek of de maatschappij. Weinigen van hen waren op de hoogte van het linkse idealisme van hun kinderen, maar van het bewind van de nachtelijke verdwijningen moesten ze al helemaal niets hebben. Het is voor ons in de eenentwintigste eeuw misschien moeilijk voor te stellen, maar deze vrouwen namen enorme risico's in de patriarchale Zuid-Amerikaanse samenleving van de jaren zeventig.

Er heerste een klimaat van angst. Als uit een gezin kinderen waren ontvreemd, vermeed zelfs de naaste familie elk contact, uit vrees om met de dissidenten geassocieerd te worden. Raquel herinnert het zich. 'Nadat mijn zoon en zijn vrouw waren verdwenen, wilden mijn zes zussen en mijn broer niets meer met ons te maken hebben. Ze waren doodsbang dat hun hetzelfde zou overkomen.' Angst en verdriet verbonden de grootmoeders met elkaar en maakten hen samen sterk en moedig. Ze verzamelden alle informatie die ze konden vinden van twaalf verdwijningen en zochten contact met de *Herald* en met mensenrechtenorganisaties over de hele wereld. Delia:

> Een moeder gaat niet zitten afwachten. Mijn lieve Jorge was mijn enige kind. Het was onmogelijk om hem niet te gaan zoeken. Ik ben een moeder! Het zou voelen alsof ik hem in de steek liet. Achteraf kan ik bijna niet geloven dat we echt in opstand zijn gekomen. In ons land doen vrouwen dit soort dingen niet. Ik denk dat ons verdriet ons de moed gaf. In het begin deden we maar wat. Pas na verloop van tijd ontstond er een goed georganiseerde, strak geleide beweging. Meedoen was vanzelfsprekend. Ik was het aan mijn zoon, mijn schoondochter en mijn kleindochter Virginia, die inmiddels bij mij woonde, verplicht om voor ze op te komen. Ik kende mijn schoondochter Estela al sinds ze kind was. Ze zat in mijn klas, ik heb haar leren lezen en schrijven. Ik hield al van haar voordat ze op haar vijftiende iets met mijn zoon kreeg. De laatste keer dat ik haar sprak, zei ze: 'We zijn zo gelukkig.' Een week later werden ze meegenomen.

De pijn van de vrouwen tegenover me betrof niet alleen hun kinderen. Toen Delia's schoondochter Estela verdween, was ze ruim acht maanden in verwachting. Raquels schoondochter was vijf maanden zwanger, Rosa's dochter drie maanden. Zoals iedere moeder wier dochter of schoondochter een kind verwacht, maakten de vrouwen zich grote zorgen. Kregen de jonge vrouwen wel voldoende goede voeding, slaap en medische zorg? Zouden ze naar huis mogen voor de geboorte van de baby?

Een jaar na de staatsgreep was er nog geen enkele duidelijkheid over de verdwijningen. De vrouwen besloten publiekelijk te gaan demonstreren. Elke donderdagmiddag liepen ze rondjes over de Plaza de Mayo, het plein waaraan het presidentieel paleis ligt. Ze moesten blijven lopen om te voorkomen dat ze gearresteerd zouden worden voor 'illegale samenscholing', want de junta had het samenkomen van groepen verboden. Steeds meer moeders gingen meedoen aan de wekelijkse rondwandeling. Ze hadden witte hoofddoeken op en droegen uitvergrote foto's van hun kinderen bij zich. Ze kregen wereldwijd bekendheid als de Dwaze Moeders.

De autoriteiten deden alles om de vrouwen tegen te houden. 'De politie was verschrikkelijk,' herinnert Raquel zich. 'Ze gooiden ons op de grond. We werden geslagen met lange latten en aangevallen met traangas. We stopten citroenen in onze mond tegen de irritatie. Het ergst was de politie te paard. Die trok zich nergens iets van aan en reed gewoon op ons in. We moesten rennen om niet vertrapt te worden.'

Toen de generaals ter voorbereiding op een oorlog om de Britse Falkland-eilanden probeerden de nationalistische onderbuikgevoelens van het Argentijnse volk aan te wakkeren, nam de agressie tegen de Dwaze Moeders verder toe. Familieleden van dissidenten werden nu ook beschouwd als verraders en vogelvrij verklaard. 'Het ergst was het in de week voordat generaal Galtieri de Falkland-oorlog begon,' gaat Raquel verder. 'Het was een donderdag. We werden zeer agressief aangevallen. Ze gebruikten alles. Het was verschrikkelijk. Ze sloegen met knuppels en schoten op ons met rubberen kogels. Ze haalden alles uit de kast om ons van het plein te jagen. Maar wij hielden stand.'

Het Argentijnse leger verloor de strijd om de Falkland-eilanden van de Britse troepen. Na de dood van 650 Argentijnse soldaten en 255 Britse gaf Argentinië zich over. Dat betekende het einde van Galtieri en de militaire dictatuur. Maar de opgepakte mensen zijn nooit teruggekomen. Tussen de 10.000 en 30.000 'subversieven' leken wel van de aardbodem verdwenen.[1] Niet lang daarna zocht een redacteur van de *Buenos Aires Herald* contact met de moeders om hun iets te vertellen wat de rest van hun leven zou bepalen. 'Guillermo Cook vertelde me dat het lot van de ontvoerde zwangere vrouwen bezegeld was op de dag dat ze verdwenen,' zegt Delia. 'Ze zouden nooit terugkeren. Er zijn lijsten gevonden van echtparen uit alle divisies van het leger. Die mensen wachtten op de geboorte van onze kleinkinderen.' Nadat ze waren bevallen, werden de dochters en schoondochters vermoord. Hun baby's werden aan de echtparen op de lijst gegeven. Sinds de moeders dat weten, noemen ze zich de Grootmoeders van de Plaza de Mayo. Hun kinderen zijn dood, maar de zoektocht naar hun kleinkinderen duurt nog altijd voort.

Het is al laat in de middag. In het kantoor van de grootmoeders valt het lage zonlicht op de zilvergrijze haren en vermoeide gezichten van de drie vrouwen. Er valt een ongemakkelijke stilte. Raquel en Delia kijken naar Rosa. Dertig jaar na dato is zij nog altijd de enige die haar kleinkind heeft gevonden. Zij moet het vervolg van dit verhaal maar vertellen.

Rosa's dochter en schoonzoon werden opgehaald op een nacht in oktober 1978. Haar dochter was acht maanden zwanger. 'Patricia was een idealiste,' vertelt Rosa. 'Ze wilde dat het beter zou gaan met ons land – voor haar kinderen en voor de volgende generatie. Ze gaf haar leven voor de strijd tegen een wrede dictatuur.' Net als bij Raquel werd bij de ontvoering een kind thuis achtergelaten in haar ledikant. Dat was de toen tweejarige Mayane.

Op een middag tweeëntwintig jaar later vroeg Rosa haar kleindochter of ze een middag wilde helpen op het kantoor van de grootmoeders.

Mayane was hier aan het werk als vrijwilliger toen ze een anoniem telefoontje kreeg. Het ging over een jongen die was geboren in de ESMA, de vroegere hogeschool van de luchtmacht, die tijdens de Vuile Oorlog als gevangenis is gebruikt.

De beller noemde als geboortedatum 15 november 1978. Dat was ongeveer de datum waarop mijn dochter destijds was uitgerekend. Hij vertelde dat de moeder een zesentwintig-jarige oud-studente medicijnen was geweest. Net als mijn dochter. Wij grootmoeders zijn voorzichtig wanneer we dit soort telefoontjes krijgen. Maar Mayane ging er meteen op af. Zonder iemand iets te zeggen haastte ze zich naar het adres dat de anonieme beller had gegeven. Daar bleek de jongen, inmiddels een jonge man, te werken. Ze liep naar hem toe en stelde zich voor. 'Wat kan ik voor u doen?' vroeg hij en zij zei: 'Ik denk dat we broer en zus zijn.'

Dankzij dit soort telefoontjes is een aantal kleinkinderen gevonden. De grootmoeders vermoeden dat de anonieme bellers vroeger in het leger hebben gediend. Nu ze op leeftijd zijn, voelen ze zich schuldig en proberen met zichzelf in het reine te komen. Toch moeten dergelijke tips zorgvuldig onderzocht worden. De grootmoeders willen zekerheid. Ze prijzen zich gelukkig dat hun zoektocht plaatsvindt in deze tijd, waarin ze gebruik kunnen maken van misschien wel de grootste wetenschappelijke verworvenheid van de moleculaire biologie: de ontdekking van DNA en de techniek om daarmee mensen te identificeren. Alle grootmoeders hebben bloed naar een bloedbank in Seattle gestuurd voor het DNA-profiel.

Rosa: 'Nog dezelfde middag kwam Guillermo Fernando naar ons kantoor. Hij wilde bloed laten afnemen om erachter te komen of mijn kleindochter zijn zus was. Op de foto's die Mayane hem had laten zien van haar ouders meende hij gelaatstrekken te herkennen. Op dit moment had mijn bloed al die tijd staan wachten in het laboratorium in Seattle.'

Rosa wist niet hoelang het zou duren voordat de uitslag van de DNA-test binnen was. Ze kon er niet op wachten, want ze moest naar de Verenigde Staten. 'Ik kreeg een eredoctoraat aan de universiteit van Massachusetts. Ik was in Boston toen er een telefoontje voor me kwam. Het was de genetisch onderzoeker, die zei: "Rosa, ik denk dat hij inderdaad je kleinzoon is."' Rosa's ogen stralen bij de herinnering aan dat moment. De Amerikaanse academici, die haar amper kenden, deelden haar blijdschap. 'We sprongen op van vreugde, we dansten, we zongen, we lachten en huilden tegelijk.'

Even is Rosa verzonken in herinneringen aan die bijzondere dag, tweeëntwintig jaar na de verdwijning van haar dochter. Dan werpt ze een spijtige blik op Delia en Raquel, die dit verhaal nog niet kunnen vertellen. Rosa is een van de vrouwen die hun kleinkind wel hebben gevonden, maar toch vrijwilligerswerk blijven doen in het kantoor van de grootmoeders. Het tragische verlies van hun kinderen en kleinkinderen heeft hen voor altijd met elkaar verbonden.

Zolang de regering niet naar buiten brengt wat er precies gebeurd is, weigert Rosa de dood van haar dochter Patricia te accepteren. 'Ik wil weten wie haar hebben meegenomen en waarom. Wie heeft haar veroordeeld? Ik zal nooit zeggen dat mijn dochter dood is voordat ik precies weet wat er met haar is gebeurd. Ik ben trots op haar. Ze was een rebel, zeker, maar ze vocht tegen de terreur van de staat.'

Rosa kan zich er niet toe zetten naar de beruchte ESMA te gaan, de luchtmachtschool in een buitenwijk van Buenos Aires, waar Patricia haar kind kreeg. Daarom had ik eerder al haar kleinzoon Guillermo, de zoon van Patricia, gevraagd of hij er met me naartoe wilde gaan. Op een zonnige voorjaarsdag sloten we aan in de rij voor de afschrikwekkende ijzeren traliehekken. Er waren tientallen toeristen die een blik wilden werpen in het voormalige werkkamp, de martelruimte en de kraamkamer. De ESMA is een populaire bestemming geworden voor Argentijnen die meer willen weten over hun recente geschiedenis.

De voormalige gevangenis is niet toegankelijk voor het gewone publiek, maar als overlever kreeg Guillermo toestemming om naar binnen te gaan. We beklommen de betonnen trap naar de bovenste verdieping, waar de jonge gevangenen destijds waren opgesloten. De cellen hadden houten vloeren en kleine ramen. Zo pal onder het dak kon ik me goed voorstellen hoe ondraaglijk de hitte in de zomer moet zijn. In een van de kleine cellen vertelde Guillermo wat hij wist over zijn geboorte. Hij had een medegevangene van zijn moeder gesproken, die gedwongen was geweest om te helpen.

'Hier ben ik geboren,' begon hij. 'Mijn moeder werd vastgebonden op een tafel – een gewone, geen ziekenhuistafel. Een legerarts en twee vrouwelijke gevangenen met enige ervaring hielpen bij de bevalling. Daarna vroeg mijn moeder of ze me mocht vasthouden en gaf me mijn naam: Guillermo Fernando. Ze praatte tegen me. Ze zei dat ze mijn moeder was.' De legerarts nam de baby van haar over. Moeder en kind zouden elkaar nooit terugzien. Het jongetje werd aan een legerofficier en zijn vrouw gegeven.

Van de duizenden jonge vrouwen die tijdens de militaire dictatuur zijn opgepakt moeten er honderden in verwachting zijn geweest. De katholieke kerk steunde de junta, maar was tegen het vermoorden van zwangere vrouwen en baby's. Daarom stelde het leger lijsten op van echtparen die een kind wilden adopteren. Zodra de vrouwen waren bevallen, werden ze vermoord. De baby's gingen naar echtparen uit het leger of volgelingen van het regime.

Rosa weigert te speculeren over de mogelijke dood van haar dochter, maar Guillermo is op onderzoek uitgegaan. Hij weet bijna zeker dat zijn moeder 'een van de mensen was die werden verdoofd en vanuit vliegtuigen in zee zijn gegooid tijdens de beruchte dodenvluchten'. Er klinkt woede in zijn stem. We lopen door de donkere gangen waar ooit zijn moeder doorheen is gevoerd. 'Hun misdaad was dat ze streden tegen de dictatuur. Ze wilden verandering, gelijkheid, vrijheid en democratie. Het merendeel van de vrouwen die hier hun kind kregen, is nooit teruggevonden. We nemen aan dat ze op de dodenvluchten zijn gezet.'

Het werd de gebruikelijke manier om te moorden. De vliegtuigen vertrokken van een militair vliegveld in de buurt van wat nu het Parque de la Memoria (herdenkingspark) is, aan de monding van de rivier de Plate, net buiten de stad. De piloten kregen het bevel hun menselijke vracht boven zee te lossen. Toen er lichamen aanspoelden op de oevers van de Plate, vlak bij Buenos Aires, en mensen begonnen te vermoeden wat het lot was van de desaparecidos,[2] moesten de piloten de lichamen verder weg boven de oceaan dumpen.

Na mijn interview met de drie grootmoeders komt Guillermo op het kantoor om zijn grootmoeder Rosa op te halen. Ze eet die avond thuis bij hem, zijn vrouw en hun twee kinderen. De twee omhelzen elkaar liefdevol. Ik kijk ze na terwijl ze samen de Calle Argentina af lopen. Het is een grappig gezicht hoe de lange knappe dertiger met zijn zwarte haar en zongebruinde gezicht zowat dubbelklapt om met de kleine bleke roodharige vrouw te praten. En het is ontroerend om te zien hoe zij naar hem opkijkt met een lach van trots, geluk, opluchting en liefde.

Ik praat verder met Raquel en Delia. De hereniging van Rosa en Guillermo is betrekkelijk eenvoudig gegaan. Het anonieme telefoontje was voldoende. Anderen hadden minder geluk, hoe intensief ze ook gezocht hebben. Delia vertelt dat er halverwege de jaren tachtig, toen ze begrepen dat hun kleinkinderen waarschijnlijk in leven waren, een gevoel van urgentie ontstond. 'De tijd ging voorbij, terwijl onze kleinkinderen opgroeiden bij vreemden en zonder ons.' Ze besloten de taken te verdelen. Een groep zou informatie proberen los te peuteren bij bewakers van plekken als ESMA, terwijl anderen met foto's van verdwenen kinderen systematisch de wijken zouden doorzoeken naar kinderen met dezelfde gelaatstrekken en de juiste leeftijd.

'Ik nam La Lucila in het noorden van Buenos Aires voor mijn rekening,' vertelt Raquel. 'Dat was mijn wijk. Toen er op een gegeven moment een kleindochter was gevonden, nam ik de grootmoeder mee. Vanaf een hoek van de straat keken we hoe het meisje 's ochtends naar school ging en 's middags terugkwam. Haar grootmoeder kon wel uren naar haar kijken. Daaraan had ze genoeg, in afwachting van het moment dat er een bloedtest kon worden afgenomen bij het meisje.' Maar daarvoor moest de rechter toestemming geven en dat gebeurde niet altijd.

Ook Delia deed spionagewerk. 'Ik heb wel eens aangebeld bij een huis om een tip na te gaan van iemand die naar ons kantoor had gebeld. Toen de bewoner opendeed, vertelde ik dat zijn zoon mogelijk mijn kleinzoon was. Hij joeg me weg, maar ik ging door met mijn onderzoek.' Toen ze ontdekte dat de gegevens op het geboortecertificaat vervalst waren, gelastte de rechter een bloedtest. Het bleek inderdaad een kleinkind te zijn, maar niet dat van Delia. De jongen werd herenigd met zijn echte familie. 'Voor mijn gevoel is hij bijna mijn kleinzoon, omdat ik heb meegeholpen hem te vinden. Alle gevonden kleinkinderen liggen ons na aan het hart. Op hun beurt beschouwen zij ons allemaal als hun oma's.'

Ik vraag Delia hoe haar zoektocht was. 'Toen ik mijn zoon verloren was, zorgde ik voor mijn kleindochter Virginia als was ze mijn eigen dochter. Dat ging zonder problemen. In de tijd dat ik naar haar ouders en broertje zocht, nam ik haar mee naar de Plaza de Mayo. Ze was nog maar klein en had geen idee wat er aan de hand was. Ze speelde gewoon lekker op het plein met de duiven.'

Op haar achttiende kreeg Virginia een baan bij de Provincia Bank aangeboden. Het was dezelfde functie die haar vader destijds bij de bank had vervuld. De Provincia Bank was een van de paar vooruitstrevende werkgevers in Argentinië die kinderen van vermiste medewerkers een baan aanboden. Twee jaar later trouwde ze. 'En toen ging ze op zoek naar haar broertje,' vertelt Delia. 'Ze deed mee aan het televisieprogramma *Mensen die mensen zoeken*. De bank steunde haar zoektocht. Onder de medewerkers was nog een geval van vermissing geweest. Dat ging om een tweeling, de Tolosa's. Toen zij waren gevonden, ging de zoektocht naar mijn kleinzoon door, met sponsoring van de bank.

Twee jaar geleden kreeg mijn kleindochter een depressie. Ze ging wel naar een psychiater, maar ze nam ontslag bij de bank en in augustus pleegde ze zelfmoord.'

Ik zit rustig te luisteren naar Delia's verhaal over verantwoordelijke werkgevers en tweelingliefde als ik opeens de woorden *se suicidió* opvang. Ik zie de theekoppen en de resten van de taartjes, en kan mijn oren bijna niet geloven. Hoe nonchalant ze het ook zegt, bij mij komt het hard binnen. De tranen springen in mijn ogen. Hoeveel moet een moeder verdragen, vraag ik me af.

Delia legt haar hand op de mijne en ik schaam me. Ik ben degene die haar zou moeten troosten. 'Het hindert niet,' zegt ze begripvol. 'Mijn leven is een aaneenschakeling van drama's. Virginia liet twee kinderen achter. Zij zijn de vierde generatie slachtoffers. De Vuile Oorlog trof mijn generatie, die van onze opgepakte kinderen en die van onze kleinkinderen die in gevangenschap werden geboren en opgroeiden bij vreemde ouders. Mijn achterkleinkinderen die zonder hun moeder verder moeten zijn de vierde generatie.' Delia vertelt dat de man van Virginia haar de schuld geeft van de dood van zijn vrouw. Ze mag haar achterkleinkinderen niet zien.

Ik kijk Raquel aan, wier zoon verdween in de nacht van zijn vierentwintigste verjaardag. Ook zij is in tranen. De twee oude vrouwen houden elkaars handen vast. 'Ik zoek nog altijd,' vertelt Raquel, 'maar dat hou ik met mijn leeftijd niet lang meer vol. Ik ben eenentachtig. Maar ik wil mijn kleinkind zien. Ik wil hem leren kennen. Ik smeek God me te helpen om hem zo snel mogelijk te vinden.'

Waar waren Gods dienaars op aarde toen ze nodig waren? De militairen regeerden met de zegen van de Kerk. De grootmoeders zijn zwaar in de steek gelaten. 'De Kerk heeft ons altijd genegeerd,' zegt Delia. 'Ik kom er niet meer. Er is daar geen enkele troost te vinden. Ik zet nooit meer een stap in welke kerk dan ook.' Ze vertelt over een grootmoeder die toen de pastoor weigerde te luisteren naar het verhaal van haar vermiste dochter zo radeloos werd dat ze zich schreeuwend vastklemde aan zijn arm. 'Hou op, mevrouw,' had de pastoor gezegd. 'Als u zo blijft gillen, gebeurt er straks met u ook nog wat.'

De moeders zijn in de jaren zeventig een paar keer naar Rome gereisd om hulp te vragen aan paus Paulus VI. Chica Mariani, wier zoon en schoondochter zijn vermoord en wier kleindochter is ontvreemd, herinnert zich hoe ze om audiëntie vroegen. 'Ze instrueerden ons op de eerste rij te gaan staan, waar de paus langs zou komen. We maakten een affiche met de naam van onze groep. Toen de paus dichterbij kwam, zag ik een van de mannen in zwarte kleding die bij hem waren iets tegen hem zeggen. De paus groette de mensen die voor ons waren. De mensen na ons gaf hij een hand. Maar ons sloeg hij over. Het was een slag in ons gezicht.' De moeders lieten bij het Vaticaan informatie achter over hun verdwenen kinderen, maar de paus 'heeft nooit iets voor ons gedaan, nooit een woord over onze kinderen gezegd. Dat was een enorme teleurstelling.'

De schandelijke onverschilligheid van de katholieke kerk ten opzichte van de beweging van de moeders raakt zelfs de huidige bekleder van de roomse zetel. Tijdens het militaire bewind was paus Franciscus priester in de orde van de jezuïeten, bekend als vader Jorge Mario Bergoglio. In oktober 1977 werd hij benaderd door de vader van de eerder dat jaar verdwenen, vijf maanden zwangere Elena de la Cuadra. Het enige wat Bergoglio deed was een briefje schrijven aan de aartsbisschop van La Plata: 'Ik wil de moeite nemen om aandacht te vragen voor de heer Roberto Luis de la Cuadra, met wie ik een gesprek had [...] Hij zal zelf vertellen waar het over gaat.'

Estela de la Cuadra, de zus van Elena, verloor vijf familieleden in de Vuile Oorlog. Zij herinnert zich hoe haar moeder haar vader overhaalde om naar Bergoglio te gaan om te vertellen over Elena's verdwijning en over hun bezorgdheid vanwege haar zwangerschap. De moeder was bang dat de priester niet naar een vrouw zou luisteren. Later verklaarde aartsbisschop Roberto de la Cuadra: 'De baby krijgt een goede opvoeding bij een familie.' Ze hebben het meisje, dat naar hun is verteld Ana Libertad gedoopt is, nooit gevonden.

In 2010 werd Bergoglio opgeroepen als getuige in een rechtszaak over de misdaden tijdens het militaire regime. Hij gaf toe dat hij op de hoogte was geweest van de verdwijning van Elena de la Cuadra, maar ontkende dat hij wist van haar zwangerschap. Toen hem gevraagd werd naar de ontvreemde baby's van de gevangenen, verklaarde hij dat hij daar pas voor het eerst van had gehoord tijdens het eerste proces tegen de junta in de jaren tachtig.[3] Dit kan bijna niet waar zijn. De Moeders van de Plaza de Mayo voerden toen al jaren actie voor hun vermiste kinderen in het centrum van Buenos Aires. Er was op hen ingeslagen door de politie en de internationale pers had over hun verdriet en hun acties gepubliceerd. Het is volkomen ongeloofwaardig dat een goed opgeleide priester als hij, lid van de internationale orde van de jezuïeten, niet op de hoogte was van de verdwijning van de kinderen.

Toen mijn reportage over de Grootmoeders van de Plaza de Mayo in maart 2013 was uitgezonden bij *Newsnight*, interviewde Jeremy Paxman me in de studio over Jorge Bergoglio's rol bij de verdwijningen. Even daarvoor was hij uitgeroepen tot de nieuwe paus. Uit Buenos Aires had ik een kopie meegenomen van de brief die hij had geschreven aan de aartsbisschop en vertalingen van de hoorzitting waarin hij had ontkend iets te weten van de vermiste kinderen. Die lieten we zien tijdens het interview. De volgende dag regende het boze klachten van Britse katholieken. Ze beschuldigden me van vooroordelen tegen de rooms-katholieke kerk. Ik was ongeloofwaardig als journalist.

In de jaren negentig beloofden de bisschoppen van Argentinië dat ze gewetensvol onderzoek zouden doen naar de rol van de kerk tijdens de dictatuur.[4] Vooralsnog hebben ze bar weinig enthousiasme getoond om die belofte na te komen. De verkiezing van Bergoglio tot paus Franciscus I wordt beschouwd als een frisse wind door de katholieke kerk. Zijn inzet voor de armen en uitgestotenen is lovenswaardig, maar hij zal altijd achtervolgd worden door vragen naar wat hij deed, of liever gezegd: wat hij niet deed tijdens de Vuile Oorlog van Argentinië.

Het is uitsluitend te danken aan de moed en het doorzettingsvermogen van de grootmoeders dat meer dan honderd kinderen van desaparecidos zijn gevonden. In degenen die ik heb gesproken herken ik het karakter van hun ouders, die veertig jaar geleden het lef hadden om op te staan tegen de militaire dictatuur. Ze hebben uitzonderlijke omstandigheden moeten doorstaan. Ze zijn grootgebracht door legerofficieren of mensen die de junta steunden. In sommige gevallen zijn hun ontvoerders rechtstreeks betrokken geweest bij de moord op hun echte ouders. Ze zijn opgevoed met de normen en waarden van die ontvoerders, die volkomen tegengesteld waren aan die van hun biologische ouders.

De inmiddels volwassen kinderen waren opgegroeid in rijkdom en gewend aan privileges. Sommigen reageerden onwillig, anderen werden boos toen ze de waarheid over hun afkomst te horen kregen. Ik sprak Victoria Montenegro bij de gedenkmuur voor de slachtoffers van staatsterrorisme bij de rivier de Plate net buiten Buenos Aires. De namen van zo'n 30.000 vermoorde slachtoffers van de junta staan daar in het graniet. De namen van Victoria's ouders zijn erbij: Roque Orlando Montenegro en Hilda Romana Torres, die achttien jaar was toen ze verdween, tien dagen na de geboorte van haar dochter. Tegen de gedenksteen leunend geeft Victoria toe dat ze boos was op de grootmoeders toen ze haar vonden:

> Ik wilde de waarheid niet horen. Ik moest niets van mijn echte familie hebben. Die grootmoeders haatte ik uit de grond van mijn hart. Ik was ervan overtuigd dat mijn ontvoerders mijn biologische ouders waren. Het leek me allemaal politiek. De grootmoeders gebruikten mij gewoon om wraak te nemen op de kolonel, de man die ik als mijn vader beschouwde. Ik ben grootgebracht met het idee dat ons land in oorlog was en dat mijn vader als kolonel in die oorlog had gevochten. Daarom wilden ze wraak nemen op hem. Ik ben opgegroeid in een kazerne en van jongs af aan gehersenspoeld.

Ze zegt het bijna verdedigend. We lopen naar een bank en kijken naar de mensen die hun zondag in het Parque de la Memoria doorbrengen: ouderen, hand in hand lopende stelletjes en jonge kinderen die om de enorme platen graniet rennen, zich onbewust van de slachtoffers achter de namen. Dit is het moderne Argentinië dat zijn geschiedenis in de ogen durft te kijken. Gepensioneerde officieren en zelfs geestelijken hebben voor de rechter moeten komen en zijn veroordeeld tot gevangenisstraffen. *Nunca más* – nooit meer – is het motto waarover iedereen het nu eens is.

Voor slachtoffers als Victoria is het niet makkelijk. Nadat de grootmoeders contact met haar hadden gezocht, stemde ze toe in een bloedtest. Die wees uit dat ze inderdaad Victoria Montenegro moest zijn, de dochter van twee linkse activisten die omgebracht waren vanwege hun idealen. Opeens was ze niet meer María Sol Tetzlaff, de dochter van een kolonel, gewend aan rijkdom en privileges. Ze bekent dat ze niet helemaal afstand kan nemen van haar milieu. 'Voor mijn gevoel sta ik heel ver af van mijn echte ooms, neven en nichten en grootouders. Ik kan de overtuigingen die ik heb meegekregen niet zomaar afschudden.'

De kwaadheid jegens de grootmoeders toen zij contact met haar opnamen, voelt ze nu voor de ouders die haar ontvreemd hebben. 'Ik zie nu wel in dat onze verbintenis niets te maken had met liefde. Voor hen was ik een overblijfsel uit een oorlog. Ik moet leren leven met het idee dat de geschiedenis mij gevormd heeft. Ik kan mijn leven alleen maar leiden als ik mijn ware identiteit onderken.' Sinds de waarheid boven tafel kwam, weet Victoria dat haar zogenaamde vader niet alleen de baby ontvreemdde, maar ook degene was die destijds haar ouders liet arresteren en vermoorden.

Bij de ingang van het Parque de la Memoria staan Victoria's man en drie puberzoons te zwaaien. Ze hebben vandaag hier afgesproken. 'Het is belangrijk dat ze begrijpen wat er gebeurd is,' zegt ze. 'Ze zijn er enorm van geschrokken dat hun opa een misdadiger was.' Ze staat me niet toe om met haar zoons te praten. 'Nee. Ik moet ze beschermen,' zegt ze stellig. 'Dit kost tijd.'

De grootmoeders denken dat er honderden kinderen moeten zijn die nog niet gevonden zijn. Televisie- en radioprogramma's wijden regelmatig aandacht aan hun campagne en aan de rechtszaken die gevoerd worden. Woordvoerders, veelal familie van desaparecidos, verzoeken mensen die twijfelen om contact op te nemen.

'Er ging een schok van herkenning door me heen toen ik het item op tv zag,' vertelt Catalina de Sanctis. 'Mijn leven lang heb ik een onbestemd gevoel gehad. Ik twijfelde aan wie ik was. Toen ik zeven of acht was, stond ik al in de spiegel te staren. Ik kende niemand op wie ik leek. Ik vroeg aan mijn moeder: "Waarom lijk ik niet op jou of op papa?" Ze zei dat ik op een oom van haar leek, maar daar geloofde ik niets van. Ik zag er anders uit, ik voelde me niet thuis op de katholieke school waar ze me naartoe stuurden en ik was het nooit eens met mijn adoptievader, die militair was. We hadden een verschillende manier van denken.'

Na het zien van het televisieprogramma besloot Catalina haar ouders te confronteren. 'Ik raapte al mijn moed bij elkaar en zei tegen de vrouw: "Ik ben de dochter van desaparecidos, hè?" Ze begon te huilen en gaf toe. Maar, zei ze, de families van dat soort mensen, terroristen, willen niets met die baby's te maken hebben. Ze zei dat de grootmoeders logen en dat ze kinderen weghaalden uit gezinnen die van hen hielden. Dat was echt waar, zei ze.'

Net als Victoria vocht Catalina met tegenstrijdige gevoelens. In het begin wilde ze haar ontvreemders beschermen. 'Ik voelde me schuldig. Ik wilde niet dat zij gearresteerd zouden worden vanwege mij.' Net als Victoria was ze opgevoed met bepaalde overtuigingen. 'Het was kinderachtig, maar ze maakten me wijs dat de grootmoeders slechte mensen waren. Ik was bang voor ze – sterker nog: ik haatte ze.' Volkomen in de war ging ze een paar maanden met haar vriend naar Paraguay. Toen ze terugkwam deden haar opvoeders vervelend tegen haar en bedreigden haar zelfs. Haar gewezen vader, een alcoholist, werd gewelddadig. Haar zogenaamde moeder raakte in een depressie.

Een buurman die het gezin goed kende en Catalina's twijfel deelde, zocht contact met de grootmoeders. Zij boden Catalina een bloedtest aan. Daaruit bleek dat ze de dochter moest zijn van Myriam Ovando en Raúl René de Sanctis. Haar echte familie nam haar in hun midden op. Ze vertelden dat haar moeder Myriam psychologie had gestudeerd, dat vader Raúl student antropologie was en dat beiden lid waren geweest van de Juventud Peronista, de jongerenbeweging van de partij van Péron. Myriam, eenentwintig jaar, was vijf maanden in verwachting toen de twee in april 1977 verdwenen.

Ongeveer in dezelfde tijd dat Catalina's ouders verdwenen, meldden haar ontvreemders zich bij het christelijke gezinsbureau dat een sleutelrol speelde bij het selecteren van baby's van vrouwelijke dissidenten voor respectabele families die loyaal waren aan de junta. De vrouw die zich later voordeed als de moeder van Catalina, had al jaren zonder succes gepoogd om in verwachting te raken. In april 1977 wendde ze zich tot het gezinsbureau. Vervolgens stuurde ze haar man, die op dat moment ver van huis gelegerd was, een opgetogen brief. Ze schreef dat ze bij het bureau had gesproken met de medewerker die belast was met het plaatsen van baby's. 'Zij zei dat ze in al die jaren dat ze bij het gezinsbureau werkt nooit afwijkingen of gezondheidsproblemen bij deze kinderen heeft gezien. Ze zijn goed gezond en via een natuurlijke bevalling geboren.'

Uit de ziekenhuisdossiers kunnen we concluderen dat het er allesbehalve natuurlijk aan toeging. In het dossier van het militaire ziekenhuis van Campo de Mayo in Buenos Aires is te lezen dat María Francisca Morilla op 17 augustus 1977 om vijf uur 's middags beviel van een dochter. Zes dagen eerder is genoteerd dat Myriam Ovanda, Catalina's echte moeder, op 11 augustus om tien uur 's morgens een keizersnee heeft gehad, waarbij haar dode foetus werd weggehaald. De aantekeningen in de dossiers werden op voorhand verdraaid om de babyontvoerders van een alibi te voorzien.

Dit soort details kwam naar voren in de veertien dagen van hoorzittingen van de rechtszaak tegen María Francisca Morilla en Carlos Hidalgo Garzón, die verdacht werden van ontvoering. Garzón had de aanklager ervan proberen te overtuigen dat hij het proces wegens een geestelijke inzinking niet kon bijwonen. De rechter besliste anders. Catalina woonde alle hoorzittingen bij, op slechts een paar meter afstand van de man en de vrouw tegen wie ze altijd papa en mama had gezegd.

Ik ontmoet Catalina een week voor de uitspraak van het vonnis. Ze wil niet dat ik bij haar thuis kom. Twee keer zegt ze onze afspraak af. Uiteindelijk stemt ze in met een afspraak op het kantoor van de grootmoeders tijdens haar lunchpauze. Ze is een aantrekkelijke, maar nerveuze vrouw, duidelijk beschadigd door wat ze heeft meegemaakt. De spanning rond de rechtszaak eist zijn tol, verklaart ze. Er is geen dag voorbijgegaan zonder een nieuwe pijnlijke onthulling.

Uit brieven en getuigenverklaringen weet ze dat haar moeder haar na de bevalling Laura Catalina heeft genoemd. Toen de baby bij haar werd weggenomen, dacht ze dat haar eigen familie ervoor zou gaan zorgen. Ze hield er rekening mee dat ze zou worden vermoord en vroeg in een brief aan haar moeder 'mij niet te vergeten en via mijn dochter van mij te houden'. Ze schreef: 'Mijn bloed stroomt door haar adertjes, al is ze zich daar niet van bewust.' Niemand heeft ooit nog iets van de tweeëntwintigjarige Myriam Ovando gehoord.

We krijgen toestemming om te filmen in de rechtszaal wanneer de rechter op 12 maart 2013 de straffen uitspreekt. Morilla, een lange, streng ogende vrouw, kijkt zonder zichtbare emotie naar de rechter terwijl hij het vonnis uitspreekt. Haar man Garzón zit met gebogen hoofd naast haar. Geen van beiden reageert bij het horen van de straffen: twaalf jaar voor Morilla en vijftien jaar voor Garzón. Op de publieke tribune barst het applaus los.

Catalina steekt een vuist in de lucht. Ze omhelst haar vriend en blijft staan kijken hoe het echtpaar weggeleid wordt naar de gevangenis om hun straf uit te zitten. Buiten de rechtbank hebben zich mensenrechtenactivisten en journalisten verzameld om verslag te doen van de uitspraak. Catalina lacht opgelucht. Ze is heel blij, zegt ze. Er is geen enkele twijfel meer.

'Wat voor mij de doorslag gaf en mijn houding tegenover hen deed omslaan was het besef dat zij de moord op mijn ouders noodzakelijk hadden gemaakt. Myriam en Raúl maakten geen enkele kans om er levend uit te komen, want dan hadden ze mij opgeëist. Voor mij zijn mijn adoptieouders medeverantwoordelijk voor de dood van mijn ouders.'

Ook een groep grootmoeders staat buiten de rechtbank het nieuws af te wachten. Tot mijn verrassing zie ik Delia tussen hen in staan, de eenentachtigjarige die haar dochter, haar kleinzoon, kleindochter en haar achterkleinkinderen verloor in de Vuile Oorlog van Argentinië. Arm in arm met de andere grootmoeders staat ze bij Catalina om te delen in de overwinning. Als ze me ziet, lacht ze, alsof ze wil zeggen: 'Zie je wel? Ik geef de hoop niet op.'

3

Ierland

We stonden om zes uur 's ochtends op en dan gingen we naar de mis. Je kreeg een la toegewezen met een heel brood en een half pond boter voor een week. Dat was het ontbijt. Als je niet naar de mis ging, namen ze je de la af. Na het ontbijt ging je meteen naar de wasserij. Het was ontzettend zwaar werk. Om twaalf uur was er een pauze voor het warme middagmaal – aardappelen, kool en vis – en dan ging je weer aan het werk tot zes uur. Daarna pap en dan ging je weer terug naar de wasserij tot halfnegen.

Op een avond besloot de vierentwintigjarige Mary Merritt dat ze het niet meer aankon. Ze werkte al acht jaar onbetaald, gevangen in de Magdalene High Park-wasserij in Dublin. Op weg naar de slaapzaal die ze deelde met twintig andere jonge vrouwen zag ze dat er op de begane grond een raam open was blijven staan. Ze wachtte tot haar kamergenoten en de nonnen die toezicht hielden in slaap waren, sloop naar beneden en klauterde het raam uit.

'Ik was van mijn leven nog nooit in de buitenwereld geweest. De enige wereld die ik kende bestond uit nonnen en priesters.' Ze stond midden in de nacht op een straat, waar ze de weg vroeg naar het huis van de pastoor. Ze klopte op de deur, hij nodigde haar binnen uit en zei dat ze moest gaan zitten, en ze deed haar verhaal.

Dat ik de High Park-wasserij uit was gerend en hulp nodig had. Toen kwam hij naast me zitten en begon over mijn knie te strelen. Daarna trok hij zijn broek naar beneden en verkrachtte me.

Ik had geen idee wat er gebeurde. Ik wist daar allemaal niets van af. Ik huilde de ogen uit mijn kop en zei: 'U doet me pijn.' En toen hij klaar was, zei hij: 'Dit blijft onder ons. Ik geef je een muntstuk van 6 penny. Hij gaf me die munt, deed de deur open en liet me naar buiten. Daar stond een politiewagen klaar, die me terugbracht naar de wasserij.

De misdaad die Mary had begaan om dertig jaar lang op die manier van de wereld te worden afgesneden, seksueel misbruikt, en geïnstitutionaliseerd, was dat ze een buitenechtelijk kind was. Ze kwam in 1931 ter wereld in een tehuis voor moeder en kind, waar alleenstaande vrouwen heen werden gebracht door woedende ouders of verontwaardigde dorpspastoors. Na de geboorte mochten de moeders nog een paar maanden met hun baby doorbrengen, waarna die hun werd afgenomen om te worden geadopteerd dan wel in een weeshuis te worden gestopt. De moeder van Mary had waarschijnlijk te horen gekregen dat ze had gezondigd, dat Mary het bewijs van die zonde was en dat ze geen recht hadden op een gezamenlijke toekomst.

Mary werd negen jaar nadat Ierland onafhankelijk was geworden geboren, en de overheid zat dermate krap bij kas dat ze maar al te blij waren welzijnstaken te kunnen overdragen aan de kloosterordes. Zij runden de scholen, ziekenhuizen, weeshuizen en tehuizen voor moeder en kind. Paters en nonnen waren immers de aangewezen personen om zich te ontfermen over vrouwen die het heilig sacrament van het huwelijk hadden geschonden en zich hadden overgegeven aan verboden seks. Ongehuwde moeders en hun onfortuinlijke spruiten werden overgedragen aan diegenen van wie men aannam dat ze het best in staat zouden zijn toezicht op hen te houden en hen te straffen.

Wettelijk gezien werd Mary geacht tot haar zestiende onder de hoede van de nonnen te blijven. Weeshuizen werden indertijd heel toepasselijk 'industriescholen' genoemd; de overheid betaalde weliswaar voor hun onderhoud, maar dat nam niet weg dat de kloosterordes hen ook aan het werk zetten. Inspecties van hogerhand waren volstrekt willekeurig en deden zich maar zelden voor, en de nonnen zagen kans de meisjes met de raarste smoezen in de wasserijen aan het werk te zetten.

De eerste zes jaar mocht Mary naar de plaatselijke school. 'Ik weet nog dat ze altijd tien minuten na ons arriveerden en tien minuten later dan wij vertrokken, zodat we niet met elkaar konden praten,' herinnert de amateurgeschiedkundige uit Galway Catherine Corless zich. 'Ze werden gescheiden gehouden en moesten achter in de klas zitten. Ik zal nooit het geluid vergeten dat hun met spijkers beslagen schoenen maakten als ze twee aan twee naar en van de school liepen. Je kon ze eerder horen dan dat je ze zag. De plaatselijke bevolking noemde hen hoerenkeutels.'

Mary herinnert zich dat ze op haar elfde van school werd gehaald en voortaan elke ochtend 'drie lange gangen moest schrobben, en daarna moest ik aan de slag op de boerderij van de nonnen'. Elke poging om de kantjes eraf te lopen en elk teken van opstandigheid werden wreed afgestraft. 'Op een dag schold een non me uit, en ik weet niet meer wat ze zei, maar ik gaf een grote mond terug. Ze deed haar dikke leren ceintuur af en sloeg me daarmee op mijn rug en mijn heupen. Ze lieten de wonden gewoon open en ik bleef twee weken bloeden. Ik heb tot op de dag van vandaag littekens op mijn heupen.

Op een dag toen ik zestien was, had ik zo'n honger na mijn werk op de boerderij dat ik een paar appels uit de boomgaard pikte. Ze namen me mee naar het High Park-klooster in de Dublinse wijk Drumcondra en lieten me daar achter. Ze zeiden: "Je blijft hier tot je geleerd hebt niet te stelen."' En hoelang hebt u daar gezeten, vraag ik. 'Veertien jaar,' antwoordt ze, en ze voegt eraan toe: 'Tegenwoordig krijg je dat niet eens voor moord.' Hebt u wel eens gevraagd waarom u voor veertien jaar naar een wasserij werd gestuurd omdat u appels had gestolen? 'Jawel, dat heb ik gevraagd, en ik vroeg of ik daar nog eens weg zou komen, of dat ik daar zou sterven. Ik had geen familie, niemand, geen zondaar ter wereld die me zou helpen daar weg te komen.'

Het regime was hardvochtig en erop gericht om de nieuwelingen hun persoonlijkheid te ontnemen. Mary kan zich herinneren dat ze bij aankomst in de wasserij werd meegenomen naar de kledingopslag. 'Een non zei tegen me: "Die kleren moet je aantrekken." Het was een wijde, lange rok van serge, een wit schort en een kapje. Daarna zei ze: "Voortaan heet je geen Mary O'Connor meer. Van nu af aan heet je Attracta, en naar die naam moet je luisteren." Drie weken lang weigerde ik op die naam te reageren. Ik heette Mary, zei ik tegen ze, en daarmee afgelopen.' Maar nadat ze een poosje in de strafcel had doorgebracht, zat er niets anders voor haar op dan maar te gehoorzamen.

Ik heb er een paar telefoontjes aan moeten besteden om Mary Merritt over te halen haar thuishaven in Kent achter te laten en naar Ierland terug te keren om te worden geïnterviewd over haar ervaringen. Ze vertelt me dat ze het land verafschuwt, maar vastbesloten is om haar verhaal te laten horen, en ze stemt erin toe om de Ierse Zee over te steken. We spreken af bij de Glasnevin-begraafplaats in Dublin, de laatste rustplaats van Ierse helden als Michael Collins en Éamon de Valera, en honderden meisjes en vrouwen die nooit de kans hebben gekregen alles uit zichzelf te halen. Mary heeft haar haar net donkerbruin laten verven en in een bobkapsel laten knippen voor de opnamen. Voor de gelegenheid heeft ze ook nog geld gestoken in een nieuw paar zwarte lakschoenen, die haar niet helemaal lekker zitten als ze ronddwaalt over de begraafplaats.

Ze heeft haar jasje tot bovenaan dichtgeknoopt tegen de herfststorm, en neemt me plechtig mee naar een massagraf, waar ze een boeket neerlegt. Op de reusachtige grafsteen staan honderdzestig namen, stuk voor stuk voormalige arbeidsters van de Magdalene-wasserij bij het High Park-klooster in de wijk Drumcondra in Dublin. 'Een van mijn taken was om de lijken af te leggen,' zegt ze. 'Ik deed dat werk graag, want dan zei ik tegen mezelf: "Die zijn tenminste aan de nonnen ontsnapt, en nu is hun lijden voorbij."' Ze raakt de naam Mary Brehany aan, die in de grafsteen staat gegraveerd, en wendt zich dan tot mij. 'Zij was mijn hartsvriendin, Sue. Ze hebben haar zesenvijftig jaar in de wasserij vastgehouden. Ik had het niet overleefd als zij niet bij me was geweest.'

Het massagraf op die begraafplaats in Dublin was niet de eerste rustplaats voor deze arbeidsters van de High Park-wasserij. Mary en ik rijden de weg verder af en wandelen dan door de poort van wat ooit het uitgestrekte landgoed van het klooster was.

'De bestelwagens parkeerden hier,' legt ze uit, en ze wijst naar het voorplein van een verlaten grijs stenen gebouw, dat ooit de wasserij was waar zij tewerk was gesteld. 'De nonnen deelden de pakketten wasgoed uit, die verpakt zaten in bruin papier. Wij mochten absoluut niet in de buurt komen van degenen die ze kwamen ophalen.' Ze wijst naar een hoek van het gebouw waar een dichtgemetseld raam zit. 'Die plek noemden we "het gat". Het was een soort cel waar we in werden gestopt als we straf hadden.'

We lopen langs de achterzijde van het landgoed, voorbij hijskranen en graafmachines die bezig zijn op wat inmiddels een van de duurste bouwterreinen in Dublin is, naar de parkeerplaats van een hotel. Begin jaren negentig, toen de Zusters van Onze Lieve Vrouwe van de Barmhartigheid geld bijeen wilden krijgen, verkochten ze het stuk land waar nu de auto's van handelsreizigers en toeristen keurig in rijen geparkeerd staan. De plek was in 1993 onbebouwd en bleek vol te liggen met de lijken van voormalige arbeidsters van de wasserij.

Ik laat Mary achter in het hotel waar we overnachten. Ze is drieentachtig en vindt de hernieuwde kennismaking met dit oord een emotionele uitputtingsslag. Mijn cameraman Ian O'Reilly en ik maken een autorit van een uur van Dublin naar de county Kildare om Barney Curran op te zoeken, de grafdelver die de nonnen in de arm hadden genomen om de lijken van de vrouwen op te graven. Inmiddels is hij met pensioen en hij woont alleen in een klein witgepleisterd rijtjeshuis. Hij komt een beetje wankel op zijn benen naar de deur en lijkt helemaal niet verbaasd dat ik dingen wil horen over gebeurtenissen die ruim twintig jaar geleden hebben plaatsgevonden. Het is het schokkendste wat hem in een heel leven grafdelven is overkomen, zegt hij.

Ik ga met hem aan de keukentafel zitten, waar hij ruimte voor twee bekers thee vrijmaakt tussen stapels oude kranten. 'De nonnen wilden die lap grond verkopen, en het ging om een hoop geld,' begint hij. 'Dus ze hadden liever niet dat iemand wist wat er aan de hand was en wilden het allemaal geheimhouden. We moesten grote schermen neerzetten toen we aan de slag gingen en we mochten er niemand iets over vertellen.'

De nonnen zeiden dat er 133 lijken in ongemarkeerde graven in het veld begraven lagen. 'Ik zag algauw dat het er meer waren, maar toen ik dat tegen hen zei, was het van: "Nee, er liggen er maar 133." Dus we groeven door en we vonden nog eens tweeëntwintig lijken, waarvan zij zeiden dat ze niet eens wisten dat die er lagen.' Barney vond nog iets anders in het massagraf. 'Een hoop gebrand gips, op hun polsen, hun armen, hun benen, hun voeten, hun enkels. Er waren gebroken armen en benen. Volgens mij waren die vrouwen te klein en te fragiel om dat soort werk te doen.'

Dus wat was er precies gaande in dat netwerk van wasserijen die werden gerund door de kloosterordes van Ierland? De wasserijen waren ruim tweehonderd jaar actief; de eerste werd geopend in 1767, de laatste werd gesloten in 1996. Tienduizenden 'gevallen vrouwen' werden erheen gestuurd door hun beschaamde ouders en hypocriete priesters om de gemeenschap te beschermen tegen morele besmetting. De wasserijen waren vernoemd naar Maria Magdalena, een volgelinge van Christus die volgens sommigen vroeger prostituee was geweest.

Sinds de Maagd Maria de lat voor onze sekse volslagen onhaalbaar hoog legde, hebben mannen al een obsessie voor het idee van de gevallen vrouw. 'De vrouw is de wortel van alle kwaad,' schreef de vroege kerkvader St.-Hieronymus in de vierde eeuw.[1] In de dertiende eeuw uitgevaardigde canonieke wetten rechtvaardigden de mogelijkheid om hen op te sluiten: 'Vrouwen die het huwelijksbed hebben verlaten zijn gevallen onder invloed van de zondigheid van het vlees en behoren omwille van God [...] in nonnenkloosters te worden geplaatst bij religieuze vrouwen om daar eeuwigdurend boete te doen.'[2] Dat idee verwierf in Ierland in de negentiende eeuw allengs meer populariteit. Dat is ook de periode waarin de meeste van de reusachtige wasserijen werden gebouwd.

Ze waren eveneens aan de overzijde van de zee in Engeland te vinden, waar de victoriaanse samenleving in de ban was van de gevallen vrouw. 'In Gladstones dagboeken staan meer opmerkingen over prostituees dan over politiek gastvrouwen,' schrijft Anne Isba in *Gladstone and Women*, 'meer notities over bezoeken aan de gevallen vrouwen op straat in Londen dan over bezoeken aan de bals en avondjes van de *grandes dames* van de beschaafde victoriaanse kringen.'[3]

Charles Dickens minachtte zijn vrouw en hield er een maîtresse op na. Hij was betrokken bij het bestuur van een tehuis waar zulke vrouwen werden opgevangen. In Urania Cottage, voor de redding van vrouwen, moesten volgens Dickens deugden als 'ordelijkheid en punctualiteit, netheid en die hele vaste regelmaat van huishoudelijke taken als wassen, verstellen en koken' hoog worden gehouden, omdat dat tot morele redding zou leiden.[4] Zowel in Ierland als Engeland werd bezeten boenen blijkbaar beschouwd als de goedgekeurde route naar het schoonboenen van de ziel. Die energie werd overigens niet gestoken in het opsporen of straffen van de mannen die bij dit soort verboden copulaties betrokken waren.

In Ierland werd het etiket 'gevallen vrouw' ruim geïnterpreteerd en omvatte het iedere vrouw die de traditionele opvattingen over de Ierse fatsoensnormen aan de kaak leek te stellen. Niet alleen prostituees, maar ook ongehuwde moeders vielen in die categorie, ongeacht of ze door incest, verkrachting of onbedoeld zwanger waren geworden. Sommige vrouwen werden zelfs als voorzorgsmaatregel naar de wasserijen gestuurd. Meisjes die in de ogen van de nonnen die hun lesgaven mooier waren dan goed voor hen was, werden naar de wasserijen gestuurd om te voorkomen dat ze zouden 'vallen'. Mary Merritt werd wellicht naar een wasserij gestuurd omdat ze te veel pit had, waar ze nog eens aan ten onder zou kunnen gaan.

De wasserijen werden gerechtvaardigd door een giftige mengeling van enerzijds de noodzaak om de morele orde te bewaren in een strenge, patriarchale samenleving en anderzijds het verlangen van de kloosterordes om winst te halen uit onbetaalde arbeid. James Smith merkt in zijn boek over de geschiedenis van de wasserijen op dat ze een aantal doorslaggevende kenmerken gemeen hadden, 'waaronder een regime van gebed, stilte, werk in de wasserij en een voorkeur voor permanente gevangenen', wat 'in tegenspraak is met de missie die de congregaties naar eigen zeggen zouden hebben om te beschermen, te hervormen en te rehabiliteren'.[5]

Een van de beste beschrijvingen van zo'n wasserij is van de hand van de Ierse dichteres en toneelschrijfster Patricia Burke Brogan, die in 1963 novice werd. Ze kreeg de opdracht om aan de slag te gaan als opzichtster in de wasserij in Galway die door de Zusters van de Barmhartigheid werd gerund. 'Dit is het rijkste klooster van onze orde,' zei de non die haar op haar eerste dag vergezelde.

Ze doet een zware deur open die met twee sloten is afgesloten. We worden getroffen door een oorverdovend lawaai. We zijn in een ruimte met reusachtige machines waar de stoom sissend vanaf slaat. Gevangenistralies tekenen patronen op de dakramen. De grijze muren slaan vochtig uit. Er hangt de stank van ongewassen kleren. De dampen van bleekmiddel slaan me op de keel. Ik hap naar adem. Langzaamaan kan ik onderscheiden dat de ruimte bevolkt is met vrouwen. Bejaarde vrouwen, vrouwen van middelbare leeftijd en jonge meisjes lijken wel te versmelten met het grijs van de baarmoederachtige wasmachines. Ben ik soms de Hel van Dante in geglipt?[6]

'Waarom zijn die vrouwen hier?' vroeg de zenuwachtige novice. 'Deze vrouwen zijn boetelingen,' kreeg ze te horen. 'Ze zijn zwak. Ze hebben geen zelfbeheersing. Ze hebben het zesde en het negende gebod overtreden. Niemand wil deze vrouwen. Wij nemen hen in bescherming tegen hun driften. Wij geven hun voedsel, onderdak en kleding. Wij voorzien in hun geestelijke behoeften.' Een paar weken later kwam Burke Brogan tot de conclusie dat ze geen roeping meer had; ze vertrok uit de orde en schreef het toneelstuk *Eclypse*, waarin ze het verhaal van de wasserij vertelt.

Op de paar foto's die resteren van de wasserijen zie je rijen vrouwen en meisjes in uniform wassen en strijken, onder toezicht van de nonnen. Er staan reusachtige wringers, die volgens grafgraver Barney Curran verantwoordelijk waren voor de blessures. Hij vertelt me dat hij, toen hij stiekem even naar binnen keek bij de wasserij in High Park, waar Mary heeft gewerkt, tot de conclusie kwam dat de wringers wel met zeker vijf of zes van de ondervoede gevangenen bediend moesten worden. Een paar vrouwen op de foto's zijn kaalgeschoren, een veelvoorkomende manier om iemand te vernederen en te straffen. Mary Merritt werd ook kaalgeschoren.

Nadat ze was verkracht door de priester, weigerden de nonnen haar te geloven en ze stopten haar voor straf in de cel omdat ze was weggelopen. 'Een van de nonnen kwam naar "het gat" en knipte mijn haar af tot op het bot, en daarna werd ik mee naar boven genomen en moest ik in een kamer knielen waar alle vrouwen bij waren. Ik moest knielen, de grond kussen en zeggen dat het me speet wat ik had gedaan en beloven dat ik het niet nog eens zou doen, wat ik natuurlijk niet deed. "Ik ga helemaal niet beloven om wat dan ook te doen," zei ik, "want ik wil hier weg", en ik zou het misschien nog eens doen.'

Mary kwam er een paar maanden later inderdaad weer uit. Ze was zwanger als gevolg van de verkrachting, en de nonnen stuurden haar naar een tehuis voor moeder en kind in Dublin om te bevallen. Net als haar moeder. De geschiedenis herhaalde zich. Mary noemde haar dochtertje Frances Christina, maar ze mocht niet bij de doop zijn en wist dus niet dat de nonnen het kind Carmel hadden gedoopt.

Ze mocht het kind een jaar lang de borst geven en 'toen zeiden ze tegen me dat ik terug moest naar de High Park-wasserij, want daar kwam ik immers vandaan. Ik was totaal over mijn toeren. Ik wilde mijn dochter niet in de steek laten. "Dit is het enige wat ik heb op de hele wereld," zei ik tegen ze. Maar de nonnen zeiden dat zij voor de baby zouden zorgen en dat ik niet moest proberen haar te zoeken.' Mary doet even haar ogen dicht en tranen druppelen van-onder haar wimpers op haar wangen. Voor een drieëntachtigjarige heeft ze een opmerkelijk goed geheugen en uithoudingsvermogen, maar voor vandaag zit het interview erop.

Tijdens de opnamen spreek ik diverse vrouwen die de wasserij-en hebben overleefd, en ik vraag me af hoe ze dat hebben kunnen overleven en zo te zien toch krachtig en gezond van geest kunnen zijn, na alles wat ze hebben doorgemaakt. Oppervlakkig beschouwd lijken ze opmerkelijk veerkrachtig en beschikken ze over een blijk-baar onuitputtelijke energie om met de pers samen te werken en hun regering en zelfs de VN onder druk te zetten om naar hun ver-halen en hun eis voor een schadevergoeding te luisteren. Stuk voor stuk zeggen ze dat de woede en een aanhoudend gevoel dat hun onrecht is gedaan hen op de been houden.

Maar hoe meer ik met hen communiceer, hoe duidelijker de onzekerheden, de overmatige gevoeligheid en hun lage zelfbeeld worden. Sommigen zijn jaloers op elkaar en vrezen dat het verhaal van de ene overlevende belangrijker lijkt dan dat van een ander. Als we Mary twee nachten in een hotel in Dublin aanbieden tijdens de opnamen, zal een ander om dezelfde behandeling of meer vragen. Ze maken ruzie met elkaar als ze zich gekleineerd voelen of span-nen tegen me samen als ze het gevoel hebben dat er misbruik van hen wordt gemaakt. Een psychiater zou dat gedrag misschien aan-merken als de klassieke erfenis van verwaarlozing en in de steek gelaten zijn.

Ik heb met de vierenzestigjarige Elizabeth Coppin afgesproken bij de vroegere wasserij waar zij in Waterford heeft vastgezeten, in het zuidoosten van Ierland. Het gebouw van het vroegere klooster is nu een opleidingsinstituut voor volwassenen, maar de lange be-tegelde gangen vol religieuze schilderingen en beelden van Chris-tus aan het kruis zijn er nog steeds, evenals de reusachtige kerk van het klooster. Elizabeth rilt als we de deuren openduwen. 'Hier moesten we elke ochtend heen voor de mis,' zegt ze. 'De arbeidsters van de wasserij aan de ene kant, de kinderen van de industrieschool aan de overkant, en de nonnen ertussenin.' Als we de biechtstoel passeren, trekt ze een gezicht. 'We moesten elke zondag biechten. Maar wat konden we biechten? Zij waren de zondaars, niet wij.'

Net als Mary was Elizabeth van een industrieschool overgeplaatst naar de wasserij. Net als Mary werd ze door de nonnen kaalgeschoren en in een uniform gestoken en kreeg ze bij aankomst een andere naam. 'Dus al meteen wordt je je identiteit ontnomen, want mijn naam wordt veranderd, mijn haar wordt afgeknipt en ik heb mijn eigen kleren niet meer aan,' zegt ze. 'Daar zit ik met mijn veertien jaar, en ik moet me laten aanspreken als Enda, wat in Ierland een mannennaam is. Hoe moet je daarmee uit de voeten komen op die leeftijd?' Ik vraag Elizabeth waarom ze dat volgens haar deden. 'Om me te ontmenselijken,' zegt ze, 'om me het gevoel te bezorgen dat ik niets voorstelde.'

Keer op keer vertellen de vrouwen me dat de nonnen hun voorhielden dat ze waardeloos waren, en als je dat maar vaak genoeg hoort, begin je het te geloven. Net als Mary vluchtte Elizabeth naar het Verenigd Koninkrijk om te ontkomen aan het stigma en om een nieuw leven te beginnen. Maar beide vrouwen dragen nog steeds de littekens van de fysieke en psychische mishandelingen uit hun jeugd. Ze hebben alles op alles gezet om een nieuw leven op te bouwen, maar worden nog steeds achtervolgd door nachtmerries. De echtgenoten van Mary en Elizabeth, die beiden Engelsman zijn, vertellen me dat ze geregeld hebben meegemaakt dat hun vrouw tijdens een nachtmerrie begon te schreeuwen, nog tot tientallen jaren nadat ze zich had onttrokken aan de zorg van de nonnen.

Wat gaat er dan in het hoofd om van die vrouwen die een kind dwongen veertien jaar te werken als straf voor het stelen van een appel, die haar straften omdat ze verkracht was door een priester en haar vervolgens de baby afpakten? Waar we hier in Ierland mee te maken hebben is een oorlog tegen vrouwen die gevoerd wordt door vrouwen. Het waren vrouwen die de hoofden van de gevangenzittende meisjes kaalschoren en hen voor kleine vergrijpen opsloten in 'het gat'. Op de huidige website voor diegenen die zich willen aanmelden als Zuster van Onze Lieve Vrouwe van de Barmhartigheid staat dat de vrouwen geacht worden een gelofte van armoede, kuisheid en gehoorzaamheid af te leggen.[7] De woorden 'zorg' of 'medeleven' vind ik nergens in de taakomschrijving. Dit gaat over een leven dat gewijd is aan het geloof en aan God, maar niet aan dienstbaarheid aan de plaatselijke gemeenschap.

En toch hebben deze nonnen ruim tweehonderd jaar een soort dienst verleend aan gemeenschappen in Ierland. Ze namen kwetsbaren en verstotenen op. Sommigen van hen hebben misschien wel vol medeleven die opgave aanvaard, maar veel nonnen hebben misbruik gemaakt van het vertrouwen dat in hen werd gesteld. Ierse katholieke gezinnen waren van oudsher groot, en een vijfde of zesde dochter werd vaak aangemoedigd om bij een kloosterorde te gaan. Dat betekende immers dat er minder monden te voeden waren en het bood de kans om aanzien te verwerven in de plaatselijke gemeenschap. Maar het betekende ook dat veel nonnen niet echt een roeping hadden. Het is heel wel denkbaar dat deze vrouwen zich tekortgedaan voelden doordat ze afgesloten waren van wat er zich aan de andere kant van de kloostermuren afspeelde. Het enige wat ik kan bedenken als verklaring voor de behandeling die Mary en Elizabeth van de nonnen ten deel viel, zijn een moreel superioriteitsgevoel, jaloezie, woede en frustratie.

De rooms-katholieke kerk is uitgesproken patriarchaal. De paus bepaalt de regels, de bisschoppen verkondigen die vanaf de kansel, en de priesters leggen die regels op aan het kerkvolk. Er is niet eens enige discussie in Rome over vrouwelijk priesterschap. Het was altijd de pastoor die zwangere meisjes naar de poort van het klooster bracht, terwijl de nonnen in feite de gevangenbewaarders waren die verantwoording verschuldigd waren aan de mannelijke gezagsdragers.

Burke Brogan beschrijft hoe de nonnen probeerden in de gunst te komen bij de priesters en hoe de plaatselijke bisschop in hun ogen bijna de plaats innam van God:[8]

Moeder-overste ontbiedt me bij haar op kantoor. Ze zit op een troonachtige stoel. Op haar bureau staat een krullerig lijstje met daarin een foto van Zijne Hoogwaardige Excellentie, met zijn van een ring met robijn voorziene hand die in een zegenend gebaar tevoorschijn komt uit een bloedrood gewaad omzoomd met fijn kant.

'Op je knieën, zuster,' beveelt moeder-overste de novice zodra die binnenkomt, 'en denk eraan dat je je ogen neergeslagen houdt; te allen tijde de ogen behoeden, zuster!' De telefoon gaat. Moeder-overste neemt op. Haar chique schoenen verschuiven onder het bureau van palissander. 'Jawel, eerwaarde, ik wacht even. Goedemorgen, monseigneur. Ik ben op dit moment bezig met het grootboek. Als het goed is ben ik er morgen mee klaar, monseigneur. Ja, ik zal de cheque sturen. Dank u wel, monseigneur.' Ik ben verbijsterd hoe haar houding ineens verandert.[9]

Deze beschrijving van Burke Brogan van de slijmende moeder-overste doet me denken aan vrouwen in een vergelijkbare positie die ik in Iran heb ontmoet. Ik interviewde daar het hoofd van de Zusters van Zeinab, die de opdracht hebben vrouwen de strenge Iraanse fatsoensnormen op te leggen en die tijdens demonstraties met bruut geweld optreden. Al was ze ruim zestig en behoorlijk gezet, ze had overdreven veel moeite gedaan om zich te conformeren aan de officiële kleedvoorschriften, tot en met stevige leren laarzen en lange handschoenen, om te voorkomen dat mijn cameraman Ian ook maar een glimp zou opvangen van een stukje verleidelijke huid.

Ze kreeg een telefoontje van het kantoor van president Ahmedinejad over de aanstaande 'Dood aan Amerika, dood aan Israel'-demonstratie in Teheran. Zij was al net zo aan het slijmen toen ze het telefoontje aannam en beloofde dat ze honderden vrouwen de opdracht zou geven in hun zwarte abaja bij de demonstratie te verschijnen. Hoe zit dat toch met zulke vrouwen die kennelijk nauw contact met mannen in hun privéleven hebben afgezworen en toch snakken naar hun goedkeuring? Ze voeren bevelen uit om gehoorzaam te zijn aan religieuze wetten die zijn opgelegd door mannen en om met klakkeloze geestdrift andere vrouwen met straf tot onderwerping te dwingen. Omdat ze zelf geen toegang hebben tot werkelijke macht mishandelen ze de vrouwen die onder hun gezag vallen uit de wanhopige behoefte aan lof van de mannen onder wier gezag zij op hun beurt vallen.

Waarom kwamen er niet meer zogenaamde 'gevallen vrouwen' in opstand tegen de priesters? Hoe konden ze het verdragen om hun kinderen vrijwel zonder uitzondering achter te laten in handen van de nonnen? Ik meld me op kantoor bij Lindsay Earner-Byrne aan de faculteit geschiedenis van de universiteit van Dublin. Ze helpt me eraan herinneren dat je het gevoel van machteloosheid van deze vrouwen moeilijk kunt bevatten:

> Er heerste zo'n vijandige sfeer dat veel van deze vrouwen het gevoel hadden dat ze om te beginnen geen keus hadden of ze al of niet zo'n tehuis in gingen, en ten tweede geen andere keus hadden dan te doen wat er van hen verwacht werd als ze daar eenmaal waren. Zelfs al betekende dat dat ze hun baby in de steek moesten laten en nooit meer zouden zien, dan nog hadden ze het gevoel dat ze geen keus hadden.
>
> Ik heb veel mondelinge getuigenissen gehoord van vrouwen die zeggen te weten dat ze in de jaren vijftig en zestig adoptiepapieren hebben getekend, maar er geen enkele herinnering aan hebben omdat ze volslagen getraumatiseerd waren en geen vrije keus hadden. Tot 1972 konden vrouwen die een buitenechtelijk kind kregen niet op enige financiële steun rekenen. In de samenleving werd hun gedrag als een misdaad beschouwd. Vrouwen die voor de eerste keer een buitenechtelijk kind kregen werden *first offender* genoemd, bij twee kinderen heetten ze 'recidivisten'. Dus zelfs tot in de jaren zeventig werd dat soort criminologische taal gebezigd.

Ik spreek Earner-Byrne een paar weken nadat aan het licht is gekomen dat er tussen 1925 en 1960 zo'n achthonderd baby's en jonge kinderen zijn gestorven in een tehuis voor moeder en kind in Tuam in Galway in het westen van Ierland, en dat hun lijken zijn begraven in massagraven, en sommige zelfs in een voormalige beerput. Journalisten en tv-ploegen van over de hele wereld stroomden toe, stampten rond op het stuk land van het voormalige klooster waar de babylijkjes begraven zouden liggen, en publiceerden verslagen over de massaslachting onder onschuldige kinderen.

'De schok leek voort te komen uit het feit dat niemand wist dat dit was gebeurd,' zegt Earner-Byrne, die nogal opkeek van de krantenkoppen over de sterfgevallen in Tuam. Uit onderzoek dat zij had verricht bleek dat het sterftecijfer onder de baby's die werden geboren in de tehuizen voor moeder en kind over de hele linie zo'n vijfmaal hoger was dan onder baby's die buiten de kloostermuren werden geboren. Ze legt uit dat de baby's in lange rijen wiegjes lagen, soms met z'n tweeën in één wieg, en dat ze stierven aan infecties, ondervoeding en verwaarlozing. 'Waarom zou je daar een andere conclusie uit trekken dan dat dat de prijs was die de Ierse samenleving bereid was te betalen voor de illusie van morele superioriteit?' vraagt Earner-Byrne.

Ze zegt dat moeders vaak te horen kregen dat ze niet moesten rouwen als hun baby stierf; die was immers naar een betere plek gegaan. 'Voortdurend werd erop gehamerd dat deze arme kinderen belast waren met de zonden van hun ouders. Dus als ze werden gedoopt en vervolgens stierven, gingen ze rechtstreeks naar de hemel, waar die zonde hun in elk geval werd kwijtgescholden. Dat idee gaf voedsel aan de dadeloosheid met betrekking tot hun dood. Het accepteren van dat hoge sterftecijfer paste in het morele plaatje.'

En babysterfte was iets doodnormaals. Laura Mann werkte in de jaren veertig en vijftig als vroedvrouw in Dublin. Ze herinnert zich 'een gruwelijke, gruwelijke armoede, gezinnen van tien kinderen die in twee kamers woonden en moesten vechten om te overleven'. Anticonceptie was verboden en de mogelijkheid tot sterilisatie ontbrak. Kinderen stierven, verzwakte moeders smeekten priesters om even niet met hun man te hoeven slapen. 'Maar de priesters hielden hun voor dat ze geen absolutie zouden krijgen als ze niet deden wat ze hoorden te doen,' zegt Mann, en dus moesten ze zich overleveren aan hun echtgenoot en nog meer kinderen krijgen, zelfs al gingen ze eraan onderdoor. 'Het draaide allemaal om kinderen krijgen,' zegt Mann, 'al was je gehandicapt of ging je eraan dood, wat menigeen ook deed.' Volgens een pauselijke encycliek uit 1931 waren vrouwen die in het kraambed stierven martelaars.[10]

Tijdens mijn onderzoek voor de documentaire over de overlevenden van de Magdalene-wasserijen, die ik de titel *Ireland's Hidden Bodies, Hidden Secrets* meegaf, kwam ik zoveel aspecten tegen van de mishandeling van en minachting voor vrouwen en hun kleine kinderen in Ierland dat ik ze eenvoudigweg niet allemaal aan bod kon laten komen in de documentaire van een halfuur die ik aan het maken was. De lijkjes van kinderen die in de tehuizen voor moeder en kind stierven, werden door studenten geneeskunde gebruikt om te ontleden. Kinderen als Elizabeth Coppin werden gebruikt om medicijnen uit te testen, en tot op de dag van vandaag is haar medische dossier uit die tijd geredigeerd. Maar van alles waar ik achter kwam, was de ingreep symfysiotomie wel het schokkendste en verwarrendste feit.

Het was een ingreep die in 1944 in Ierland werd geïntroduceerd door artsen, onder invloed van kerkleiders die hun bedenkingen hadden tegen de keizersnede, omdat de meeste artsen om gezondheidsredenen adviseerden een vrouw na een derde keizersnede te laten steriliseren. Maar zo'n sterilisatie zou betekenen dat een vrouw dan niet meer in staat was 'te doen wat ze moest doen'. Vrome katholieke artsen vreesden dat het geïnterpreteerd kon worden als een verkapte vorm van anticonceptie.

Ierse artsen bedachten een nieuwigheidje. Als het bekken van een vrouw te nauw was om een kind op de normale manier ter wereld te brengen, was het een volkomen acceptabele ingreep om de schaambeensvoeg of symfyse te verbreken. 'Ik zag de dokter weglopen en een beenzaag pakken. Ik wist dat het een beenzaag was, omdat ik de slager die wel eens had zien gebruiken om dieren in stukken te zagen. Hij begon door mijn bot te zagen. Het bloed spoot eruit als een fontein. Het spoot alle kanten op. De verpleegsters werden er misselijk van. De dokter werd kwaad omdat er bloedspatten op zijn bril kwamen.'[11]

Deze ingreep werd tot 1983 op honderden Ierse vrouwen uitge-voerd. In 1968 kwam paus Paulus met zijn *Humanae Vitae*,[12] waarin hij nog eens benadrukte dat de katholieke kerk gekant was tegen elke vorm van anticonceptie en sterilisatie. De schrijfster Marie O'Con-nor, die campagne heeft gevoerd tegen symfysiotomie, beschuldigt de katholieke kerk ervan 'middeleeuwse medische praktijken' in de hand te werken, 'aangemoedigd door kerkelijke autoriteiten die alle-maal even erg in de ban waren van seksualiteit en hevig gekant wa-ren tegen die misdadige geboortebeperking. En de drijvende krach-ten erachter waren zeggenschap, ambitie en religie.'[13]

In 2012 kwamen een paar honderd slachtoffers van symfysioto-mie uit heel Ierland naar Dublin om hun verhaal te doen en scha-devergoeding te eisen. Ze kwamen bijeen in de Lighthouse-bio-scoop in de wijk Smithfield. De zesentachtigjarige Rita McCann kwam over uit de county Kerry en omdat ze Dublin niet kende, kon ze de plek niet vinden. 'Toen zag ik twee mank lopende vrouwen, en ik zei tegen mezelf: ik weet zeker dat die daar ook naar op weg zijn. Als je dat getrekkebeen ziet, weet je meteen hoe laat het is.'[14] Veel vrouwen kwamen met de rolstoel en klaagden over moeilijk lopen, chronische rugpijn en incontinentie. Een ander slachtoffer, Claire Kavanagh, zei: 'Zet vijftig van ons bij elkaar, en je krijgt alle-maal verschillende verhalen met dezelfde afloop. We zijn allemaal kreupel.'[15]

Niet één lid van sos, zoals de overlevenden van symfysiotomie zichzelf noemen, zegt dat ze toestemming heeft gegeven voor de slagersingreep die op haar werd uitgevoerd. Bij de universiteit van Dublin wijst Earner-Byrne erop dat 'we niet moeten vergeten wat de positie van vrouwen was in de maatschappij. Ze hadden geen zeggenschap en werden er voortdurend aan herinnerd dat ze taken en verantwoordelijkheden hadden. Ze hadden geen rechten in een samenleving waar de invloed van het geloof levensgroot was.' Een gehuwde vrouw werd geacht kinderen te baren, op wat voor manier ook, tot ze stierf, zoals de vrouw die buiten het sacrament van het huwelijk een kind kreeg zou worden gestraft en haar kind haar zou worden ontnomen.[16]

We hebben het aan de filmindustrie te danken dat het onderwerp van de geïnstitutionaliseerde mishandeling uit de sfeer van de bijeenkomsten van overlevenden en de universitaire studies werd gehaald en een nationaal platform kreeg waar het Ierse publiek gedwongen werd om onder ogen te zien wat uit hun naam was gedaan. De film over symfysiotomie *Mothers against the Odds*, van Anne Daly en Ronan Tynan, leidde tot debatten in het Ierse parlement, nieuwe gespreksgroepen, advocaten die zich inzetten en de roep om schadevergoeding.

De speelfilm uit 2002 over de Magdalene-wasserijen *The Magdalene Sisters*, gebaseerd op het toneelstuk *Eclipsed* van Patricia Burke Brogan, werd geregisseerd door Peter Mullan. Iedereen die de film heeft gezien, was diep geschokt. Jarenlang had men alom aangenomen dat de wasserijen belangrijk liefdadig werk deden voor vrouwen en meisjes die eenvoudig geen andere keus hadden. Mijn schoonzus is opgegroeid in Cork. Zij kan zich herinneren dat ze samen met haar moeder wasgoed naar de plaatselijke Magdalene-wasserij even verderop bracht. Haar moeder vertelde dat ze zo hun steentje bijdroegen om de nonnen te helpen voor dakloze, wanhopige vrouwen te zorgen.

De publiciteit die voortvloeide uit Mullans film, waarin het verhaal wordt verteld van vier vrouwen die in de jaren zestig zaten opgesloten in een wasserij in Dublin, leidde tot discussies en vragen. Overlevenden, onder wie Mary Merritt, putten er de moed uit om verslagen over hun eigen ervaringen in te dienen bij de Conventie tegen Marteling van de Verenigde Naties, die op haar beurt de Ierse regering onder druk zette om nader onderzoek te doen. De regering ondernam inderdaad actie, maar er heerste grote verbazing toen de toenmalige premier, Enda Kenny, de vroom katholieke senator Martin McAleese verzocht om de kwestie te onderzoeken en daarover te rapporteren.

Alleen een trouw lid van de katholieke kerk en iemand die de kloosterordes een warm hart toedraagt kon in de inleiding bij zijn rapport over de Magdalene-wasserijen (verschenen in februari 2013) hebben geschreven dat 'vele van de zusters van de vier reli-

gieuze congregaties die deze instituten runden [...] zich in de afgelopen jaren diep gekrenkt hebben gevoeld naarmate het debat omtrent de Magdalene-wasserijen meer en meer onder de aandacht
van het publiek kwam. Zij zijn van mening dat ze op een praktische manier zo goed mogelijk zijn ingesprongen [...] op de nijpen-
de behoeften van de soms gemarginaliseerde meisjes en vrouwen
die naar hen toe werden gezonden, door hun onderdak, voedsel en
werk te bieden.'[17]

De publicatie van het rapport van McAleese begin 2013 viel samen met het uitkomen van de film *Philomena* van Stephen Frears.
Judi Dench kreeg een Oscarnominatie voor de film, waarin het ware
verhaal wordt verteld van Philomena Lee en de zoektocht van vijftig jaar naar haar zoon die haar was afgenomen en ter adoptie naar
Amerika was gestuurd. Hij had van de nonnen te horen gekregen
dat zijn moeder hem uit vrije wil had achtergelaten.

Philomena bracht de gemoederen weer hevig in beroering over
het onnodige lijden dat heel veel vrouwen in Ierland was aangedaan door de dienaren van de rooms-katholieke kerk. Philomena
Lee werd uitgenodigd voor een ontmoeting met paus Franciscus,
een ontmoeting die ze als een catharsis had ervaren, zei ze achteraf.
'Wat zouden die nonnen nu jaloers op me zijn,' zei ze na haar audi-
entie in het Vaticaan.[18] Intussen bleef senator McAleese de nonnen
verdedigen. Hij schrijft in zijn rapport: 'Zaken als een slechte behandeling, lijfstraffen en mishandeling [...] werden niet ervaren in
de Magdalene-wasserijen.'[19]

Het rapport van McAleese werd in de Ierse pers alom bekritiseerd. In de *Irish Independent* stond: 'Het is een grote schande',
en men beschuldigde de regering van een poging om de zaak in de
doofpot te stoppen.[20] Amnesty International noemde het een 'ver-
werpelijk voorbeeld van de manier waarop je beschuldigingen van
mensenrechtenschendingen in het verleden niet hoort uit te voeren'.[21] De Conventie tegen Marteling van de Verenigde Naties zei
dat het rapport 'vele elementen ontbeerde van een snel, onafhankelijk en degelijk onderzoek' en stelde de vraag 'of de getuigenissen van overlevenden in dit onderzoek wellicht een mindere rang

of status toegekend hebben gekregen dan de dossiers van de overheid en de kloosterordes'.[22]

Ik las het rapport van McAleese, dat ruim duizend pagina's omvat, met stijgende verbazing en vroeg een interview aan met de senator, dat me werd geweigerd. Hij woont op dit moment in Rome, zei zijn woordvoerster, en staat nog steeds achter zijn bevindingen. Ik had hem willen vragen waarom hij de persoonlijke verhalen van degenen die in de wasserijen werden vastgehouden slechts even aanstipt, en daarmee een grote verachting betoont tegenover de duizenden die binnen hun muren hebben geleden. Het rapport sjoemelt met cijfers en geeft een misleidend beeld van de waarheid. Zo wordt er in de samenvatting, vaak het enige onderdeel van een rapport van zo'n omvang dat wordt gelezen, een gemiddelde verblijfsduur van de vrouwen in de wasserijen genoemd van 27,6 weken, met andere woorden zeven maanden. Maar honderdvijftig bladzijden verderop wordt in de 'statistische analyse' het gemiddelde verblijf op drieënhalf jaar geschat. Aangezien veel archiefstukken zijn verdwenen of nooit zijn bijgehouden door de kloosterordes, zullen we het ware cijfer nooit kennen.

Mary Merritt heeft veertien jaar doorgebracht in een wasserij en had fatsoenlijk moeten worden gehoord, zegt ze. Haar ogen beginnen te glinsteren van woede als ze terugdenkt aan haar gesprek met senator McAleese. De senator sprak ruim honderd vrouwen in het kader van zijn onderzoek en kreeg van nog veel meer vrouwen getuigenissen toegestuurd. Juristen die voor de pressiegroep Justice for Magdalenes werkten, verzamelden getuigenissen van diverse overlevenden die vertellen over de wrede behandeling die hun ten deel was gevallen, maar McAleese maakt in zijn rapport geen melding van deze verslagen. Mary stelt dat hij ook haar negeerde.

'Ik vertelde hem over de strafcel en over de verkrachting. Die verkrachting negeerde hij totaal. Hij probeerde over te schakelen op een ander onderwerp, maar ik zei tegen hem: "Ik vertel u iets wat heel erg is en u doet het af alsof het me nooit is overkomen, en u gelooft me niet!" Na haar onbevredigende gesprek met McAleese sprak Mary met de Ierse politie, de Garda, over de verkrachting, maar omdat er sindsdien zoveel jaren waren verstreken, werd er geen actie ondernomen. Mary moet toegeven dat dat tijdverspilling zou zijn; ten tijde van de verkrachting in 1955 was de priester van middelbare leeftijd en hij was inmiddels vast overleden.

In het officiële regeringsverslag over de Magdalene-wasserijen worden de mishandelingen verdoezeld en het wordt tot verbazing van de overlevenden, hun advocaten en academici die zich hebben verdiept in de geschiedenis van de religieuze instituten van Ierland afgesloten met de conclusie dat de wasserijen geen winst maakten. De nonnen dienden balansen in van hun commerciële transacties opgemaakt door hun eigen accountants, die nooit ter beschikking zijn gesteld van het publiek. McAleese was zelf accountant en kwam tot de conclusie dat de Magdalene-wasserijen opereerden 'op basis van subsistentie of iets wat vrijwel in de buurt kwam van de rentabiliteitsdrempel, en niet op een commerciële of uiterst winstgevende basis'.[23]

Ik heb een afspraak met een andere overlevende van de Magdalene-wasserijen, Gabrielle North. Toen haar moeder erachter kwam dat ze van plan was weg te lopen naar Engeland met haar vriendje, klopte die om hulp aan bij de plaatselijke pastoor. Hij was zo vriendelijk Gabrielle naar een Magdalene-wasserij in Limerick te zenden. We zien elkaar bij de ingang van de vroegere kloostergebouwen. 'Over die muur daar heb ik proberen te ontsnappen,' zegt ze, en ze wijst naar de drie meter hoge muur rond het kloostercomplex. 'Indertijd zaten er glasscherven bovenop, dus ik probeerde het wel, maar ik kon er niet overheen klauteren,' legt ze uit. 'Ik weet nog dat ik eraf viel, en ik heb nog steeds littekens op mijn been om het te bewijzen.'

We lopen naar de gebouwen waar Gabrielle heeft vastgezeten, en gluren door de ijzeren tralies naar een binnenplaats. 'Dit is de luchtplaats waar we mochten rondlopen. Dat was de enige beweging die was toegestaan: gewoon rondjes lopen. Ik weet niet meer hoelang. Het leek precies een gevangenis. Ik weet nog dat ik de meeste maaltijden in mijn eentje gebruikte, aan de tafel voor de gestraften. Daar werd ik bijna elke dag heen gestuurd omdat ik te veel praatte.'

Gabrielle werkte niet in de wasserij. Zij werd tewerkgesteld bij de productie van Limerick-kant, dat wereldberoemd was. Ze kan zich ook nog heel goed de dag herinneren dat er een telefoontje kwam van het Witte Huis in Washington. 'We kregen de opdracht om het doopkleed te maken voor het derde kind van president Kennedy,' vertelt Gabrielle, 'de kleine Patrick, die gestorven is. Er kwamen heel vaak Amerikaanse toeristen naar het atelier van het klooster om ons aan het werk te zien en bestellingen te plaatsen. We verkochten kanten kraagjes, zakdoeken en dat soort dingen. Ik weet zeker dat de nonnen geld verdienden. Ze zeiden wel dat het niet commercieel was, maar dat was wel zo. Ze deden er heel geheimzinnig over.'

De nonnen staan er inderdaad bekend om dat ze geheimzinnig doen over hun winsten, en toch duiken hun oude grootboeken op de raarste plekken op. Ik kreeg een tip over vier reusachtige, stoffige in leer gebonden grootboeken uit de jaren vijftig die in de pub The White House in Limerick lagen. De pubeigenaar ontdekte ze bij een ongeregelde partij meubilair die hij van de wasserij had gekocht toen die dichtging, en nu bewaart hij de grootboeken als versiering op planken boven de bar.

Hij is zo vriendelijk om op een ladder te stappen om ze binnen mijn bereik te brengen. 'Het komt zelden voor dat mensen vragen of ze ze mogen zien,' zegt hij. 'Ik denk dat de meesten allang blij zijn dat de wasserij en de nonnen verdwenen zijn.' De grootboeken zijn volgeschreven in een keurig handschrift. De lijst klanten omvat privépersonen, tientallen onderwijsinstellingen en kloosters, een aantal restaurants en hotels, het spoorwegstation en op gezette tijden de tennisclub van Limerick. Er werd in Limerick maar weinig ondernomen waar de nonnen geen geld aan verdienden door de was voor de betrokkenen te doen.

Na de lunch in de pub lopen Gabrielle en ik naar het moderne woonwijkje dat nu eigendom is van de nonnen, naast de oude wasserij. Op het grasveld staat een groot beeld van 'Christus de Goede Herder' en buren wijzen de bungalow aan waar de resterende, bejaarde wasserij-arbeidsters nog steeds wonen, samen met de nonnen. Er hangen bewakingscamera's bij de poort en de ramen staan open als we aanbellen. De gordijnen bewegen even; daarna worden de ramen stevig gesloten, en niemand komt naar de deur. 'Ik weet dat sommige nonnen die me bij de wasserij hebben gekend nog steeds hier zijn,' zegt Gabrielle. 'Toen ik zeventien was, heb ik hun gevraagd waarom ze me gevangenhielden, en dat zou ik ze nu graag nogmaals vragen, maar ze weigeren iets te zeggen.'

De nonnen weigeren iets te zeggen en iets te betalen. De Ierse regering heeft een schadefonds opgezet voor voormalige wasserij-employees, dat in de tientallen miljoenen loopt. De nonnen hebben weliswaar aan de overlevenden verdiend, maar de vier kloosterordes weigeren aan dat fonds bij te dragen. Ze hebben 'spijt' betuigd voor de pijn die ze wellicht hebben veroorzaakt, maar zijn niet bereid met geld over de brug te komen. Ierse ministers hebben hun 'teleurstelling' laten blijken en zeggen dat de onderhandelingen met de nonnen nog steeds gaande zijn, maar niemand durft er zijn hand voor in het vuur te steken.[24]

Ik ga op bezoek bij Claire O'Sullivan van de *Irish Examiner* in Cork, een van de weinige kranten in Ierland die aanspraak hebben gemaakt op de Wet openbaarheid van informatie om de financiën van de nonnen te kunnen inzien. Ze is verontwaardigd. 'De nonnen zijn geslepen zakenvrouwen en ze zijn heel handig met hun geld omgesprongen. De vier kloosterordes zijn onwaarschijnlijk rijk,' zegt ze. 'Tijdens de Ierse hoogconjunctuur hebben ze voor 300 miljoen euro aan vastgoed verkocht. In 2012 bezaten ze rond de 1,5 miljard aan activa. Dat laten ze allemaal beheren, en ze weigeren pertinent ook maar een cent bij te dragen aan het schadefonds voor de Magdalene-wasserijen.'*

Ierland zet zichzelf tegenwoordig graag neer als een moderne, seculiere samenleving, en toch heeft het er veel van dat de regering nog steeds in de ban is van de rooms-katholieke kerk. O'Sullivan wijst erop dat dankzij de conclusie van McAleeses rapport dat de nonnen geen winst hebben gemaakt met de wasserijen de druk om

---

* Twee van de kloosterordes schijnen te hebben gezegd dat ze niet over de middelen beschikken om aan het fonds bij te dragen.

bij te dragen aan die schadevergoedingen aanzienlijk werd verlicht. 'Sinds de stichting van de Ierse staat heeft de katholieke kerk altijd hand in hand met regering en overheid gefunctioneerd,' zegt ze. 'De scheiding van die twee heeft zich nog niet voltrokken, en de overheid heeft niet echt de mogelijkheid om scherpe kritiek op de kerk te leveren.'

In plaats daarvan wendt het Ierse volk zich af van de kerk. Bij een in mei 2015 gehouden referendum sprak 62 procent van de bevolking zich voor het homohuwelijk uit.[25] De aartsbisschop van Dublin, Diarmuid Martin, bekende dat hij verbijsterd was door deze uitslag. 'Dan denk ik: de meesten van de jonge mensen die voor hebben gestemd, zijn het product van twaalf jaar in ons katholieke schoolsysteem. Dat betekent volgens mij dat het nog een hele uitdaging wordt om te bedenken hoe we de boodschap van de kerk over het voetlicht kunnen krijgen.'[26] Maar daar is het te laat voor. De afgelopen paar jaar is het ene na het andere schandaal aan het licht gekomen over de katholieke kerk in Ierland, niet alleen wat betreft de behandeling van ongehuwde moeders en hun kinderen, maar ook over afgrijselijk misbruik van kinderen door priesters en de acties van de kerk om die vervolgens in de doofpot te stoppen. Tegenwoordig gaat nog geen 20 procent van de bevolking naar de kerk.[27]

In 1922, toen de sociale problemen in Ierland aan de katholieke kerk werden overgedragen, was nog 93 procent van de bevolking praktiserend katholiek.[28] Binnen nauwelijks meer dan één generatie heeft Ierland zich bevrijd van de theocratie, maar het kost tijd om de wetten te herzien die zijn aangenomen in eerbiediger tijden. In 1983 stemde nog twee derde van de bevolking tegen de legalisering van abortus.[29] In de republiek Ierland hebben vrouwen nog steeds geen toegang tot een veilige abortus, en bijna vierduizend Ierse vrouwen reizen jaarlijks naar het Verenigd Koninkrijk om baas in eigen buik te kunnen zijn. Steeds meer mensen stemmen voor het recht op echtscheiding en het homohuwelijk, dus nu is abortus de volgende horde.

Mary Merritt verliet de wasserij na veertien jaar, toen ze zevenentwintig was. 'Ze kregen steeds minder werk, en dus lieten ze sommige vrouwen vertrekken.' Net als duizenden andere voormalige arbeidsters in de Magdalene-wasserijen vluchtte ze uit Ierland naar het Verenigd Koninkrijk, waar ze bij een stomerij in het westen van Londen werkte, voordat ze samen met haar man Bill voor zichzelf begon.

Mary krijgt schadevergoeding uit het overheidsfonds, maar ze is nog steeds kwaad. 'Ze hebben me mijn leven afgepakt, mijn mensenrechten, mijn haar, mijn kleren en mijn naam, en ze hebben me mijn dochter afgenomen, en dat is nog het ergst van alles.' Ze is diverse keren teruggegaan naar het tehuis voor moeder en kind waar ze gedwongen werd haar dochter af te staan, en ze heeft hun gesmeekt haar te vertellen waar ze was. Dat weigerden ze.

In 1999 kreeg Mary een brief van een maatschappelijk werkster in het Verenigd Koninkrijk. Haar dochter Carmel had haar opgespoord en wilde haar zien. 'Wat moest dat voorstellen?' zegt Mary. 'Ik heb de nonnen keer op keer gevraagd om me te vertellen waar mijn dochter is en ze weigeren me antwoord te geven. Ze zeggen dat ze het niet weten. En dan krijgen ze een brief van een Britse instantie voor maatschappelijk werk en dan komen ze over de brug met informatie die ze al die tijd hebben gehad!' Mary vloog terug naar Ierland om haar dochter te ontmoeten. Ze nam haar mee naar de High Park-wasserij en naar het tehuis voor moeder en kind in Dublin waar ze was geboren, om haar geschiedenis uit te leggen.

Terwijl Mary samen met ons in Ierland is, regelt ze een afspraak om Carmel voor nog maar de tweede keer te ontmoeten, in de koffieshop van de Glasnevin-begraafplaats. Mary heeft een verrassing voor Carmel. Ze heeft de foto gevonden die van hen tweeën is gemaakt door een meelevende verpleegster in het tehuis, voordat zij werd teruggestuurd naar de wasserij en haar kind in de steek moest laten. Als jonge moeder van vijfentwintig houdt Mary Carmel in haar armen. 'Je was zo'n schatje,' zegt Mary. 'Maar ik was wel jaloers op je blonde haar, hoor!' Carmel voelt zich overweldigd. 'Ik zal hem koesteren,' zegt ze. 'Zodra ik thuis ben, stop ik hem in een lijstje.' De mensen aan naburige tafeltjes spitsen de oren om naar de twee vrouwen te luisteren, de ene van in de tachtig, de ander van in de zestig, zoals ze daar zitten te praten en te snikken.

'Je neemt me toch niets kwalijk, hè?' vraagt Mary bezorgd aan Carmel. 'Natuurlijk niet, natuurlijk niet,' zegt Carmel, en de tranen rollen haar over de wangen. Carmel heeft een winkel in Dublin en is voor de tweede maal getrouwd. Ze ontdekte bij toeval dat ze was geadopteerd, en de zoektocht naar haar moeder plus de wetenschap dat zij ook het slachtoffer was van deze tragische episode uit de geschiedenis van Ierland heeft een zware tol geëist. 'We hebben het geen van allen makkelijk gehad,' zegt ze tegen me bij het afscheid van haar moeder.

Voordat onze wegen zich scheiden, keren Mary en ik nog even terug naar de begraafplaats. Ze wil nog een keer afscheid nemen van haar vriendin Mary Brehany. Bij nadering horen we het geluid van een graafmachine. Naast het massagraf waar Brehany begraven ligt, wordt een nieuw graf op orde gemaakt voor weer een voormalige wasserij-arbeidster die de dag daarop begraven zal worden. De High Park-wasserij werd weliswaar in 1991 gesloten, maar veel van de vrouwen die daar tewerk waren gesteld, waren inmiddels zo geïnstitutionaliseerd dat ze het niet zonder de 'zorg' van de nonnen konden stellen toen de wasserij dichtging. De grafsteen boven het graf vermeldt diverse recente teraardebestellingen: Joan O'Reilly, die in 2012 stierf, Mary Ryan in 2013, Sally Doherty in 2014. Niemand weet hoeveel vrouwen nooit aan de nonnen zijn ontkomen.

Mary gaat van de begraafplaats rechtstreeks naar het vliegveld om terug te keren naar Engeland. 'Geen seconde te vroeg!' zegt ze als ze in de taxi stapt. Afgezien van de ontmoeting met haar dochter vindt ze het afschuwelijk om hier weer te zijn. 'Het enige wat ik wil,' zegt ze, 'is een excuus – van de nonnen, de priesters, de regering, de paus, wie dan ook. Voor ik doodga, wil ik een excuus.'

4

Saoedi-Arabië

DE GROOTSTE VROUWENGEVANGENIS TER WERELD

'Kom mee. Je gaat dit niet geloven,' zegt Reem Asaad. Ze is gestopt met borstvoeding geven aan haar dochter en wil een nieuwe beha kopen, maar ze weet niet welke maat ze nu heeft. In een winkelcentrum in Riyad neemt ze me mee naar een lingeriezaak. Met een frons op haar gezicht loopt ze langs de rekken met beha's. 'Let op,' fluistert ze wanneer de Pakistaanse winkelmedewerker op ons af komt met de vraag of hij kan helpen. 'Ik wil graag een vrouwelijke medewerker,' zegt Reem. 'Mijn maat moet opgenomen worden.' 'Het spijt me, mevrouw,' antwoordt de man, 'we hebben geen vrouwelijke medewerkers.' Ze koopt drie beha's en we gaan vier roltrappen op naar de toiletten op de bovenste verdieping om ze te passen. Ze passen niet. Reem brengt de beha's terug en ruilt ze voor drie andere. Ze doorloopt deze tijdrovende procedure vier keer voordat ze een beha vindt die haar goed past.

Voor Reem is dit onhandige koopproces van een beha het toppunt van de belachelijke manier waarop met vrouwen wordt omgegaan in Saoedi-Arabië, het enige land ter wereld waar vrouwen niet mogen autorijden. Saoedische mannen en vrouwen mogen niet met elkaar omgaan – behalve wanneer ze familie van elkaar zijn. Daarom mogen vrouwen niet in winkels werken en zijn er zelfs op de lingerieafdelingen alleen mannelijke medewerkers. 'Hoe moeten we daar nou ondergoed kopen? Denken ze dat we onze maat en details van ons lichaam die zelfs onze vriendinnen niet weten gaan bespreken met een wildvreemde man?'

Reem geeft toe dat het kopen van een beha niet heel hoog op de mensenrechtenagenda staat, maar ze is een feminist en een activist. Vrouwen krijgen zoveel beperkingen opgelegd dat ze vindt: 'Je moet ergens beginnen.' Reem is investeringsanalist; ze publiceert over economie en geeft colleges financiën en management aan de Dar al-Hekma-universiteit in Djedda. Ze is getrouwd en heeft twee dochters. Zoals ze me tegemoetkwam in de hal van het winkelcentrum in haar verplichte zwarte abaja die alleen haar gezicht onbedekt laat, viel me op dat ze een mooie, zelfverzekerde vrouw is.

In de ogen van de maffe mullahs die deze regels voorschrijven is het belangrijk dat Saoedische vrouwen uit de buurt blijven van Saoedische mannen. Daarom kunnen vrouwen niet in een winkel werken. Dat vrouwelijke klanten zich daardoor de maat moeten laten opnemen door een vreemde man, nemen de mullahs voor lief. Die vreemde man is namelijk vrijwel altijd van Zuidoost-Aziatische afkomst en wordt derhalve niet beschouwd als een echte man. Overigens lijken de mannelijke lingerieverkopers zich net zo ongemakkelijk te voelen als hun vrouwelijke klanten. Welkom in het krankjorume koninkrijk van Saoedi-Arabië!

Het is maart 2011 als ik met Reem naar de lingeriezaak ga. Ze voert dan al drie jaar actie. 'Het is tijd voor verandering, en dit is gewoon een uitgemaakte zaak,' zegt ze. 'Het is niet meer dan normaal dat vrouwen hun ondergoed kopen bij vrouwen. Elke andere situatie is belachelijk.' Ze heeft een Facebook-pagina, een blog en een petitie die oproept tot het boycotten van Saoedische lingeriewinkels en tot steun van internationale lingeriemerken.[1]

Duizenden Saoedische vrouwen steunen haar en verschillende buitenlandse merken en activisten hebben zich solidair verklaard. Natuurlijk kwam er protest van islamitische geestelijken. Ze waarschuwden dat toestemming aan vrouwen om in winkels te werken hen zou stimuleren om in opstand te komen tegen hun echtgenoot. Daarmee zou het land zijn deugdzaamheid kwijtraken. Uiteindelijk won de redelijkheid. Begin 2012 vaardigde de toenmalige Saoedische koning Abdullah een verbod uit op mannelijke medewerkers in 7300 lingeriewinkels, waarmee hij banen creëerde voor meer dan 40.000 Saoedische vrouwen.[2]

Ik vind Reem aardig, maar ik hou niet van winkelcentra. In een normaal land zouden we na de filmopnamen naar een café of restaurantje gaan om na te praten. Maar dit is Saoedi-Arabië. Het is hier allesbehalve normaal. Twee vrouwen die over straat lopen om ergens wat te gaan eten of drinken trekken hier negatieve aandacht. Als een vrouw uitgaat, laat ze zich naar het winkelcentrum rijden. Haar chauffeur wacht op haar in de auto. De blik van een vrouw op de wereld wordt gevormd door wat ze opvangt door een getint autoraam.

Als we bij Reems auto zijn, vraagt ze me mee naar haar huis, een naar Saoedische begrippen heel gewone woning van twee verdiepingen met een lift. Haar echtgenoot blijkt een lange, vriendelijke man. Zijn moeder is Libanees, wat misschien zijn progressieve houding tegenover vrouwen verklaart. Hij is duidelijk trots op zijn vrouw en zorgt met plezier voor hun twee dochters terwijl wij verder praten – vrij ongebruikelijk voor een Saoedische man.

'Wij hebben het niet breed, dat zie je wel,' zegt Reem. Met haar academische titel verdient ze een modaal salaris; haar man is accountant. Omdat ze niet samen naar het werk kunnen reizen, heeft ze een privéchauffeur, die een flink deel van haar inkomen opslokt. 'Daarom werken de meeste vrouwen niet. Autorijden is verboden en openbaar vervoer is er nauwelijks. Wanneer haar echtgenoot op zijn werk is, komt een vrouw het huis niet uit – tenzij ze een privéchauffeur heeft.'

Reem geeft toe dat haar succesvolle actie voor vrouwelijke medewerkers in lingeriewinkels weinig effect heeft zolang vrouwen zonder privéchauffeur er geen gebruik van kunnen maken. De koning mag dan 40.000 vacatures hebben gecreëerd, zonder ingrijpende verbetering van de infrastructuur kunnen vrouwen die niet vervullen. Nu voert Reem actie voor veilig openbaar vervoer, zodat vrouwen niet afhankelijk zijn van een eigen chauffeur. Vervolgens wil ze vechten voor kinderdagverblijven. Volgens haar stellige overtuiging is werk de enige uitweg voor de miljoenen vrouwen die gevangenzitten in hun eigen huis.

De gemiddelde Saoedische man mag graag betogen dat de vrouw juist bevoorrecht is. Ze heeft thuis alle comfort, een Filippijnse huishoudster en een Pakistaanse chauffeur om haar naar het winkelcentrum te rijden. 'Waarom zou een vrouw willen werken?' zegt hij. Dat werk zelfvertrouwen geeft, een intellectuele uitdaging kan bieden, sociaal contact en financiële zekerheid oplevert, beschouwt de Saoedische man juist als tegenargumenten, aangezien het zijn taak is om de vrouwelijke leden van het gezin onder de duim te houden. Reem heeft gelijk. Saoedi-Arabië heeft een infrastructuur nodig om vrouwen aan het werk te krijgen. Maar daarvoor zullen de oude tradities en het onderwijs stevig opgeschud moeten worden.

Vrouwen zijn een rolmodel voor hun dochters. Ik heb ik weet niet hoe vaak tegen mijn dochter gezegd dat vrouwen gelijk zijn aan mannen en dat zij alles kan bereiken wat ze wil. Een Saoedisch meisje ziet dat haar moeder behandeld wordt als een kind, dat ze gehoorzaam is aan mannelijke familieleden en dat ze beperkt wordt in alles wat ze wil doen. Van jongs af aan raken het zelfvertrouwen en gevoel voor eigenwaarde van meisjes beschadigd. Des te indrukwekkender vind ik de moed waarmee vrouwen als Reem Asaad en andere Saoedische activistes de tradities proberen te doorbreken. Miljoenen andere vrouwen kunnen of durven dit niet, en hun dochters zullen hen daarin volgen.

Verdedigers van gendersegregatie menen dat het systeem van gescheiden mannen- en vrouwenwerelden gebaseerd is op een correcte interpretatie van de Koran en de lessen van de profeet Mohammed in de soenna. Tegenstanders wijzen op het leven van Mohammed zelf en komen met een andere interpretatie. De eerste vrouw van de Profeet, Khadija, was een sterke vrouw, die ouder was dan hij. Hij was bij haar in dienst. Zij vroeg hem ten huwelijk. Een andere echtgenote, Aisha, voerde een leger aan in de strijd om Basra in het jaar 656. De Profeet zou hebben gezegd: 'Jullie hebben recht op jullie vrouwen en jullie vrouwen hebben recht op jullie.'[3]

Rechten van vrouwen zijn schaars in Saoedi-Arabië, waar de

woorden van de Profeet worden geïnterpreteerd zoals het de vrouwenhatende geestelijk leiders uitkomt. De missie van de wahabieten, de dominante minderheid in Saoedi-Arabië, is het herstellen van het islamitische geloof in zijn oorspronkelijke, pure vorm. Vrouwen worden daarin beschouwd als de belichaming van het kwaad. Ultraconservatieve wahabitische geestelijken hebben van oudsher grote invloed in het Huis Saoed en daar zijn de vrouwen in Saoedi-Arabië het slachtoffer van.

In de achttiende eeuw sloot de islamitische geestelijk leider Mohammed ibn Abdul-Wahhab een pact met Mohammed bin Saoed, die steeds meer land begon te veroveren en de Saoedische dynastie stichtte. In ruil voor steun beloofde de Saoedische leider zijn trouw aan het puriteinse wahabisme. Het pact betekent al ruim 250 jaar een ramp voor vrouwen in het land dat we nu kennen als Saoedi-Arabië.[4]

Het wahabisme beschouwt vrouwen als levenslang minderjarig en geestelijk onvolwaardig. Een vrouw moet altijd een man hebben die over haar waakt. Ze heeft zijn toestemming nodig om het huis uit te gaan, om een doktersbehandeling te ondergaan, een bankrekening te openen, een opleiding te volgen of op reis te gaan. Haar voogd kan haar op elke leeftijd uithuwelijken. Is een vrouw gescheiden en heeft ze geen vader of broer, dan zou ze voor al deze zaken toestemming moeten vragen aan haar tienerzoon.

Hun uitsluiting en ondergeschikte positie maakt vrouwen kwetsbaar. Huiselijk geweld komt veel voor. De Saoedische regering heeft wetten uitgevaardigd om mishandeling te verbieden, maar het is onduidelijk hoe die wetten uitgevoerd moeten worden. Zo mag een vrouw niet zelfstandig naar de politie gaan om aangifte te doen. Dus als haar man haar in elkaar heeft geslagen, moet ze hem vragen naar het politiebureau te rijden zodat ze aangifte tegen hem kan doen. Een onwaarschijnlijke situatie.

Op de apartheid tussen mannen en vrouwen wordt streng toegezien. Wahabitische geestelijk leiders zeggen dat de vrouw beschermd moet worden tegen de aantasting van haar eer door anderen en tegen haar eigen zogenaamde 'gebrekkige capaciteit'. In haar eentje, overgeleverd aan haar wellustige verlangens, kan zij niet anders dan zich misdragen.[5] Het Comité ter Bevordering van Deugd en ter Voorkoming van Zonde, zoals de *mutawa*, de zedenpolitie, officieel heet, is verantwoordelijk voor het afdwingen van segregatie, gepaste kleding en kuisheid van vrouwen. De mutawa neemt die taak zo enthousiast op dat het vrouwen of meisjes soms fataal wordt.

In 2002 voorkwam deze morele politie dat meisjes konden ontsnappen uit een brandende school omdat ze niet voldeden aan de kledingvoorschriften. Door de vlammen en de rook hadden ze geen tijd om hun abaja aan te doen voordat ze naar buiten vluchtten. Bij de poort werden ze teruggestuurd om zich volgens de regels te gaan kleden. Vijftien meisjes kwamen om. Voor de mutawa is de eer van een meisje belangrijker dan haar leven. Een jaar later verhoogde de koning het budget voor de mutawa naar 400 miljoen dollar per jaar.[6]

De mutawa is ook verantwoordelijk voor het rijverbod voor vrouwen. Het is een religieus voorschrift; er is in Saoedi-Arabië geen wet die vrouwen het autorijden verbiedt. Vanwege de verwarring over seculiere en religieuze regelgeving besloten vijftig vrouwenactivistes in juni 1991 de stemming te peilen door de auto te pakken en Riyad in te rijden. Ze werden gearresteerd. Om duidelijkheid te scheppen, vaardigde de toenmalige grootmoefti sjeik Abdulazia een fatwa uit tegen autorijdende vrouwen. Hij verklaarde dat beide seksen te makkelijk kunnen mengen als vrouwen toestemming krijgen om auto te rijden en dat dit grote chaos in de samenleving zou veroorzaken.

De conservatief geestelijke sjeik Saleh al-Lohaiden deed in 2013 een duit in het zakje. Hij stelde dat autorijden tot 'verminderde fysieke prestaties' leidt. Hij verwees naar 'medisch onderzoek' waaruit zou blijken dat autorijden 'effect heeft op de eierstokken, en het bekken omhoogduwt'. Daarom, beweerde hij, 'zien we bij kinderen van hen die regelmatig autorijden klinische problemen in verschillende gradaties'.[7] Het zou hilarisch zijn als hij niet zoveel invloed had. Mannen als hij en de imam die ik in Gambia sprak, zouden zich beter kunnen wijden aan waar ze goed in zeggen te zijn: het bestuderen van religieuze teksten.

Wajeha al-Huwaider, een journaliste die ook actievoerde voor het recht van vrouwen om te werken en auto te rijden, noemde Saoedi-Arabië 'de grootste vrouwengevangenis ter wereld'.[8] Ze vergelijkt vrouwen in Arabische landen met gevangenen op Guantánamo Bay, met dat verschil dat die meer daglicht zien en een kans hebben om ooit vrij te komen. Vrouwen in Saoedi-Arabië, betoogt ze, 'zijn nooit lid geweest van een terroristische organisatie en hebben niemand iets aangedaan. Toch brengen ze hun leven door in gevangenschap.'[9] In 2008 maakte ze een filmpje van zichzelf terwijl ze autoreed en plaatste dat op YouTube. Een jaar daarvoor schreef ze de koning een brief om hem te vragen de beperkingen voor vrouwen op te heffen en hun toe te staan om auto te rijden en te werken. Sindsdien wordt ze stelselmatig lastiggevallen door de autoriteiten.

In 2011 kreeg Al-Huwaider een sms van een vrouw die meldde dat haar man haar en haar kinderen had opgesloten in huis en dat ze niets te eten hadden. Ze reed met een medeactiviste naar het huis, waar de politie hen opwachtte en arresteerde. Het lijkt erop dat de sms een valstrik was. Ze werd aangeklaagd voor 'het bieden van steun aan een getrouwde vrouw zonder medeweten van de echtgenoot, derhalve ondermijning van het huwelijk'. Toen haar zaak in 2013 voorkwam, kreeg ze tien maanden gevangenisstraf.[10]

Al sinds ik Al-Huwaiders beschrijving van Saoedi-Arabië als vrouwengevangenis las, wilde ik het met eigen ogen zien. Meestal als ik een reportage wil maken in een land waar de mensenrechten ernstig worden geschonden, en media-aandacht dus dringend gewenst is, ga ik undercover. Heel wat landen met slechte regimes – de voormalige Sovjet-Unie, Roemenië onder Ceauşescu, Birma onder het militaire regime, het door China bezette Tibet en recentelijk Syrië in oorlog – heb ik bereisd als toeriste en dan met name als 'Noord-Londense moeder van twee kinderen'.

Ik ervaar mijn vrouw-zijn als een enorm voordeel. Sorry voor wie een heldhaftiger houding verwacht van iemand die zich feministe noemt, maar ik heb er geen enkele moeite mee om te flirten als ik gewapende mannen tegenover me vind, of om in tranen uit te barsten of jeugdfoto's van mijn kinderen te laten zien. Alles is geoorloofd om je uit lastige en soms levensbedreigende situaties te redden. Tot nu toe heeft het altijd gewerkt.

Maar Saoedi-Arabië kwam je in 2011 als toerist nog niet in, tenzij je een van de miljoenen pelgrims was die op bedevaart gaan naar Mekka en Medina. Voor niet-moslims zijn er geen toeristische attracties. Wie wil er ook naar een land dat bestaat uit winkelcentra, files en woestijn, waar de vrouwen zich zelfs op de witte stranden langs de Rode Zee in hun zwarte abaja hullen en apart zitten van mannen, broers en zoons?

Ik moest dus officieel toestemming vragen, en daarvoor heb ik diverse malen de ambassade van het Koninkrijk van Saoedi-Arabië in de Londense wijk Mayfair bezocht. De persmedewerker verwees me door naar de attaché voor vrouwenzaken, dr. Danish Elham. Zij begroette mij verrast in de ontvangstruimte en nam me mee naar een kantoor.

Ik vroeg wat haar taak was als attaché voor vrouwenzaken. Ze vertelde dat ze door de koning persoonlijk was gestuurd om iets te doen aan het grote aantal zelfmoorden onder diplomatenvrouwen. Gevangen in haar luxe residentie, de taal niet machtig, zonder mogelijkheid om te werken of toestemming om haar echtgenoot te vergezellen op dienstreizen door het land of naar officiële bijeenkomsten, sprong de een na de ander van de bovenste verdieping van haar appartementencomplex in Knightsbridge. 'De koning is zeer bezorgd,' zei dr. Elham.

Ik vertelde dat ik een filmreportage wilde maken over de interessante ontwikkelingen op het gebied van vrouwenemancipatie in Saoedi-Arabië. De koning had net een vrouw aangewezen als viceminister van Onderwijs. Norah bint Abdullah al-Fayez leidde het nieuwe departement voor onderwijs aan meisjes. Ik wilde haar graag interviewen, maar was erachter gekomen dat de viceminister haar vergaderingen met mannelijke collega's vanachter een kamerscherm moest voeren. Als zij instemde in een interview, zouden mijn cameraman en ik dan ook aan de andere kant van een gordijn moeten blijven? Dat zou een spannend stukje televisie kunnen opleveren.

Ondanks haar beperkte bewegingsruimte beschouwden Saoedische hervormingsgezinden de benoeming van een vrouw tot viceminister ook in de eenentwintigste eeuw nog als een vooruitstrevende actie van de koning. Hij kreeg kritiek te verduren van hooggeplaatste geestelijken. Zij vreesden dat scholing vrouwen zou stimuleren 'hun basistaken zoals het huishouden en de opvoeding van de kinderen te verzaken'. In plaats daarvan zouden de vrouwen 'zich mooi maken en lichtzinnig gaan gedragen'.[11] Als het om vrouwen gaat, kennen conservatieve geestelijken redelijkheid noch grenzen.

Ik viste wat rond naar namen van andere hooggeplaatste vrouwen bij de overheid. Deze vrouwen hebben hun opleiding in het buitenland gehad en zijn meestal lid van de koninklijke familie. Zo staat prinses Loulwa al-Faisal bekend om haar strijd voor vrouwenrechten. Ik keek ernaar uit om met een vrouw te praten over de feministische beweging in Saoedi-Arabië, en was teleurgesteld toen ik ergens las dat de prinses vond dat moslima's 'gelijke maar niet per se dezelfde rechten als mannen' hoefden te krijgen.[12]

Ik overhandigde dr. Elham mijn verlanglijst met namen van vrouwen die ik graag wilde interviewen. Ze keek me verbaasd aan en legde het papier onverschillig opzij. Ik betwijfel of ooit een van mijn aanvragen bij de dames in kwestie terecht is gekomen. Dr. Elham zegde de ene na de andere afspraak af. Ik heb een uitgebreide e-mailcorrespondentie met haar assistent vol verontschuldigende woorden als 'gezondheid', 'onverwacht' en 'spoedbespreking'. Kwamen er onder het ambassadepersoneel zoveel zelfmoorden voor? Maar de aanhouder wint. Drie maanden lang bezocht ik de ambassade elke week, totdat ik met mijn aanwezigheid en vasthoudendheid een last werd en het ambassadepersoneel in steeds grotere verlegenheid bracht. Ik denk dat ze mij en mijn cameraman onze visums uitsluitend hebben gegeven om van me af te zijn.

En zo kwam het dat ik op een gegeven moment met Saudi Air

van Londen Heathrow naar Djedda vloog. Aan boord waren een paar Europeanen, medewerkers van oliemaatschappijen, en het type Saoedi's dat je in Londen wel tegenkomt: zakenmannen in gezelschap van hun in abaja's verstopte vrouwen met dure tassen, het type dat opstoppingen veroorzaakt in de gangpaden van de lingerieafdelingen van Harrods en Marks & Spencer.

En dan had je de jonge vrouwen gekleed in Armani-jeans met stilettohakken van Jimmy Choo. Zij woonden voor hun studie in Londen en beleefden de meest vrije periode van hun leven. Velen van hen haalden hun internationale rijbewijs, ook al zouden ze thuis misschien nooit de gelegenheid krijgen om auto te rijden. Ze waren op weg terug naar een leven met een gearrangeerd huwelijk en huisarrest in de grootste vrouwengevangenis ter wereld.

De bedenkster van die typering, Wajeda al-Huwaider, heeft in de Verenigde Staten gestudeerd. Het verrast me dat zoveel belangrijke Saoedische families hun dochters dit voorrecht toestaan. Je zou zeggen dat het leidt tot problemen en revolutionaire ideeën. Volgens Al-Huwaider wist ze voordat ze ging wel dat ze een mens was, maar, zegt ze, 'pas toen ik in de Verenigde Staten was, voelde ik me ook een mens, omdat ik als een mens werd behandeld. Ik besefte dat het leven niets betekent zonder vrijheid. Toen besloot ik dat ik een vrouwenrechtenactivist wilde worden, om de vrouwen in mijn land te bevrijden en hun te laten voelen wat leven is.'[13]

Ik had over jonge vrouwen als zij gelezen in een boek van Rajaa Alsanea: *De meiden van Riaad*. Het zou over liefde, lust, mannen en geld gaan – een taboedoorbrekend verhaal à la *Sex and the City*. Het begon inderdaad als een onstuimig relaas over seks, drugs en losbandig leven in deze stad waar je dat van alle steden in de wereld het minst zou verwachten. Het bleek een van de meest deprimerende boeken die ik ooit heb gelezen.[14]

Het boek volgt de levens van vier jonge vrouwen in Riyad – Gamrah, Lamees, Michelle en Sadeem – en is gebaseerd op feiten. De meesten van hen en hun vriendjes hebben in het buitenland gestudeerd. Ze weten wat er in de wereld te koop is – in die andere wereld waar mannen en vrouwen gelijk zijn en jonge mensen hun eigen, onafhankelijke mening mogen hebben. Toch worden ze verliefd, ze trouwen en krijgen kinderen in een van de meest vrouwonvriendelijke en middeleeuwse samenlevingen ter wereld.

Het verdrietigst vond ik het verhaal van Sadeem. Haar huwelijk met Waleed werd gearrangeerd door hun ouders, maar gelukkig voelden ze zich tijdens de eerste ontmoeting direct tot elkaar aangetrokken. Samen registreerden ze zich als verloofden. Sadeem, die een universitaire studie heeft gedaan, protesteerde toen zij het officiële document niet mocht ondertekenen. 'Meid,' zei haar tante, 'druk je vinger erop en maak er geen toestand van. De sjeik eist nou eenmaal een vingerafdruk en geen handtekening van de vrouw. Alleen van de man is de handtekening vereist.'

Tijdens de *milkah*, de periode die voorafgaat aan het huwelijk, mochten de twee samen eten in restaurants en thuis films kijken. Voorzichtige kusjes op de wang werden algauw gepassioneerde zoenen op de mond. Toen Waleed liet merken dat hij niet langer kon wachten, stond Sadeem hem op een avond toe verder te gaan, 'over de grens die ze voor hem en haarzelf had bepaald'.

Tot die dag had Waleed haar dagelijks wel tien keer gebeld. Maar erna liet hij niets meer van zich horen. Sadeem maakte zich zorgen. Wat was er aan de hand? Hij was toch zelf degene geweest die verder wilde gaan? Was hij niet eigenlijk al in alles haar echtgenoot – op de officiële trouwceremonie met het dansfeest, de gasten, het liveconcert en het diner na? Zijn familie liet weten dat Waleed niet meer met haar wilde trouwen. Ze had de strenge Saoedische regels overschreden. Waleed trouwde met iemand anders. Sadeems eer was onherstelbaar geschonden.

Het was een wrede geschiedenis. Haar leven lang had Sadeem geleerd de mannelijke familieleden te gehoorzamen. Wanneer ze bij de man was die haar echtgenoot zou worden, gehoorzaamde ze hem. Als man had Waleed nou eenmaal de leiding; zij had hem maar te volgen. Totdat hij met haar naar bed wilde. Ook al deed ze wat hij wilde, volgens hem was ze geen betrouwbare, gehoorzame echtgenote meer en zou ze hun kinderen nooit meer kunnen opvoeden tot goede Saoedi's. Hij schoof haar opzij alsof ze een hoer was.

Terwijl ik aan dat verhaal dacht, klonk de stem van de piloot over de luidsprekers. Over tien minuten zouden we landen op het vliegveld van Djedda. De jonge Saoedische vrouwen stonden op, draalden nog wat in hun strakke spijkerbroeken en kasjmier truitjes en reikten in de bagagerekken naar hun abaja's. Binnen een paar minuten veranderden de moderne, goedgeklede vrouwen in een massa zwarte schaduwen zonder persoonlijkheid en schoonheid.

Ook ik had een abaja bij me. Terwijl ik hem aantrok, bedacht ik hoe goed het eigenlijk was dat ik geen officiële interviewafspraken in Saoedi-Arabië had. Nu zouden we niet worden opgewacht door een officiële begeleider. Toch bleek juist dat een probleem te zijn. Cameraman Tony Jolliffe en ik hadden een complete set filmapparatuur bij ons. De douane en de immigratiedienst wisten niet wat ze met ons aan moesten.

Ze begrepen niet hoe we aan een officieel journalistenvisum waren gekomen als er niemand van het ministerie van Informatie was om ons op te vangen, te begeleiden en in de gaten te houden. We werden in een wachtruimte gezet terwijl zij met Riyad belden. Probleem was dat het twee uur 's nachts was en niemand de telefoon opnam. We leken een lange, ongemakkelijke nacht tegemoet te gaan.

Tot Tony's verbijstering deed ik wat ik altijd doe als er iets misgaat wanneer ik in mijn eentje door dit soort landen reis. Ik zakte op de vloer en begon te huilen. Tussen mijn snikken door sprak ik mijn verbazing uit over deze behandeling. Ik was zo warm welkom geheten in de Saoedische ambassade in Londen, waar niemand minder dan prins Mohammed bin Nawwaf bin Abdulaziz al Saud, lid van de koninklijke familie, ambassadeur was. 'De nobele prins verleende mij een visum. Hij wenste me een goede reis naar uw land,' jokte ik tegen de verbaasde medewerkers. 'En nu behandelt u me zo?' Ze lieten ons door.

Voor zover ik weet waren we de eerste tv-cameraploeg ooit die Saoedi-Arabië in kwam zonder enige vorm van begeleiding. Van die situatie moesten we gebruikmaken. Het eerste wat ik deed was een abaja kopen ter vervanging van het van een BBC-collega geleende exemplaar.

In een winkel liep ik langs de rekken met abaja's. Bij een knalroze hield ik even stil. 'Niet die!' waarschuwde de Bengaalse winkelmedewerker. 'Die is alleen voor in de slaapkamer.' Hij wees me de rijen met brave zwarte gewaden, waar ik toch een iets lichtere tussen vond, in frivool donkerblauw en ondeugend bruin. En toen maakte ik zelf zo'n situatie mee als waar Reem Asaad tegen in opstand komt. Ik paste de abaja. De verkoper hielp me de hoofddoek van het allesbedekkende gewaad om mijn hoofd te draperen. Behoedzaam vouwde hij de punt onder mijn kin door en om mijn schouders heen. Tot slot stopte hij mijn haarlokken in.

In dit land, waar elk contact met iemand van de andere sekse verboden is, voelden zijn nabijheid en aanrakingen ongemakkelijk. Natuurlijk was hij 'maar' een Bengaal – naar Saoedische maatstaven geen echte man. Daarom kunnen vrouwen ook zonder problemen worden rondgereden door hun Zuidoost-Aziatische chauffeurs zonder dat er enige verdenking op ze valt. De maffe mullahs geloven werkelijk dat alleen de Saoedische man beschermd hoeft te worden tegen de verleiding van vrouwen en hun eigen gebrek aan weerstand daartegen. Later tijdens mijn reis zou ik ontdekken dat ik evenmin een echte vrouw was.

Ik zocht contact met Fadwa al Tayaf, een voormalige tv-presentatrice die nu maatschappelijk werker is en activist. Ik vroeg haar of ze me mee wilde nemen naar plekken in de stad waar buitenlanders niet komen – waar de armen en berooiden wonen in dit land, dat een van de rijkste van de wereld is. We lopen door de smalle, stoffige straten van een sloppenwijk in Djedda. Mannen gekleed in lange witte *thobes* slenteren door de steegjes. Hun in abaja verborgen vrouwen komen er als zwarte spoken achteraan.

We duiken onder een boog door en komen in een labyrint met lemen huisjes terecht. Fadwa wil me voorstellen aan vrouwen zonder identiteit, oftewel vrouwen zonder man. Saoedische vrouwen leiden een miserabel leven aan de hand van hun man, maar zonder man is hun leven ronduit gevaarlijk.

Ze stelt me voor aan Fatima, een bedlegerige weduwe met diabetes. Ze heeft geen medicijnen omdat ze niet naar buiten kan. Er is geen man in haar leven, dus ze kan haar huis niet uit om naar het ziekenhuis of de overheid te stappen. Ze is een gevangene in haar eigen huis. Fadwa brengt haar regelmatig eten, maar medicatie kan ze niet krijgen zonder toestemming van een man – die niet bestaat. Fatima zal vroegtijdig overlijden doordat ze geen man heeft.

In het huis ernaast bezoeken we Warifa, een gescheiden vrouw van in de veertig met vier dochters. Ze komt uit Jemen en haar Saoedische man heeft haar verlaten voor een andere vrouw. Als buitenlandse heeft ze geen vader, geen man en geen zoon om haar te helpen. Het gezin leeft van wat buren hun schenken. Warifa roept haar vier dochters van veertien tot twintig jaar erbij om met mij kennis te maken.

Ze verschijnen gehuld in hun abaja en bedekken verlegen hun gezicht. Ik kijk in hun treurige ogen. Ook zij zijn gevangenen. Zonder toestemming van een man komen ze het huis niet uit. Ze kunnen niet werken, niet naar school. 'Ik bid elke dag,' zegt Warifa, 'dat er een aardige man komt om met een van hen te trouwen.' Maar hoe dan, vraag ik me af. Wat voor man gaat hen hier vinden? Ze zijn gedoemd om hier achter te blijven omdat ze de pech hadden geboren te worden in Saoedi-Arabië. Deze mensonterende situatie waarin vrouwen zonder man moeten zien te overleven was nieuw voor mij. Er is amper over gepubliceerd, dus ze stonden ook niet op mijn lijstje.

Minstens zo verrast was ik dat er vrouwen bestaan die de door vrouwenhatende geestelijken bedachte leefregels onderschrijven. Met verbijstering nam ik kennis van Rawda al-Yousef, die een actiegroep oprichtte met de ongelooflijke naam 'Mijn Beschermer Weet Wat het Beste Is voor Mij'. Haar wilde ik wel eens ontmoeten.

Yousefs appartement bevindt zich in een beveiligd wooncomplex in een chique wijk van Riyad. Haar Filippijnse hulp laat ons binnen in een donkere kamer met een zwaar leren bankstel. De ruimte is rijk gedecoreerd met glas en goud. Ik verwacht een zwaar opgemaakte, zorgvuldig gekapte en in dure merkkleding gestoken vrouw met een kokette glimlach. Naar mijn vooroordeel kan ik me geen ander type vrouw voorstellen die zich zou schikken in een minderwaardige positie als deze, met een man die haar wil controleren.

Tot mijn verrassing is Yousef een sterke, gescheiden vrouw van middelbare leeftijd. Haar uitstraling staat in scherp contrast met haar eigenaardige ideeën. Ze heeft de aandacht getrokken van de koninklijke familie en de hooggeplaatste geestelijken door te stellen dat Saoedi-Arabië de 'ideale, puur islamitische staat' is die bedreigd wordt door geïmporteerde westerse waarden. Vrouwen zouden zich moeten houden aan de rol die zij traditioneel vervullen.

Ze serveert thee en laat me een film zien die ze gemaakt heeft en waarop ze bijzonder trots is. In een of ander geïdealiseerd sprookje kijken vrouwen in modieuze, hooggesloten zijden jurken nu eens hulpeloos, dan weer in aanbidding op naar gespierde bewakers die met wapens rondparaderen in marmeren paleizen met brandende toortsen.

De film van tien minuten wordt regelmatig uitgezonden op de Saoedische televisie, meestal voorafgaand aan een discussie in de studio waarbij Yousef tussen ernstig kijkende imams het voogdijschap verdedigt. Om een breder publiek te bereiken heeft ze ondertitels aan de film toegevoegd. De vertaling is abominabel, maar de boodschap is helder: een vrouw is zwak en kwetsbaar; het ontbreekt haar aan kennis en daarom heeft ze een man nodig om haar te beschermen. Zij kan alleen maar leven als ze dicht bij haar voogd is, wie dat dan ook is. Voor de gescheiden Yousef vervult haar broer die rol.

Ik boor mijn nagels in mijn handpalmen om mijn mening binnen te houden en ik doe mijn best om een goed interview te houden. We beginnen over het autorijden. Yousef ziet dit als een puur praktisch probleem. 'Onze tribale maatschappij is er nog niet klaar voor om vrouwen een auto te laten besturen,' legt ze uit. 'Want hoe moet dat als een vrouw een ongeluk krijgt? Hoe komt ze zonder voogd in een ziekenhuis of bij een politiebureau? Ze riskeert een gevangenisstraf. Ze heeft haar voogd nodig om haar te beschermen tegen dit soort dingen.' Maar de vrouwen die Reem Asaad wil helpen dan, zij die geen baan hebben omdat ze niet op hun werk kunnen komen? Yousefs antwoord is eenvoudig. 'Als een vrouw zich geen chauffeur kan veroorloven om haar te rijden, dan heeft ze toch ook geen geld voor een auto?'

En wat denkt ze van de vrouwen die ik via Fadwa al Tayaf heb leren kennen, die vroegtijdig overlijden omdat ze zonder voogd niet naar het ziekenhuis kunnen? En de jonge meiden die niet naar school mogen, werkloos en ongetrouwd zullen blijven omdat ze vastzitten in de wijk van de vrouwen zonder man? Die vraag wuift Yousef weg. Zij vindt dat die vrouwen het er zelf naar gemaakt hebben. 'Om te overleven heeft een vrouw nou eenmaal een voogd nodig. Het is fout om geen man te hebben,' zegt ze, de vrouwen de schuld gevend van hun lot.

'De meerderheid van mijn land staat achter mij,' zegt ze met trots. 'Zowel de conservatieven als de gematigden steunen mij. En wat de liberalen betreft: van degenen die ik ken, zit de vrouw gewoon veilig thuis. Als zij het over de vrijheid van vrouwen hebben, gaat het alleen over andere vrouwen.'

Is het waar dat een meerderheid van de Saoedi's Yousefs actiegroep steunt? Daar is moeilijk achter te komen. In 2007 hield Gallup een opiniepeiling in Saoedi-Arabië. Daaruit bleek dat 66 procent van de vrouwen en 55 procent van de mannen vindt dat vrouwen zouden moeten mogen autorijden.[15] Uit hetzelfde onderzoek kwam naar voren dat meer dan 80 procent van de vrouwen en 75 procent van de mannen vindt dat vrouwen elk werk zouden moeten kunnen verrichten waarvoor ze gekwalificeerd zijn.

Het hangt er waarschijnlijk van af wie je ondervraagt. Een opiniepeiling van de Saoedische regering in 2006 zou uitwijzen dat 80 procent van de vrouwelijke respondenten het autorijden door vrouwen afwijst. Ook uit een meer recente peiling in 2013 door een docente aan het elitaire meisjescollege Al-Lith van de Um al-Qura-universiteit in Mekka zou blijken dat eenzelfde percentage jonge studentes het hiermee eens is. Een van deze meisjes schijnt te hebben verklaard dat autorijden niet nodig is in Saoedi-Arabië, waar 'iedere vrouw een prinses is. Er is iemand die voor haar zorgt. Een vrouw komt niets tekort zolang er een man is die van haar houdt en haar geeft wat ze nodig heeft.'[16]

Toen ik me buiten de kringen van vrouwenactivistes begaf en me meer ging verdiepen in het leven van wat je gewone Saoedi's zou kunnen noemen, bleek dit helaas de heersende mening te zijn. In Djedda, waar ik nog niet begeleid werd door een overheidsmedewerker, was het niet moeilijk om moedige, afwijkende meningen te vinden van vrouwen als Reem Asaad, Wajeha al-Huwaider en Fadwa al Tayaf. Djedda staat bekend als een meer open en liberale stad. Tegen de tijd dat ik naar het conservatieve Riyad ging, hadden de autoriteiten me in het oog gekregen en me een medewerker toegewezen.

Omar begreep weinig van mijn interesse in de vrouwenzaak en in afwijkende meningen. Hij kon niet veel voor me regelen, behalve dan die afspraak met de aartsconservatieve Rawda al-Yousef, van wie hij zeker wist dat ze op de lijn van de overheid zat. Zoals zoveel Saoedische mannen bezat Omar weinig werklust. Een derde van hen is werkloos. De regering probeert buitenlandse bedrijven die in het koninkrijk gevestigd zijn over te halen om meer Saoedi's in dienst te nemen, maar managers klagen dat toegewijde medewerkers schaars zijn in dit land waar veel families slapend rijk zijn geworden van inkomsten uit de oliewinning.

Van de werkende mannen zijn de meeste, net als Omar, in overheidsdienst. Omar is geen uitzondering. Hij pochte over de rijkdom van zijn familie. Zijn baan bij het ministerie van Informatie vond hij maar niks. Hij meldde zich 's ochtends om elf uur in de lobby van het hotel om mijn cameraman en mij op te pikken en vroeg 's middags om vijf uur of hij weg kon. Dat kwam mij prima uit. Voor en na de officiële werkdag van Omar had ik alle gelegenheid om dissidenten en vrouwenactivisten te ontmoeten.

Op een avond maakte Omar een uitzondering. Hij wilde ons laten zien hoe anno 2009 beslissingen werden genomen in dit land en hoe overbodig vrouwen waren in dit proces. Daar zat ik: in kleermakerszit op een Perzisch tapijt, in een wit geschilderde en met bladgoud gedecoreerde zaal met enorme kristallen kroonluchters, tussen vijftig mannen van middelbare leeftijd. Wekelijks kwamen ze bij elkaar om zaken van lokaal belang te bespreken. Ik keek hoe de beleidsmakers, gekleed in traditionele Saoedische *thobe* met een *keffiyeh* om het hoofd, begonnen met een gebed en vervolgens onderwerpen bespraken als gezondheidszorg, onderwijs en de voordracht van een nieuwe imam voor een plaatselijke moskee.

Natuurlijk was ik de enige vrouw in de zaal. Toen het officiële gedeelte van de avond voorbij was, knikte stamoudste Faiz al Mahid me toe. Ik mocht mijn vragen stellen en begon met de meest voor de hand liggende: 'Waarom zijn hier geen Saoedische vrouwen aanwezig?' Hij trok verbaasd zijn wenkbrauwen op en antwoordde op een toon alsof hij een achtergebleven kind voor zich had: 'Dit is onze gewoonte en onze traditie, en buiten dat: waarom zouden vrouwen hier vertegenwoordigd moeten zijn? Wat zouden ze moeten doen?'

Omdat, zei ik, vrouwen meer dan de helft van de bevolking uitmaken en daarom ook zeggenschap zouden moeten hebben. 'Ze hebben zeggenschap,' zei Al Mahid, 'over het huis en over de kinderen. Zij zijn verantwoordelijk voor de verzorging en opvoeding van de kinderen. Saoedi-Arabië is anders dan andere landen. Hier wordt de man geacht zijn gezin te onderhouden. De vrouw heeft haar eigen taken. Hoe zou ik mijn werk moeten doen als ik thuis geen vrouw had om voor mijn kinderen te zorgen?'

Met een geërgerd gebaar en een blik vol minachting stond hij op en verliet de ruimte. Omar keek me aan alsof hij wilde zeggen: heb je nu je zin? Hij zei dat we de volgende dag later zouden beginnen, omdat we tot laat in de avond hadden gewerkt. Ik ging graag akkoord met zijn voorstel om pas na de lunch af te spreken.

Het einde van mijn reis kwam in zicht. Het handjevol vrouwen dat door de koning was aangewezen om toe te treden tot zijn regering kreeg ik niet te spreken. De paar vrouwen die de top van een bedrijf wisten te bereiken, wezen mijn interviewverzoeken af. Bij de meisjeshogescholen, waaraan zo graag wordt gerefereerd als het om de vooruitstrevendheid van de koning gaat, kreeg ik van de directies geen toestemming om binnen te komen.

Het was duidelijk dat vrouwen die ondanks alle tegenwerking carrière hebben weten te maken in Saoedi-Arabië niet wilden praten met een journaliste, ook al was ze speciaal naar hun land gekomen om hun verhaal te horen. Zelfs alom geprezen vrouwen durfden het niet aan om naar buiten te treden. Misschien wilden ze geen slapende honden wakker maken. Misschien kunnen ze hun werk slechts doen als ze zich stilhouden, zodat ze geen aandacht trekken van conservatieve mannen.

Meer dan 80 procent van de vrouwen in Saoedi-Arabië werkt niet of kan niet werken.[17] Vrouwen zonder geld zijn gevangene in hun eigen huis. Rijke vrouwen vind je in de winkelcentra, die tot middernacht open zijn. Voor hen zijn de helder verlichte merkwinkels van Armani, Gucci en Rolex de enige mogelijkheid om aan hun huis te ontsnappen – als ze tenminste toestemming hebben van hun voogd en een chauffeur hebben die op hen wacht. Nergens heb ik vrouwen contact met mannen zien maken, behalve met 'onechte mannen': de Aziatische winkelmedewerkers. Jonge vrouwen worden door zoveel moeders en tantes begeleid dat het onmogelijk is onbetamelijke dingen te doen.

Mannen hebben natuurlijk meer mogelijkheden om zich te vermaken. Op mijn laatste avond in Djedda kwamen we de plaatselijke Harley-Davidson-motorclub tegen toen ze bij een benzinestation stopten om te tanken. Flink hard motorrijden over de vrijwel verlaten woestijnwegen is een favoriete bezigheid in dit koninkrijk zonder cafés of clubs. Deze avond zouden ze niet de woestijn in gaan, maar een ritje maken over de prachtige weg met de palmbomen die langs de Rode Zee loopt. Ik vroeg de groep van ongeveer tien mannen of ik een stukje achterop mocht.

Tot mijn verbazing stemden ze toe. Gauw propte ik mijn abaja in mijn tas. Gekleed in een lange broek en met een helm over mijn hoofd zag ik er androgyn genoeg uit om achter op de motorfiets van de leider van de groep te stappen. En zo reden we, alle wetten tartend die contact tussen mannen en vrouwen verbieden, langs moskeeën en afbeeldingen van een vroom kijkende koning Abdullah langs de kust naar de noordkant van de baai. Daar zouden we bij een bar verse citroen- en limoenlimonade gaan drinken en *shisha* – waterpijp – roken.

Ik genoot van het risico, net als zij. Wel maakte ik me zorgen dat de man bij wie ik achterop zat zweepslagen of gevangenisstraf zou kunnen krijgen als de mutawa, de zedenpolitie, zag dat hij een vrouw achterop had genomen. Lachend deden we onze helmen af en liepen naar de bar. Ik had duidelijk een groepje verlichte Saoedische mannen gevonden, dacht ik bij mezelf, die geen probleem zagen in het overtreden van wetten en gewoonten. Waarschijnlijk gingen zij op een naar onze begrippen normale manier met vrouwen om.

Toen iedereen een alcoholvrij drankje had besteld, ging ik de mannen ondervragen. Dat was een leuke tocht, zei ik, maar waarom zijn jullie vrouwen er niet bij? Zonder een spoor van ironie antwoordt de man bij wie ik achterop zat: 'Ze is thuis.' Ik vraag waarom. Heeft zij geen recht op plezier? 'Dat een vrouw in huis blijft,' zegt hij, 'betekent niet dat ze geen rechten heeft.'

Hij legt uit: 'Thuis hoeft ze niets te doen; ze heeft haar natje en haar droogje, ze kan zich ontspannen. Alles wordt voor haar gedaan. Volgens ons geloof dragen mannen de verantwoordelijkheid voor vrouwen. Ik ben verantwoordelijk voor mijn moeder, mijn zus en mijn vrouw. Zij kunnen thuisblijven en ik pas op hen. Als mijn vrouw wil werken, kan dat, maar alleen als ik haar toestemming geef. Ik zal me daar niet toe laten dwingen.' Ik herinner me wat Rawda al-Yousef van Mijn Beschermer Weet Wat het Beste Is voor Mij zei over de liberalen die zij kende – mannen die vinden dat vrouwen recht hebben op meer vrijheid, maar hun eigen vrouw thuis houden.

Ik stel dezelfde vragen aan een andere man in de groep. 'Vrouwen zijn gelijk aan mannen in ons land, maar er zijn wel verschillen,' vertelt hij. 'Vrouwen rijden geen motor, want ze hebben een eigen chauffeur die hen overal naartoe brengt. Dat zou u zeker ook wel willen in uw land?' Hij lacht. Ik lach niet terug en besluit te gaan.

Achteraf begrijp ik dat de mannen helemaal geen risico namen door mij mee te nemen. Zoals de Bengaalse winkelmedewerker in hun ogen geen echte man is, zo ben ik geen echte vrouw. De gedragsregels voor vrouwen gelden alleen voor Saoedische inwoonsters van Saoedi-Arabië. Studentes in Los Angeles of Londen ervaren ver weg van hun land een vrijheid die ze na hun terugkomst nooit meer zullen meemaken.

De neerbuigendheid waarmee mannen een vrouw bejegenen alsof ze een kind is, drijft Wajeha al-Huwaider en andere vrouwenactivistes wel eens tot wanhoop. '[Het is] dezelfde houding als tegen een verstandelijk gehandicapte, als tegen een huisdier. Hun vriendelijkheid is niet meer dan medelijden. Ze hebben geen respect voor ons. Het eigenaarschap van een vrouw gaat van de ene man over op de andere.'[18] Het getuigt van ware vrouwenhaat zoals dochters, echtgenotes, zussen en moeders behandeld worden alsof ze een mindere soort zijn, die je te eten geeft en binnen houdt. Deze mannen ontkennen dat de intelligentie en kwaliteiten van vrouwen hen gelijkwaardig aan hen maken.

Al-Huwaider denkt dat lafheid een rol speelt in dit systeem. 'Uiteindelijk denk ik dat er een grote angst is voor vrouwen. In vergelijking met andere mannen in andere Arabische landen is de Saoedi de enige die de competitie met vrouwen niet aankan.' Volgens haar groeit de angst van mannen nu steeds meer vrouwen naar de universiteit gaan. Veel mannen zijn vastbesloten om het buitenshuis werken tegen te houden, zegt ze. 'Als jij de competitie met de Saoedische vrouw niet aangaat [...] kun je de touwtjes in handen houden. Alle banen en mooie posities hou je voor jezelf. Dat maakt jou een verwend en genotzuchtig type.'[19]

Als ik dit schrijf, is koning Abdullah overleden. Hij wordt gezien als een hervormer omdat hij een vrouw het ministerie van Meisjesonderwijs liet leiden en meisjes de kans gaf om voortgezet onderwijs te volgen. In 2013 installeerde hij dertig vrouwen in de *majlis al-shura*, zijn raad van adviseurs.[20] De raad, die uitsluitend bestaat uit door de koning aangewezen leden, geeft advies en mag wetsvoorstellen doen, maar heeft geen beslissingsbevoegdheid of vetorecht. De vrouwelijke leden komen binnen via een eigen ingang en ze zitten apart van de mannen. Koning Abdullah stelde ook een wet in die bepaalt dat vrouwen kiesrecht hebben bij de gemeenteverkiezingen. En dat waren zijn hervormingen voor vrouwen.

Vrouwelijke bloggers in Saoedi-Arabië gaven commentaar op de politieke hervormingen. Sabria Jawhar schreef: 'Om nou te zeggen dat koning Abdullah geschiedenis schreef door vrouwen stemrecht te geven, is overdreven. De strijd om vrouwenstemrecht is nog maar het begin van het verhaal. [...] De koning heeft een eerste stap gezet, maar we hebben nog een lange weg te gaan. En dan stap ik nu, als je het niet erg vindt, in mijn auto om naar Riyad te rijden om te solliciteren naar een positie in de shura.'[21] Van echte verbetering van de positie van vrouwen kan pas sprake zijn als ze een rijbewijs mogen aanvragen en als de voogdijwetten worden afgeschaft. Saoedische vrouwen vrezen dat ze weinig medestanders hebben.

Ik vond het schandelijk dat bij Buckingham Palace, Westminster Palace en andere openbare gebouwen de vlag halfstok ging na de dood van koning Abdullah. De man was verantwoordelijk voor duizenden openbare executies; hij steunde terreurorganisaties en hij kwam zijn belofte om vrouwen toe te staan auto te rijden niet na. Premier David Cameron en prins Charles woonden de uitvaart bij. De prins was een van de eerste wereldleiders die enkele weken later opnieuw naar Riyad vlogen om zijn eer te betuigen aan de nieuwe koning Salman bin Abdulaziz al Saud. Zolang wij olie nodig hebben van de Saoediërs en zij onze wapens kopen, wordt het Huis Windsor geacht een warme relatie te onderhouden met het Huis Saoed.

De koningin, prinses Diana en hertogin Camilla hebben zich tijdens veelvuldige bezoeken aan de Saoedische koninklijke familie lafhartig onderworpen aan de mores van dit wrede regime, in hun Saoedi-proof kleding. Door met lange jurken en lange handschoenen aan uit het vliegtuig de woestijnhitte in te stappen, bevestigden ze het stereotype van de Saoedische vrouw. Zelfs de modebewuste Diana droeg een lange broek onder haar jurk, opdat de gastheer geen aanstoot zou nemen aan haar enkels. De Saoedische koninklijke familie ontvangt graag koninklijke gasten uit het buitenland – hoe ouder het geslacht, hoe beter –, maar ze moeten wel de plaatselijke regels in acht nemen. Die van ons passen zich gehoorzaam aan.

Ik was blij verrast toen ik hoorde dat de koningin een daad van verzet had verricht tegen het Huis Saoed. Met trots had ze een diplomaat verteld over deze gebeurtenis in Balmoral met Abdullah, in 1998 nog kroonprins, maar al wel regent:

Na de lunch had de koningin haar koninklijke gast gevraagd of hij een rondleiding over het landgoed wilde maken. Op aandringen van zijn minister van Buitenlandse Zaken, de meer wereldse prins Saud, stemde de in eerste instantie terughoudende Abdullah toe. De koninklijke Land Rovers werden voor het kasteel gereden. Volgens aanwijzing ging kroonprins Abdullah voorin zitten, met zijn tolk in de stoel achter hem. Tot zijn verbazing klom de koningin achter het stuur, startte de auto en reed weg. Vrouwen mogen (nog) geen auto besturen in Saoedi-Arabië en Abdullah was nooit gereden door een vrouw, laat staan een koningin. Zijn nervositeit groeide naarmate de koningin, die in oorlogstijd in legerauto's reed, de Land Rover met een steeds hogere snelheid over de smalle wegen van het Schotse landgoed joeg en daarbij voortdurend aan het woord was. Via zijn tolk probeerde de kroonprins de koningin te manen langzamer te rijden en zich op de weg te concentreren.[22]

Helaas heeft deze voorbeeldige daad van de koningin geen effect gehad op het beleid van Abdullah. En ook zijn opvolger, de negenenzeventigjarige koning Salman, zal niet onder de indruk zijn geweest. Zijn regering maakte geen beste start. Het aantal doodvonnissen dat voltrokken werd, nam aanzienlijk toe. En ondanks de internationale verontwaardiging werd de Saoedische blogger Raif Badawi veroordeeld tot duizend zweepslagen voor het schrijven van zijn blog, die volgens de aanklacht 'liberaal denken uitlokt'. Ook werd Badawi gestraft voor zijn steun aan de vrouwenzaak door zich op Valentijnsdag in een blog misprijzend uit te laten over de zedenpolitie van Saoedi-Arabië, het Comité ter Bevordering van Deugd en ter Voorkoming van Zonde.[23]

De meest verontrustende maatregel van de koning was het ontslaan van de hoogste vrouw in de regering: Norah bint Abdullah al-Fayez, de viceminister van Meisjesonderwijs. Zij stond boven aan mijn lijstje interviewaanvragen dat ik had ingediend bij de Saoedische ambassade in Londen. Jammer genoeg heb ik nooit de kans gekregen haar te ontmoeten. Het schijnt dat ze zich de woede van ultraconservatieve geestelijken op de hals had gehaald toen ze het vak lichamelijke opvoeding wilde introduceren op openbare meisjesscholen.

Gelukkig is de geopolitiek in de regio aan het veranderen en zal Saoedi-Arabië mee moeten bewegen. Er is nog geen 'Arabische Lente' in het koninkrijk. Tot nu toe heeft de koning berusting weten af te dwingen bij de Saoedi's. Op 11 maart 2011 was ik in Riyad toen pro-democratische demonstranten opriepen tot een 'Dag van Woede' ter ondersteuning van de demonstraties die elders in de Arabische wereld plaatsvonden en om democratische rechten te eisen in hun eigen land. Zo'n 30.000 mensen sloten zich aan bij een Facebook-campagne waarin werd opgeroepen tot actie. De nacht ervoor belde ik een taxi om een rondje door Riyad te rijden. Ik was benieuwd welke voorbereidingen er werden getroffen. Overal in de stad stonden pantserwagens en militairen. Toen ik mijn telefoon voor het autoraam hield om foto's te maken, werd de taxi aangehouden. Militairen sommeerden de chauffeur mij onmiddellijk terug te brengen naar het hotel.

De Dag van Woede was kansloos. In de dagen ervoor herinnerde de grootmoefti sjeik Abdel Aziz Alasheikh de Saoedi's eraan dat 'de islam protesten verbiedt, omdat de koning regeert door Gods wil'.[24] Mensen die het waagden om mee te doen werden gewaarschuwd voor hoge boetes, zweepslagen, gevangenisstraf en het afnemen van hun nationaliteit, maar waarschijnlijk is een gebaar van de koning doorslaggevend geweest. Kort voor de geplande demonstratie besloot hij 37 miljard dollar (33 miljoen euro) uit te trekken voor werkloosheidsuitkeringen, onderwijs en huisvesting. Had iemand verder nog iets te klagen? Democratie, vrijheid van meningsuiting en vrouwenrechten gingen terug in de koelkast.

De dag liep op niets uit. Er waren meer soldaten dan demonstranten op straat. 'Vertel wat je ziet,' zei een militair tegen me toen we uitkeken naar iets wat we konden filmen. De enige demonstrant, de veertigjarige leraar Khaled al-Johani, kwam naar de pers toe. 'Ik wil vrijheid, ik wil democratie,' zei hij. 'Dit land heeft een parlement en een grondwet nodig.' Onze begeleiders van de regering en het leger luisterden mee. 'Bent u niet bang om u uit te spreken?' vroeg ik. 'Waarom zou ik?' zei hij. 'Ik ga naar de gevangenis, maar dit hele land is al een gevangenis.' Ik liep met hem mee naar zijn auto en vroeg zijn telefoonnummer, zodat we contact konden houden. Een politieauto reed achter hem aan. En ja hoor, die avond vertelde zijn familie dat hij was gearresteerd en gevangengezet.

Hoelang kan het Huis Saoed zijn burgers nog omkopen en gevangenhouden? De geopolitiek in de regio verandert. Saoedi-Arabië beschikt weliswaar over een vijfde deel van de wereldwijde oliereserves, maar de olieverkopen aan de Verenigde Staten zijn gekelderd. Het land dat ooit de trouwste financier van het koninkrijk was, is niet langer afhankelijk van Saoedische olie. Tot woede van de Saoedische heersers heeft het Westen de banden met Iran weer aangetrokken. Er is een akkoord gesloten over het nucleaire energieprogramma en Iran is een belangrijke bondgenoot in de strijd tegen IS in Irak en Syrië. Met dit bondgenootschap wordt Saoedi-Arabië in feite terechtgewezen voor zijn steun aan het soennitische terrorisme.

Het ziet er niet goed uit voor het Huis Saoed. Op de koninklijke loonlijst staan zo'n achtduizend prinsen. Zij worden betaald om niets te doen, terwijl 40 procent van de jongeren tot vijfentwintig jaar geen werk heeft. Op de inmiddels verwijderde Facebook-pagina 'Dag van de Woede' schreef de Saoedische blogster Eman al Nafjan dat ze teleurgesteld was dat niemand die dag zijn woede durfde te laten zien. Maar, schreef ze, 'dat gaat wel komen. Ik geef het hooguit een jaar of tien. De werkloosheid onder jongeren is een tikkende tijdbom. Deze toestand, met name als het gaat om vrouwenrechten, kan onmogelijk nog veel langer voortduren. [...] De roep om veranderingen, om meer rechten, is groot.'[25]

Wanneer ik afscheid ga nemen van Reem Asaad, de universiteits-docente die strijdt voor het recht van vrouwen om te werken, zit ze met haar dochters van twee en vijf jaar een spelletje te doen bij haar thuis in Djedda. Ze is teleurgesteld. Veel lingeriewinkels waar alleen vrouwen mochten werken, zijn inmiddels opgedoekt omdat er niet voldoende vrouwelijk personeel te vinden was. Voor de meeste vrouwen kostte het te veel geld om naar hun werk te komen. 'Komt hier ooit een einde aan?' vraagt ze. 'En nog tijdens mijn leven? Ik hoop zo dat ik de veranderingen nog meemaak en dat ze op tijd zullen zijn voor mijn dochters.'

5

Tahrirplein Egypte

WAT HAD ZE DAAR TE ZOEKEN?

Wat ik me vooral van de Arabische Lente in Egypte herinner is de opgetogenheid en de verbazing over de prominente rol die vrouwen daarin speelden. Vrijwel elke avond verschenen er intelligente, goed van de tongriem gesneden vrouwelijke journalisten en commentatoren op BBC News, vanuit geïmproviseerde studio's boven het Tahrirplein in Caïro, om in vlekkeloos Engels aan de buitenwereld uit te leggen wat er gaande was. De camera's bogen zich schuin omlaag naar het plein eronder, waar opmerkelijk genoeg vrouwen naast mannen de slogans van de revolutie stonden te roepen. Achttien dagen lang weerstonden de menigten de kogels van het leger en er vielen vele doden tot hun doel was bereikt: een einde te maken aan dertig jaar tirannie van president Hosni Moebarak.[1]

De schrijfster Ahdaf Soueif wees op het verschijnsel in de columns die ze geregeld schrijft in *The Guardian*: 'De revolutie voltrok zich en daarop volgde het Tijdperk van de Ridderlijkheid. Een van de opvallendste kenmerken van het gedrag op straat en op de pleinen tijdens de achttien dagen van de Egyptische revolutie was dat vrouwen volstrekt niet werden lastiggevallen. Ineens waren vrouwen totaal vrij: vrij om alleen te lopen, met onbekenden te praten, zich al of niet te bedekken, te roken te lachen te huilen te slapen. En aan iedere man de taak om te faciliteren, te beschermen en te helpen. We noemden het "het Fatsoen van het Plein".'[2]

En dat was opmerkelijk, omdat het in Egypte een bekend ver-schijnsel is om vrouwen die het wagen in het openbaar te demon-streren lastig te vallen. Toen de massa in 2005 de straat op ging om te protesteren tegen de onbeholpen pogingen van Moebarak om de verkiezingen te vervalsen, stuurde de regering milities van gena-deloze schurken op pad die erin getraind waren demonstraties op te breken en die verschillende methoden gebruikten voor mannen en vrouwen. Ahdaf Soueif formuleert het zo: 'Ze sloegen de man-nen in elkaar, maar de vrouwen betastten ze. Ze scheurden hun de kleren van het lijf en sloegen ze, maar tegelijkertijd betastten ze hen ook. Het was de bedoeling te insinueren dat vrouwen die deelna-men aan openbare protesten betast wensten te worden.'[3]

Maar toen ging er in 2011 iets scheef met het Tijdperk van de Ridderlijkheid. 11 februari, de dertiende dag van de opstand, was voor de negenendertigjarige hoofdcorrespondent Buitenland van het Amerikaanse cbs Lara Logan gewoon de zoveelste dag waarop ze verslag uitbracht over de gebeurtenissen op het Tahrirplein. Er heerste een enorme uitgelatenheid. De dag tevoren had Moebarak al zijn bevoegdheden overgedragen aan zijn vicepresident. Hij wei-gerde nog steeds als president af te treden, maar zijn positie leek allengs onhoudbaarder.[4]

De demonstranten op het plein waren dolblij; het zag ernaar uit dat ze aan de winnende hand waren. Inmiddels waren nog eens mil-joenen op weg naar Caïro om zich bij de demonstraties aan te sluiten die het centrum van de stad lamlegden. De menigte en de journa-listen wisten toen nog niet dat Moebarak later die dag zou aftreden. Intussen deed het cbs-team wat tv-teams in zulke omstandigheden doen: ze filmden de uitgelaten protesteerders en probeerden te ach-terhalen wat er vervolgens zou gebeuren. Via haar tolk stelde Logan vragen als: 'Wie gaat de president vervangen?', en of ze bang waren voor een staatsgreep door het leger.

'Ineens, voordat ik het goed en wel in de gaten heb, voel ik han-den die mijn borsten vastpakken, me in mijn kruis grijpen en me van achteren beetpakken. Ik bedoel... Het gaat niet om één per-soon, en daarna houdt het op. Het is de ene na de andere, en dan weer iemand anders. En ik weet dat Ray [mijn lijfwacht] vlakbij is, en hij grijpt me vast en schreeuwt: "Hou me vast, Lara, hou me vast!"' Maar ze werd door het gespuis meegesleurd en was een half-uur lang van haar team gescheiden:

[...] mijn shirt, mijn trui werd compleet van me af gescheurd. Mijn shirt zat rond mijn hals. Ik voelde het toen mijn beha scheurde. Ze rukten de metalen haakjes van mijn beha. Die scheurden ze open. Dat voelde ik vanwege de lucht, ik voelde de lucht tegen mijn borst, op mijn huid. En ik voelde hoe ze mijn broek scheurden; die scheurden ze letterlijk aan flarden. En daarna voelde ik mijn slip verdwijnen. En ik kan me herinneren dat ik opkeek toen mijn kleren losschoten; ik weet nog dat ik opkeek en zag dat ze foto's aan het maken waren met hun mobiel, de flitsen van hun telefooncamera's.[5]

Logan vertelde dit verhaal weken later in de studio bij CBS in New York. Ze zei: 'En wat me helemaal heel erg raakte was dat ze zo genadeloos waren. Ze beleefden echt plezier aan mijn pijn en ellende. Die zetten hen alleen maar tot nog meer geweld aan.' En 'gedurende langere tijd' verkrachtten diverse aanvallers in die meute van twee-à driehonderd haar 'met hun handen'.[6] Het verhaal werd wereldwijd groot nieuws – en terecht. De meeste vrouwelijke verslaggevers krijgen met obscene opmerkingen en handtastelijkheden te maken in een menigte, en soms van chauffeurs en andere plaatselijke lui die we inhuren om ons bij opdrachten in het buitenland te helpen. Maar de meesten van ons willen zo graag meedraaien in een wereld die tot voor kort was voorbehouden aan mannen, en we zijn zo bang om de volgende opdracht mis te lopen, dat we maar zelden klagen.

De aanval op Logan verdient de publiciteit. Het was een afgrijselijke groepsaanranding en een schokkend voorbeeld van het gedrag dat op het punt stond de norm te worden op het Tahrirplein. Logan gaf toe dat ze er niet van op de hoogte was hoe vaak vrouwen in Egypte en in andere landen worden lastiggevallen en mishandeld. 'Als ik daar een vermoeden van had gehad, had ik beter opgelet,' zei ze. 'Als vrouwen in een maatschappij worden lastiggevallen en aan dit soort dingen worden onderworpen, wordt hun een gelijkwaardige plaats in die maatschappij ontzegd. Dan is de openbare ruimte niet van hen. Dan is die in handen van mannen. Waarmee de onderdrukkende rol van mannen in de maatschappij maar weer eens is bevestigd.'[7]

Maar wat veranderde er dan waardoor deze aanrandingen werden opgeroepen? De eerste paar dagen van de demonstraties vielen er honderden doden, en later werd Moebarak aangeklaagd voor de opzettelijke dood van vreedzame demonstranten. Vrouwen die hebben deelgenomen aan die eerste dagen van de revolutie vertellen me dat het profiel van de demonstranten veranderde. De idealistische leiders van het begin juichten de betrokkenheid van vrouwen toe; zij waren degenen die de eerste dagen de naam 'Tijdperk van de Ridderlijkheid' bezorgden. Maar dat waren ook de jongemannen die werden gedood of gearresteerd. De zaak werd steeds meer door gespuis overgenomen. En het leger nam de makkelijkste slachtoffers op de korrel: de vrouwen.

Een jaar nadat Logan er werd aangevallen kom ik op het Tahrirplein. Ik wil onderzoeken wat er met de vrouwen gebeurde die het waagden te protesteren. In februari 2012 is het plein zelf een slap aftreksel van wat het is geweest. Waar honderdduizenden het plein een jaar geleden bezet hielden, lopen vandaag maar een paar honderd mensen rond. Er zijn stalletjes met etenswaren, kramen waar de kandidaten voor de aanstaande presidentsverkiezingen worden aangeprezen, en rijen en nog eens rijen foto's van de doden en vermisten. Er zijn maar heel weinig vrouwen. Degenen die in de eerste paar dagen schouder aan schouder stonden met de mannen, zijn verdwenen, afgestraft door zowel het gepeupel als het leger.

Ik rij naar een stoffige buitenwijk van Caïro en wacht voor de militaire rechtbank op Samira Ibrahim. Ze is de enige van zestien jonge vrouwen die bij een en hetzelfde incident op het Tahrirplein werden aangevallen die het erop heeft gewaagd om de daders, leden van het Egyptische leger, ter verantwoording te roepen. Ik kijk toe terwijl ze zich een weg zoekt door de poorten en controles op weg naar de hoofduitgang van het gerechtsgebouw. Ze kijkt terneergeslagen. 'Ze wilden niet naar mijn verhaal luisteren,' zegt ze. 'Ze noemden me een leugenaar en een hoer.'

We proppen ons met z'n allen in een kleine auto: de chauffeur, de tolk, cameraman Tony Jolliffe, al zijn spullen, ik, Samira en haar zus, die met haar mee is gekomen op de rit van acht uur naar Caïro om de zitting bij te wonen. Samira belandt op mijn schoot. Ik krijg maar zelden de kans om degenen die ik interview zo dicht te benaderen, en het was voor haar een mooie kans om lucht te geven aan haar woede en frustratie. 'Het draait allemaal om politiek,' zegt ze. 'De zaak loopt vertraging op omdat ze meer getuigen willen oproepen om de soldaten te steunen. Maar het kan goed voor me uitpakken,' zegt ze met een brede grijns. 'Nu hebben we de gelegenheid om de aanklacht te veranderen van alleen lichamelijk geweld in seksueel misbruik, want dat was het. En wie weet,' voegt ze eraan toe, 'zal een van de andere meisjes die er op die dag bij waren met me meegaan als we weer naar de rechtbank gaan.'

We rollen de auto uit en gaan naar mijn hotelkamer. Tony zet zich aan de belichting van de ruimte om zo een kleine studio te scheppen waar ik Samira kan interviewen, en intussen bestellen wij clubsandwiches en cola en eten we op mijn bed. We zitten krap in de tijd. We hebben maar een paar uur voordat Samira de bus terug naar huis moet halen. Ik vraag of we alsjeblieft haar dorp in Opper-Egypte mogen bezoeken. Ik wil meer te weten komen over deze uitzonderlijke vrouw die het op haar vijfentwintigste waagt om in verzet te komen tegen het Egyptische leger. Maar ze vindt het niet goed. 'Mijn ouders steunen me, maar schamen zich tegelijkertijd ook. Als er ineens journalisten bij ons huis in het dorp opduiken, keren de buren zich tegen ons.'

De dag die voor altijd in Samira's geheugen gegrift staat, is 9 maart 2011, een dag na Internationale Vrouwendag. Zes weken daarvoor waren zij en een paar vriendinnen uit haar dorp in een oncomfortabele bus geklauterd om naar Caïro te gaan voor de demonstraties. Ze waren er vanaf het begin bij geweest, sliepen 's nachts in klaslokalen en trokken overdag naar het Tahrirplein.

Op 9 maart had Moebarak inmiddels al de kans gekregen om weg te komen naar zijn huis aan zee in Sharm-el-Sheikh, en Samira en haar vriendinnen gingen nog steeds naar het plein, omdat ze 'alle doelen wilden bereiken van de revolutie', oftewel dat de voormalige Egyptische tiran en zijn ministers voor de rechtbank zouden moeten verschijnen.[8]

De aanranding van Lara Logan had toen al plaatsgevonden, en er waren nog veel meer aanrandingen geweest, die niet waren gemeld, van lokale, Egyptische meisjes. Ze beseften dat het gevaarlijk kon zijn om het plein op te gaan, en stelden zich op voor de Kentucky Fried Chicken aan één kant ervan, geleund tegen de ijzeren stangen die de soldaten gebruikten om de hoofdmoot van de demonstratie die zich op het plein voltrok af te bakenen. Samira gaat verder: 'Daar zaten we, voor de KFC, en toen viel het leger ons aan. Een van de soldaten greep me bij mijn haar en sleurde me zo om het hek heen naar het museum aan de overkant van het plein.' Het leger gebruikte het Egyptische Museum van Oudheden als commandopost en foltercentrum.

'Ze sleurden ons naar de poort van het museum, trokken onze handen achter onze rug en maakten ons met handboeien vast aan de spijlen. Ze begonnen ons te slaan en elektrische schokken te geven. Ze scholden ons uit voor hoer en prostituee.' Toen de meisjes eenmaal mee het gebouw in waren genomen, werden ze nog erger geslagen. 'Ze bleven ons schokken geven en trokken ons onze hoofddoek af, gooiden ons op de grond en schopten ons met hun zware legerschoenen. In die fase waren ze al zeven uur bezig ons af te rammelen, en sommige meisjes lagen op sterven door hun verwondingen. Anderen hebben blijvende verwondingen opgelopen waardoor ze niet goed meer functioneren. Daarom zijn die meisjes nu waarschijnlijk zo bang en willen ze niet samen met mij getuigen.'

De meisjes die het hadden overleefd, een stuk of zeven, werden in een bus gezet en naar het hoofdkantoor van de militair aanklager overgebracht. Samira dacht dat de soldaten hen zouden ondervragen en daarna naar huis zouden laten gaan. 'Ik kon het gewoon niet geloven. Ze zetten wapens en in elkaar geflanste bommen in flessen op tafel. Ze dwongen ons de wapens op te pakken en daarna fotografeerden ze ons. Een paar dagen later werden de foto's in de Egyptische kranten gepubliceerd, met koppen erboven als: "Egyptische schurken vastgenomen op het Tahrirplein".' Dus nu waren ze naast prostituees en hoeren ook nog eens terroristen.

De groep werd weer overgebracht, ditmaal naar een militaire gevangenis waar ze opnieuw werden geslagen. Een vrouwelijke legerarts verscheen en zei tegen de meisjes dat ze een maagdelijkheidstest op hen ging uitvoeren. 'Ze zei dat ik mijn kleren moest uittrekken. Ik was zo zwak door de aframmelingen en de schokken dat ik deed wat ze zei. Ze onderzocht me waar de soldaten bij waren, die lachend stonden toe te kijken en te applaudisseren alsof het een openbaar schouwspel was. Het was bedoeld om ons publiekelijk te vernederen. Ik was naar het plein gekomen om de vrijheid op te eisen, en zij zetten me dat betaald.' En het werd nog erger.

'Daarna zei die vrouw dat de hoogste officier me zelf ook wilde onderzoeken. Ze lieten me me weer uitkleden. Dit was seksueel misbruik. Als een man je dwingt je kleren uit te trekken en dan zijn hand in je intieme delen steekt en hem daar vijf minuten laat zitten – dan is dat seksuele agressie. Ik voelde me volslagen vernederd en verslagen.'

Samira begint te huilen en we lassen even een pauze in. Ik verzeker haar dat we bijna klaar zijn met het interview en dat ik nog maar één vraag heb. Wat was het voor boodschap die de mannen die jullie mishandelden wilden overbrengen? vraag ik. 'Dat is doodsimpel,' zegt ze. 'Ze waren er heel open over. Ze zeiden de hele tijd dat ze ons wilden vernederen om ervoor te zorgen dat we spijt kregen dat we ooit met een revolutie waren begonnen. Ze wilden ermee zeggen dat als je de straat op ging om te vragen om vrijheid en sociale rechtvaardigheid, zij je eer zouden schenden. Dat is de boodschap die ze aan ons en de samenleving als geheel willen overbrengen.'

Maar Samira liet zich niet bang maken. Ze stapte met haar klacht naar een civiele rechtbank die onmiddellijk de maagdelijkheidstest verbood. Haar overwinning was echter van korte duur. Het leger weigerde een uitspraak van een civiele rechtbank te aanvaarden en Samira stapte met haar zaak naar een militaire rechtbank, waar ik haar ontmoette na een van de hoorzittingen.

Niemand keek ervan op toen de militaire rechtbank uiteindelijk de militaire arts Ahmed Adel, die de maagdelijkheidstest had uitgevoerd, vrijsprak. De rechter ging mee in het argument van de verdediger dat het van groot belang was om de maagdelijkheid van een vrouw te onderzoeken als ze is gearresteerd en naar de gevangenis wordt overgebracht. Als een vrouw naar het Tahrirplein gaat, voerde hij aan, en zich in het gezelschap van duizenden jongemannen begeeft, wekt dat de suggestie dat zij zich willens en wetens blootstelt aan het gevaar verkracht te worden, en de soldaten die haar inrekenen willen voorkomen dat zij de schuld krijgen.

Toen ik Samira vanuit Londen belde, was ze kwaad en berustend. 'Ik verwachtte niet echt iets van de militaire rechtbank,' zei ze. 'Het is overduidelijk dat het leger zichzelf nooit zal aanklagen. Ik heb nooit een schijn van kans gehad.' Ik vraag of haar ouders en zij zich er een beetje doorheen slaan. 'Niet heel erg,' zegt ze. Haar ouders hebben een hoop problemen in het dorp. De meerderheid van de Egyptische pers steunt haar bij lange na niet en blijft maar de vraag stellen: 'Wat had ze daar te zoeken?' De publieke opinie vindt het blijkbaar makkelijker om een vrouw te beschuldigen omdat ze naar een demonstratie is gegaan dan om de schuld elders te leggen. 'Dus nu wordt de Egyptische vrouw van twee kanten bestookt, de ene kant zijn de militairen en de andere de islamisten,' zegt ze.[9]

Politicologe Habiba Mohsen, verbonden aan het Arab Forum for Alternatives, probeert iets uit te leggen van wat zij het 'verknipte oordeel' noemt over vrouwen in Egypte. 'In Egypte staan vrouwen driemaal zo erg onder druk als mannen: ten eerste van de kant van het leger, als demonstranten; ten tweede van de maatschappij, enkel en alleen omdat ze vrouw zijn, en ten derde van alle kanten omdat ze proberen aanspraak te maken op hun recht om aan het openbare leven deel te nemen. Daarvoor worden verschillende voorwendsels aangedragen, waaronder het veronderstelde belang van tradities, cultuur en zelfs religie.' Kortom, zegt ze, 'het is altijd de schuld van de vrouw, aangezien een "nette", fatsoenlijke vrouw nooit haar huis uit zou komen om te protesteren en deel te nemen aan een sit-in. Dus wat dreef deze vrouw eigenlijk precies om deel te nemen aan de protesten? "Wat had ze daar te zoeken?"[10]

Ik heb een afspraak met Hadir Farouk, een van de eerste vrouwelijke leiders van de protesten, in een café vlak bij het Tahrirplein en ik vraag wat zij daar te zoeken had. 'Ik ben naar het Tahrirplein gegaan omdat ik de buik vol had van Moebarak en de corruptie waar die man voor stond. Ik wilde een echte democratie en vrijheid van meningsuiting en natuurlijk hoopte ik eveneens dat wij vrouwen misschien ook iets bij de revolutie te winnen hadden, iets van waardigheid en respect.' Toen ze werd benaderd door een officier die haar vroeg uit naam van de demonstranten te onderhandelen met een generaal-majoor die in een gebouw even verderop zat te wachten, voelde ze zich gevleid. Eindelijk worden vrouwen erkend als leider, dacht ze.

Nu geeft ze toe dat ze hopeloos naïef was. Ze zegt:

Ze duwden me een kamer in die een folterruimte bleek te zijn. Er waren al meisjes die werden geslagen en verkracht, en ze gooiden mij erbij. De soldaten sloegen ongenadig op ons in met stokken, en het was duidelijk dat ze ervan genoten. Ze vroegen wat meer pijn deed: slaan of verkrachten. Ze hadden het duidelijk eerder op meisjes dan op mannen gemunt, omdat ze ons bang wilden maken en ervoor wilden zorgen dat de mannen die aan het demonstreren waren zich vernederd en mislukt voelden omdat ze ons niet hadden beschermd.

Geen wonder dat de vrouwelijke demonstranten van het plein begonnen te verdwijnen.

Het incident met de 'vrouw met de blauwe beha' is misschien wel de meest dramatische illustratie van het risico dat een vrouw kan lopen als ze de straat op gaat. De beelden van een zo te zien bewusteloze jonge vrouw in spijkerbroek, met gympen aan, lange, slanke armen en een naakt bovenlijf schokten iedereen die ze zag. Twee soldaten sleuren haar over straat. Haar zwarte abaja is opgekropen en zit rond haar hoofd, waardoor haar blauwe beha zichtbaar is. Een derde soldaat houdt zijn laars een paar centimeter boven haar borst, op het punt om op haar in te stampen. Het is december 2011. Moebarak was vertrokken, het leger had de touwtjes in handen genomen en demonstranten hadden een vreedzame sit-in georganiseerd om te protesteren tegen de premier die door het leger was uitgekozen. De soldaten vielen de protesteerders ongenadig hard aan, vrouwen niet uitgezonderd.

De vrouw met de blauwe beha werd een internationale beroemdheid, maar ze heeft haar identiteit nooit onthuld. Net als Samira was ze wellicht bang voor de mogelijke repercussies voor haar familie. Of misschien had ze haar ouders niet eens verteld dat ze deelnam aan de demonstraties. Of misschien was ze bang dat haar reputatie onherstelbaar geschaad zou worden, aangezien het afgrijselijke beeld van de op de blauwe beha na vanaf haar middel naakte vrouw de hele wereld over was gegaan via sociale media en de voorpagina's van de meeste internationale kranten. Ze droeg immers een abaja, waaruit je zou kunnen afleiden dat ze religieus conservatief was. Wat ook nog kan is dat ze is omgekomen in een van de wrede folterkamers zoals die me werden beschreven door Samira Ibrahim en Hadir Farouk. We zullen het nooit weten.[11]

Al dat geweld in aanmerking genomen keek ik ervan op toen ik ontdekte dat de meest illustere feministe van Egypte, schrijfster, campagnevoerster tegen vgv en militante Nawal el Saadawi in 2011 heel wat bezoeken heeft gebracht aan het Tahrirplein en daar zelfs 's nachts bleef slapen. Ze is taai en werelds, maar met haar tachtig jaar is ze misschien niet echt opgewassen tegen traangas slingerende en met knuppels zwaaiende soldaten. Hoe ging ze om met het rapaille op het plein, vraag ik. Ze staat op en met behulp van cameraman Tony als doelwit trekt ze razendsnel haar knie op. Op een paar centimeter van de plek waar die ernstige schade zou kunnen berokkenen houdt ze hem stil. 'Ik raak ze waar het pijn doet,' zegt ze lachend. Tony wordt wat bleekjes rond de neus.

Ik ben in Egypte om twee programma's te maken, een over de vrouwen van het plein, en een ander over de wijdverspreide VGV. Ik heb om een ontmoeting met El Saadawi gevraagd in verband met het programma over VGV. Ze vertelt dat ze als kind is besneden. 'Toen ik zes was,' zegt ze, 'kwam de *daya* [vroedvrouw] de kamer in met een scheermes in haar hand, ze trok mijn clitoris tussen mijn dijen tevoorschijn en sneed die eraf. Ze zei dat dat Gods wil was, dat zij de dienares van God was en dat ze Zijn bevel moest gehoorzamen. Ik lag me in een poel bloed af te vragen voor welke lichaamsdelen ze misschien nog meer de opdracht zou krijgen om ze af te snijden.'

De in een klein dorp geboren El Saadawi was een slim, opstandig kind, een van de negen, dat weigerde zich te voegen naar de traditionele verwachtingen voor een meisje, wat in het geval van haar dorp ook met zich zou hebben meegebracht dat ze op haar twaalfde trouwde. In haar autobiografie beschrijft ze haar woede toen haar grootmoeder tegen haar zei dat een jongen vijftien meisjes waard is. 'Meisjes zijn een vloek,' zei ze tegen haar kleindochter. El Saadawi nam zich vast voor haar grootmoeder te bewijzen dat ze ongelijk had.

Ze had geluk. Haar vader was een vooruitstrevende man die geloofde in onderwijs voor meisjes, en dus bereikte ze iets wat indertijd in Egypte vrijwel onmogelijk was voor een vrouw, want ze ging medicijnen studeren en werd in 1955 arts. Ze werd aangesteld als directeur Volksgezondheid van Egypte, als uitvloeisel van haar campagne tegen VGV. Maar het lukte haar niet haar campagne tegen VGV te scheiden van haar strijd voor de sociale en intellectuele rechten van vrouwen. Ze werd ontslagen, belandde onder president Sadat in de gevangenis en heeft daarna nooit meer een overheidsfunctie bekleed.

Net zoals ze het indertijd, toen ze voor de overheid werkte, lastig vond om zich strikt te houden aan haar taakomschrijving, wordt ons gesprek over VGV al snel geplaatst in de context van de huidige politieke situatie. Opmerkelijk genoeg steunde de echtgenote van de vroegere president, Suzanne Moebarak, de campagne om VGV in

Egypte uit te bannen. En El Saadawi is bang dat de campagne nu zal stagneren. Alles wat ooit is goedgekeurd door het gehate oude regime zal naar alle waarschijnlijkheid worden gedwarsboomd door zijn opvolgers, legt ze uit. Al het werk dat ze heeft verzet om het voor elkaar te krijgen dat in 2008 in Egypte vGv, op z'n minst in theorie zo niet in de praktijk, werd verboden, loopt gevaar verspild te zijn. Maar verder betreurt ze het in geen enkel opzicht dat de Moebaraks weg zijn.

Voor deze dappere, door de wol geverfde campagnevoerster was de revolutie van 25 januari iets waarvan ze van jongs af aan had gedroomd:

Ik had nooit verwacht dat 20 miljoen mensen de straat op zouden gaan. Vanaf het moment dat Moebarak mensen begon te vermoorden, kwam iedereen uit heel Egypte naar Caïro. Ik heb er altijd van gedroomd dat het Egyptische volk nog eens zou ontwaken en in opstand zou komen tegen slavernij, kolonisatie en tirannie. Ik ben altijd een rebel geweest. Toen ik medicijnen studeerde, streed ik tegen koning Faroek, daarna tegen de kolonisatie door de Britten. Ik heb tegen Nasser gestreden, tegen Sadat die me de gevangenis in dreef, en tegen Moebarak die me de ballingschap in joeg. Ik ben nooit opgehouden.

Maar na de eerste euforie raakte ze al snel gedesillusioneerd, bekent ze. 'Ik ben kwaad. Vrouwen, en zelfs oude vrouwen zoals ik, trokken naar het plein en namen deel, ondanks alle gevaren. Maar zodra we ons eerste doel hadden bereikt, dat Moebarak werd afgezet, verviel Egypte weer tot het oude model en blijken we totaal geïsoleerd. De wetgevende commissies die werden samengesteld om de grondwet te herschrijven en verkiezingen voor te bereiden, bestonden allemaal uit oude mannen, dus jonge mensen zijn ook kwaad. Wij willen dat er minstens 35 procent vrouwen deelneemt aan alle commissies.'

Ze is zeer terneergeslagen vanwege de koersomslag van de revolutie. Toen Moebarak zich in zijn villa in Sharm-el-Sheikh had teruggetrokken in afwachting van zijn proces, schreef de militaire overgangsregering verkiezingen uit voor begin 2012. De Partij voor Vrijheid en Gerechtigheid van de Moslimbroederschap won het grootste aantal zetels, gevolgd door de islamitische scherpslijpers, de salafistische partij Al-Nour. Zij vormden een coalitie.[12] 'Hierdoor worden vrouwen straks erger teruggezet dan onder Moebarak,' waarschuwt El Saadawi. Ze heeft een even grote hekel aan religie als aan dictators.

Achteraf zou ze het kortstondige bewind van president Mohamed Morsi en de Moslimbroederschap afdoen als 'het tijdperk van djinns, geesten en flauwekul'. Zij vindt dat de religie die iemand erop na houdt iets persoonlijks moet zijn en niet dient te worden opgelegd door een externe autoriteit. 'Wij vrouwen worden door al die religies onderdrukt. Religieus extremisme is tegenwoordig de grootste bedreiging voor de bevrijding van vrouwen.'

Ik ben op dezelfde dag jarig als El Saadawi, dus ik voel me met haar verwant, en ik ben het met veel van haar opvattingen eens. Daarom is het ook een verrassing als ik me de dag daarop in het gezelschap bevind van een vrouwelijk parlementslid voor de Moslimbroederschap die ik hartelijk, intelligent en hoogst indrukwekkend vind. Hoda Ghaneya is een arts van drieënveertig, moeder van vier kinderen en kersvers parlementslid voor het kiesdistrict Al-Qalyubiya, ten noorden van Caïro.

Ze nodigt me uit om mee te gaan op een wandeling door haar kiesdistrict. Het is een uitgestrekte wijk met uit beton en B2-blokken opgetrokken huizen langs een smalle, stoffige winkelstraat waar auto's, motoren en ezels strijd leveren om de krappe ruimte, met het gebruikelijk Midden-Oosterse misbaar van getoeter, straatverkopers die hun waar schreeuwend aanprijzen, moeders die in paniek naar kinderen gillen en verder iedereen die aan het blèren is. Ghaneya zweeft, een en al sereniteit en zelfvertrouwen uitstralend, in haar lange blauwe abaja door deze chaos, en haar kiezers stormen toe om haar te begroeten. 'Ik ben hier geboren,' zegt ze, 'en mensen kennen en mogen me.'

Zelfs mannelijke kiezers benaderen haar met een welhaast eerbiedig respect. Zo komt de slager achter zijn toonbank vandaan om haar te begroeten. Waarom hebt u op een vrouw gestemd, vraag ik hem. 'Zij heeft de kunde en de vaardigheden, en haar partij heeft het in het verleden zwaar te verduren gehad, dus het werd tijd dat zij eens een kans krijgen, en ik hoop dat ze zich ervoor zal inzetten om te zorgen dat wij gelukkig worden en dit land beter wordt.'

Onder Moebarak was de Broederschap een verboden organisatie, al was het de politiek leiders toegestaan om als onafhankelijke kandidaten deel te nemen aan de verkiezingen van 2005 en 2010. Hun slogan 'De islam is de oplossing' liet weinig ruimte voor twijfel over hun bedoelingen. Toen Moebarak de gematigde reputatie die hij in het buitenland genoot een oppepper wilde geven en een wetsvoorstel aan het parlement voorlegde om christenen en vrouwen toe te staan zich verkiesbaar te stellen voor het presidentschap, verlieten de aanhangers van de Moslimbroederschap de zaal en weigerden zij te stemmen.

En toch klopten miljoenen Egyptenaren voor praktische steun aan bij de Moslimbroederschap, terwijl de regering-Moebarak langzaamaan wegzakte in het moeras van corruptie, verlamming en vriendjespolitiek waaraan ze uiteindelijk ten onder zou gaan. De Broederschap organiseerde in dorpen en buurten een alternatief en uiterst effectief netwerk dat sociale hulp verleende. Geen wonder dat miljoenen mensen op hen stemden. Dankzij dit soort fatsoenlijk bestuur en liefdadigheid gaan de bewoners van Al-Qalyubiya de straat op om Ghaneya te begroeten als zij aan haar ronde bezig is.

Een vrouw pakt haar bij haar mouw en zegt: 'Dank u, dank u. Mijn zoon was gestorven als u hem niet het ziekenhuis in had gekregen.' Mensen houden mij en mijn tolk staande om ons te vertellen dat Ghaneya en de plaatselijke afdeling van de Moslimbroederschap geld bijeen hebben gekregen om een ziekenhuis te kopen, en dat ze onderdak bieden aan wezen en voedsel uitdelen onder de armen. Een vrouw zegt: 'We hebben op de dokter gestemd omdat die zal vechten voor onze rechten. Ons vorige parlementslid beloofde van alles, maar deed niets voor ons.'

Ghaneya lacht de vrouw toe, omhelst haar even, en richt zich dan tot mij: 'U bent vast moe en verhit. Laten we naar huis gaan.' Haar huis is een klein stukje lopen verderop. We zoeken onze weg door een doolhof van bescheiden lage huizen en met afval bezaaide paden. Kapotte kinderfietsjes en leeggelopen voetballen liggen tussen stapels rottend eten. 'Ik weet het,' zegt ze met een beschaamd gezicht, 'we zouden meer moeten doen aan vuilnisinzameling, maar we hebben ons vooral geconcentreerd op ziekenhuizen en de opvang van wezen.' Het huis van Ghaneya is groter dan de meeste, en de hele familie lijkt wel op haar terugkeer te zitten wachten om thee te drinken, zelfs de mannelijke huisgenoten.

Ik zit bij de vrouwen op lange sofa's. De mannen zitten met z'n allen op rechte stoelen in een hoek van de kamer. De moeder en de dochters van Ghaneya verzorgen versnaperingen, en dankbaar aanvaard ik de zoete zwarte thee en Egyptische taartjes. Tony geeft aan dat hij klaar is voor het interview. We nemen de geschiedenis van de Moslimbroederschap door, hoe de staat geprobeerd heeft die te verbieden, en dat ze toch een steeds grotere bron van steun zijn geworden voor de armen. Maar wat ik zo graag wil weten, zeg ik tegen Ghaneya, is hoe een partij met strikt islamitische overtuigingen de vrouwen van Egypte ten goede kan komen.

'Ik geloof dat we van nu af aan veranderingen zullen zien,' zegt ze. 'We zullen het begin zien van een werkelijk meerpartijenstelsel en een solide democratie in Egypte, waardoor alle burgers, vrouwen incluis, in de gelegenheid zijn deel te nemen aan het politieke leven in de wetenschap dat de nieuwe politiek niet corrupt is en gegrondvest is op rechten voor iedereen. Daarom denk ik ook dat de deelname van vrouwen en hun invloed in het parlement de komende tijd ingrijpend zullen veranderen.'

Het is overduidelijk dat Hoda Ghaneya een briljant parlementslid is, maar ze is ofwel belachelijk optimistisch over haar partij, ofwel ze ziet het grotere verband niet. Onder Hosni Moebarak gold er een quotum van 64 vrouwelijke parlementsleden in een parlement met 508 leden.[13] Na de val van Moebarak werd de grondwet gewijzigd en was er geen sprake meer van een quotum. Tijdens de verkiezingscampagne stonden er op de verkiezingsaffiches en reclameborden van de religieuze partijen bijvoorbeeld zes kandidaten. Vier daarvan waren dan meestal mannen wier zelfvertrouwen en persoonlijkheid duidelijk over het voetlicht kwamen. De twee vrouwelijke kandidaten werden meestal gepresenteerd als anonieme, zwarte silhouetten. Geen wonder dat die niet ver kwamen; er werden maar negen vrouwelijke parlementsleden gekozen.

Tijdens de campagne voor de volgende verkiezingen, die voor de president, ben ik in Caïro. Ik ontmoet presidentskandidaat Bouthaina Kamel terwijl ze op weg is van een verkiezingsbijeenkomst naar een van de vele ontvangsten waar een mens nu eenmaal zijn neus moet laten zien. Niet dat het heel erg nodig is dat ze zich in de kijker speelt. Als voormalig tv-presentator is Kamel een bekend gezicht in Caïro. Ze heeft een hectisch bestaan, zegt ze, en ik zal achter haar aan moeten draven en onderweg een interview bij elkaar moeten zien te sprokkelen. Om langer met haar te kunnen praten stap ik bij haar in de auto, en Tony rijdt achter ons aan met de camerawagen. Ik had me de moeite kunnen besparen. Ze is onafgebroken aan de telefoon.

Met gierende remmen stopt ze op een drukke weg in Caïro; ze parkeert, stapt uit, zwaait met haar haar, en zonder zich ook maar even druk te maken om het aanstormende verkeer steekt ze de weg over op haar hoge hakken, terwijl auto's abrupt afremmen. 'Hé, Bouthaina!' roepen chauffeurs door hun autoraam. 'Succes!' 'Ja hoor, dat zal wel!' mompelt ze tegen mij op weg naar haar eerste afspraak. 'Dat soort mannen zal nooit op mij stemmen.' Als haar bijeenkomst met campagnemedewerkers op stoom komt, geeft ze tegenover ons allemaal toe dat in het huidige politieke klimaat in Egypte een vrouwelijke presidentskandidaat die geen hoofddoek draagt geen schijn van kans heeft om te winnen.

Maar haar kandidatuur gaat ook niet om winnen, zegt ze. 'Ik wil laten zien waar vrouwen misschien ooit terechtkomen, als we de vaart erin houden.' Maar uit het feit dat er slechts negen vrouwelijke parlementsleden zijn gekozen, voer ik aan, zou je kunnen afleiden dat vrouwen in Egypte niet op vrouwen stemmen. 'Vrouwen maken 60 procent uit van de Egyptische bevolking,' zegt ze, 'en 70 procent van hen kan lezen en schrijven.[14] Dat helpt niet echt, want heel veel vrouwen weten doodeenvoudig niet hoe ze moeten stemmen en laten mannen hun stembiljet voor hen invullen.'

Wat haar echter pas echt zorgen baart is de opkomst van de islamitische partijen. 'De politieke allianties zijn islamitisch gekleurd, wat schadelijk is voor de status van vrouwen. Zo is er bijvoorbeeld een commissie samengesteld voor hervormingen van de grondwet, zonder dat daar ook maar een vrouw bij zit. Ik vrees het ergste voor vrouwenrechten.'

Vrouwen als Bouthaina Kamel, met al haar zwier, zelfvertrouwen en ambities, hebben volkomen gelijk als ze zich zorgen maken over wat het tijdperk waarin de islamitische partijen aan de macht zijn in Egypte voor hen zal betekenen. Seculiere, ontwikkelde Egyptische vrouwen weten niet wat hun te wachten staat. Na een hoop getelefoneer en smeekbedes bij bevriende Egyptische journalisten om namens mij op te treden, krijg ik het voor elkaar om een interview te regelen met Nader Bakkar, woordvoerder van Al-Nour, de streng salafistische partij en medestander van de Moslimbroederschap in het parlement. Ik vraag hem of seculiere vrouwen als Bouthaina Kamel gelijk hebben met hun bezorgdheid.

Hij weigert daar antwoord op te geven en wijst in plaats daarvan op de onrechtvaardige behandeling die gelovige vrouwen in Egypte ten deel viel tijdens de tientallen jaren dat Moebarak aan de macht was. 'Denk eens aan de vrouwen in nikab die in het verleden werden gediscrimineerd, die niet aan de universiteit mochten studeren of les mochten geven. Zij werden in medische beroepen systematisch vervolgd. Niemand zal worden gedwongen iets te doen, maar nu hebben we wel meer gelegenheid om de regels van ons geloof te adviseren, zoals het dragen van een hoofddoek.'

We zullen nooit weten wat de Moslimbroederschap als regering voor de vrouwen van Egypte in petto had. Waren er dan tv-programma's gekomen van het Saoedische soort waarin vrouwen in nikab van wie alleen de ogen niet waren bedekt aanvoeren hoe deugdzaam het is om je te onderwerpen aan de mannelijke leden van je familie? Zouden schoolkinderen en patiënten voortaan worden geconfronteerd met volkomen gesluierde leraressen en artsen? We zullen het nooit weten, want toen president Mohamed Morsi en zijn Moslimbroederschap nog maar een jaar aan de macht waren, werd hij afgezet bij een staatsgreep door het leger, die schijnbaar werd gesteund door grote delen van de Egyptische bevolking.

Morsi had beweerd dat hij de kandidaat was die religieuze en seculiere belangen in Egypte zou verzoenen. Toen hij eenmaal een paar maanden aan de macht was, vertoonde hij nog maar weinig tekenen dat hij dat laatste streven werkelijk omarmde. Hij werd ervan beschuldigd dat hij een grondwet had aangenomen die uitgesproken in het voordeel was van de islam, en van een wrede, dictatoriale aanpak van aanhangers van de oppositie en van journalisten. Hij was aan de macht gekomen dankzij steun uit het volk, en nu wilden die aanhangers dat hij vertrok en beschuldigden ze de nieuwe president van de grootste misdaad van allemaal: stijgende prijzen en een instortende economie.

En dus brak, om precies te zijn in november 2012, het seizoen van de demonstraties weer aan in Egypte, toen de regering-Morsi probeerde de grondwet tijdelijk op te schorten en de president onbeperkte macht te geven. Die zet bracht duizenden welmenende demonstranten – die de democratie in gevaar zagen komen – ertoe terug te keren naar het Tahrirplein, en de bendes verkrachters trokken met hen mee.

Maar tegen het eind van de maand werden die opgewacht door een nieuwe uitdaging, namelijk de onverhuld, maar niet erg elegant genaamde Operation Sexual Harassment, of afgekort OpAntiSH. Op hun webpagina leggen ze uit dat hun doelstelling is 'om een groep te vormen die kan strijden tegen vooropgezette vormen van seksueel geweld tegen vrouwen door bendes tijdens demonstraties en om bescherming en steun te bieden op plekken waar wordt geprotesteerd'.

Het is een groep jonge vrijwilligers, mannen en vrouwen, onder wie ook slachtoffers van seksueel geweld, die ervoor willen zorgen dat op het plein het kortstondige Tijdperk van de Ridderlijkheid weerkeert en mannen en vrouwen vreedzaam kunnen demonstreren, zonder bang te hoeven zijn dat ze worden aangevallen. Uit veiligheidsoverwegingen weigeren de meeste vrijwilligers hun naam te geven, om te voorkomen dat ze worden herkend als ze op het plein actief zijn. Alleen de namen van de mensen die op kantoor zitten zijn bekend, zoals een van de organisatoren, Salma Said, die doodsimpel zegt: 'Dit is ons *midan* [plein] en niemand kan ons dat afnemen.'

OpAntiSH verdiept zich in de tactieken van de misbruikplegers. Ze komen erachter dat de misbruikplegers in bendes opereren, snel het slachtoffer isoleren, haar omsingelen, uitkleden en dan beginnen te misbruiken. Ze nodigen iedere man die in de buurt is uit om mee te doen, waardoor de bende extra bescherming geniet. OpAntiSH beschikt over zes zogenoemde confrontatiegroepen van veertien man per stuk, die zo'n kring misbruikplegers binnendringen en bereid zijn fysiek geweld te gebruiken. Een ander team, de 'veiligheidsgroep', heeft als taak het slachtoffer naar huis of naar het ziekenhuis te brengen, al naar gelang wat van toepassing is. Een derde groep treedt op als coördinators die ervoor moeten zorgen dat de confrontatiegroep ter plekke komt. Onder welmenende demonstranten worden alarmnummers uitgedeeld.

OpAntiSH werd opgezet om te voorzien in een onmisbare dienst die de regering van de Moslimbroederschap weigerde te bieden. De mensenrechtencommissie van de Egyptische Sjoera-raad, de Eerste Kamer van het uit twee kamers bestaande Egyptische parlement, toonde weinig begaandheid met vrouwen die wensten deel te nemen aan de demonstraties. In februari 2013 zei generaal-majoor Adel Afify, lid van deze commissie: 'Ze weten dat ze zich onder rapaille begeven. Ze dienen zichzelf te beschermen in plaats van te eisen dat het ministerie van Binnenlandse Zaken dat doet. Als een vrouw zich in zulke omstandigheden begeeft, is zij voor de volle honderd procent verantwoordelijk.'[15] Daar heb je weer die mentaliteit van 'Wat had ze daar te zoeken?'.

De commissie bevestigde dat de regering niet bereid was haar eigen veiligheidsmensen in gevaar te brengen door demonstranten te helpen. Dat was volgens hen eenvoudig te riskant. En dat maakte dus dat Fatima, die op 25 januari 2013 aanwezig was bij een anti-Morsi-demonstratie, levensgevaarlijk onbeschermd was toen ze werd aangevallen door een bende:

> Ze trokken aan de keffiyeh rond mijn hals, waardoor ik zowat stikte, en ze sleurden me daaraan voort [...] Ik kreeg geen adem [...] Hoe harder ik schreeuwde, hoe heviger ze me aanvielen. Recht voor me zag ik iemand (ik weet nog goed hoe hij keek: hij was nog geen twintig, kort van stuk, en een volslagen beest) die mijn trui en mijn beha doorsneed en van me af trok. Hij bleef mijn borsten maar betasten, terwijl anderen mijn lichaam overal onteerden. Ik walgde ervan en werd misselijk. Ik had het gevoel dat ik mijn bewustzijn zou verliezen. Ik was doodsbang dat ik op de grond zou vallen. Het geduw en getrek en de handen werden steeds heftiger, en ineens hield ik op met schreeuwen. Ik kreeg geen adem en werd heel duizelig, en ik was bang dat ik ging vallen en zou doodgaan; ik had echt het gevoel dat de dood nabij was.[16]

Die dag waren er vijfentwintig gevallen van seksueel geweld — te veel voor OpAntiSH om ze allemaal aan te kunnen. De vrijwilligers die er die dag bij waren, klaagden erover dat het lastig was te bepalen wie van de mensen in die menigte hen probeerden te helpen en wie alleen maar probeerde een graantje mee te pikken van het misbruik. 'Het was een complete chaos,' zei een van hen. 'Ik kreeg klappen toen ik het meisje probeerde te bereiken, en ik had geen idee of de mensen die ik klappen teruggaf plegers waren of mensen die wilden helpen.' Sommige mannen beweerden dat ze de vrouw te hulp wilden schieten of dat ze familie waren of een vriend, om zich vervolgens, zodra ze dicht genoeg bij waren, zelf aan haar te vergrijpen.[17]

De demonstraties namen een steeds hogere vlucht, en hetzelfde gold voor het seksueel geweld. Op 30 juni 2013 werden zesenveertig gewelddadige seksuele vergrijpen gemeld. Volgens Injy Ghozman van OpAntiSH moesten de meeste slachtoffers onmiddellijk naar het ziekenhuis. Op de Facebook-pagina van de organisatie stond: 'Ons team is tussenbeide gekomen toen een overlevende van afgrijselijk seksueel geweld door een bende op het punt stond door een vrouwelijke arts op maagdelijkheid te worden onderzocht bij een politiepost in het metrostation naar het Tahrirplein.' Ze slaagden erin tussenbeide te komen voordat de test plaatsvond. De veiligheidstroepen weigerden demonstranten te helpen, maar ze hadden dus wel het personeel om maagdelijkheidstests uit te voeren.

Op 3 juni trad president Morsi af, na een regeerperiode van slechts een jaar. Op zijn Facebook-pagina postte hij het volgende bericht: 'De boodschap zal nog lang luid en duidelijk naklinken in de moslimwereld: democratie is niet weggelegd voor moslims.'[18] De eerste democratisch gekozen president van Egypte werd aangeklaagd voor onder andere de moord op demonstranten. In maart 2014 werden 529 van zijn medestanders ter dood veroordeeld.

Sindsdien is Egypte teruggekeerd naar zijn oude zelf, een militaire dictatuur. Dus wat is er helemaal bereikt met de Arabische Lente in Egypte? In een stuk in *The Guardian* schreef Ahdaf Soueif: 'Net als in een sf-film breken de blokken van het oude regime af en lossen ze op, om vervolgens in een nieuwe rangschikking te herrijzen.' Ze voegt eraan toe: 'Verkeren we in een slechtere situatie dan voor 25 januari 2011? Ons verlies, en het onmetelijke verdriet daarover, zijn de duizenden mensen die vermoord en verminkt zijn, en de jaren die tienduizenden hebben verloren en nog steeds verliezen in onrechtvaardige gevangenschap. Elke weging moet daarmee beginnen.'[19]

Men neemt aan dat 846 demonstranten tijdens de opstand in 2011 zijn omgekomen. Slechts drie veiligheidsagenten met een lage rang zijn ooit veroordeeld tot een gevangenisstraf. In juli en augustus 2013 schoten de veiligheidstroepen op demonstranten van de Moslimbroederschap, waarbij omstreeks 1150 mensen werden gedood. Niet één lid van de veiligheidstroepen is ooit aangeklaagd.

En wat hebben al die vrouwen bereikt met hun offers en hun dapperheid? Al die vrouwen die naar het plein trokken omdat ze zielsgraag Egypte wilden veranderen: Samira Ibrahim en anderen die werden onderworpen aan een maagdelijkheidstest, Hadir Farouk die werd afgetuigd en verkracht om haar te straffen voor het feit dat ze een van de leiders van de demonstraties was; feministe en schrijfster Nawal el Saadawi, die met haar tachtig jaar bereid was op het plein te kamperen en de jongeren aan te moedigen; en de vrouw met de blauwe beha – wat hebben zij bereikt?

Die vraag legde ik voor aan een heel stel Egyptische vrienden en commentatoren, en voor mijn gevoel kwam bbc-correspondent Shaimaa Khalil, die in Alexandrië is geboren, nog het dichtst bij wat wel eens de wrede waarheid zou kunnen zijn. Ik heb met Shaimaa samengewerkt in Saoedi-Arabië, Libanon, Syrië en Egypte, en als Egyptische die een groot deel van de revolutionaire periode heeft verslagen koestert ze geen illusies over haar land. Volgens haar zijn vrouwen onoprecht als ze zichzelf wijsmaken dat ze veranderingen kunnen bewerkstelligen:

Het probleem is dat in die periode kwesties rond vrouwen-rechten geen prioriteit hadden. Zaken als groepsverkrach-tingen, aanrandingen en vgv liet men gewoon dooretteren. In heel Egypte heerst het idee dat vrouwenrechten geen aparte kwestie zijn en – wat nog ergerlijker is – dat ze geen belangrijk onderdeel vormen van de mensenrechten. Het is een luxeprobleem waarover je je kunt buigen als je andere, belangrijke kwesties hebt opgelost, zoals rond economie en veiligheid, zonder er rekening mee te houden dat vrouwen-rechten juist deel uitmaken van het oplossen van problemen rond economie en veiligheid.

Nu draait het allemaal om veiligheid, om Egypte te redden van de gevaren die aan elke grens op de loer liggen. Het gaat over samenzweringscomplotten en een nationalisme dat bijna fascistisch wordt. Kortom vrouwenrechten hebben nooit op de lijst prioriteiten gestaan en dat doen ze nog steeds niet.

De veiligheidstroepen hebben het nog steeds gemunt op vrouwe-lijke demonstranten. Terwijl ik dit schrijf, is er opnieuw een video uit Egypte opgedoken die net als die van de vrouw met de blauwe beha al duizenden malen op YouTube is bekeken. Ditmaal heeft het slachtoffer een naam. Shaima al-Sabbagh, moeder, dichteres en politiek activist, nam deel aan een kleine demonstratie ter herdenking van de revolutie die op 25 januari 2011 begon. Ze had haar zoon van vijf thuis in Alexandrië gelaten en reisde per trein naar Caïro, omdat ze op het Tahrirplein bloemen wilde leggen voor de slachtoffers.[20]

Op de video zie je een kleine, aantrekkelijke vrouw met krullend bruin haar, met een spijkerjasje op een lange broek. Ze maakt deel uit van een groepje van een stuk of twintig demonstranten die bloemen en spandoeken dragen. Ze staat naast een man van in de zestig. Niemand ziet er bedreigend uit. Ze loopt door de Talaat Harb-straat in de richting van het Tahrirplein.

Op de video zijn vier schoten te horen. Een officier in uniform geeft aanwijzingen aan een gemaskerde man, die op zijn hurken gaat zitten wanneer hij het derde schot lost op de ruggen van de kleine groep weglopende demonstranten. Door dat schot komt Al-Sabbagh om. In het medisch verslag dat vervolgens werd opgesteld staat dat ze in haar rug en hals is geschoten met hagel, vanaf een afstand van acht meter.

Een van haar vrienden tilt haar op en draagt haar de weg over, uit de buurt van de demonstranten en de politiekogels. Sayyid Abou al-Ela draagt het kleine lichaam dat aan een lappenpop doet denken in zijn linkerarm, terwijl hij in zijn rechterhand zo te zien haar handtas vastheeft, en hij legt haar voorzichtig op de stoep. Later vertelde Al-Ela aan Human Rights Watch dat hij was ingerekend door een politieagent en een brigadier die ter plekke verschenen terwijl hij de hand vasthield van de stervende Al-Sabbagh. Anderen die haar te hulp schoten en ooggetuigen die verslag uitbrachten bij de openbaar aanklager werden eveneens gearresteerd.

Als het ooit tot een rechtszaak komt, zal de openbaar aanklager ongetwijfeld aan iedereen die Shaima al-Sabbagh heeft gekend de vraag voorleggen: 'Wat had ze daar te zoeken?'

6

Van Oost- naar West-Europa

VROUWENHANDEL

Aija is een aantrekkelijke Letse blondine van vijfentwintig jaar met het figuur van een balletdanseres. Ze wil niets liever dan ontsnappen aan de sleur en armoede van het leven in Letland. Het uiteenvallen van de Sovjet-Unie in 1991 heeft het land geen verbetering gebracht. Sekstoerisme is de belangrijkste industrie in de hoofdstad Riga, waar Aija woont, maar zelfs van dit ongezonde en gevaarlijke werk kan een jonge vrouw als zij uitgesloten worden.

De dochters van de voormalige bezetters uit Rusland proberen de plekken van Letse vrouwen in te nemen. Vaak zijn de Russinnen jonger en bereid om voor minder geld te werken in de georganiseerde straatprostitutie, de massagesalons en de stripteaseclubs die nu de oude straatjes met de kleurig geschilderde huizen van het mooie Riga domineren. Een vrouw als Aija kan nog maar één ding doen en dat is werk zoeken in het buitenland.

Ze loopt langs de seksclubs en negeert de lokroepen van een groep Engelse toeristen. Tussen een lapdanceclub en het Pussy Café duikt ze een souterrain in waar een internetcafé is gevestigd. Als ze een website heeft gevonden waar gevraagd wordt naar serveersters, danseressen en kamermeisjes in West-Europa, tikt ze een bericht in: '*I want a job. I am 22, nice looking and have danse experience. What do I need to do to get work?*'

Ze krijgt meteen een antwoord: '*Hey Aija!*' Ene Albert uit Denemarken verzekert haar dat ze 'geen ervaring hoeft te hebben. Als je wilt, kun je deze week beginnen.' Hij adviseert haar een vliegticket naar Kopenhagen te kopen. Als de douane vragen gaat stellen, moet ze zeggen dat ze een toeriste is. Ze kan een taxi nemen naar Club 8, waar ze meteen mag beginnen als danseres. Albert zegt dat hij de eigenaar van de club is en belooft haar haar reiskosten terug te betalen.

Aija wendt zich naar mij en vraagt: 'Zal ik het doen?' Ik zit naast haar in het café omdat ik haar als journaliste heb gevraagd om mee te werken met mijn onderzoek naar vrouwenhandel. Aija wil graag helpen, zegt ze. 'Ik zie het als een missie. Het is verdrietig dat zoveel meisjes uit de Baltische staten op deze manier in de val lopen. Ze worden verleid met het vooruitzicht van een salaris waarmee ze – voor het eerst van hun leven – rond kunnen komen. Maar het eindigt ermee dat hun leven wordt verwoest.'

Ik vraag haar of ze bereid is het risico te nemen. Dat is ze. Ik bel de BBC met een verzoek om volledige bescherming voor Aija en dan vliegen we naar Kopenhagen. Aija volgt de instructies en neemt een taxi naar Club 8. Wij volgen haar in een tweede auto. We parkeren bij de club en kijken haar na als ze naar binnen gaat. We hebben gediscussieerd over de vraag of ze een microfoontje moet verbergen op haar lichaam en hebben besloten van niet. Als het ontdekt wordt, riskeert ze in elkaar geslagen of anderszins gestraft te worden voordat we bij de club binnen kunnen zijn om haar te helpen.

Later vertelt Aija hoe het is gegaan. 'Ik werd ontvangen door een vrouw, Luna, die mijn paspoort innam. Bij haar was het veilig, zei ze. Ze leidde me rond, eerst naar de slaapkamer die ik moest delen met vier andere meisjes. Daarna gingen we naar de openbare ruimtes. "Dit is de bar," zei Luna, "hier is de sauna en achter die deur is de kamer waar we seksfeestjes houden. Alles wat daarna komt, gebeurt in de kamers boven." Ik vroeg: "Sorry, maar ik ben aangenomen om te dansen. Bedoelt u dat ik seks moet hebben met klanten?" Ze zei: "Je bent hier om te dansen en om seks te hebben, en je begint vanavond."'

Een uur nadat Aija bij de club naar binnen is gegaan, en voordat we klanten zien binnenkomen, nemen we contact op met de Deense politie. We melden de ontvoering en de dreigende verkrachting. De politie komt en arresteert eigenaar Albert en Aija's collega's: vier Hongaarse meisjes. De agenten halen de paspoorten uit de kluis en laten Aija gaan. Ze behandelen de zaak als een immigratieprobleem. De Hongaarse meisjes worden de volgende dag uitgezet. Er wordt geen proces-verbaal opgemaakt over hun komst naar Denemarken, hun aanstelling bij de club en mogelijk gedwongen prostitutie. De clubeigenaar wordt niet vervolgd en krijgt geen boete.

Dorit Otzen, een Deense advocate die een groot deel van haar leven wijdde aan het helpen van slachtoffers van seksslavernij, kent de situatie. Talloze malen heeft ze de politie gevraagd om deze meisjes onder bescherming te laten getuigen, zodat een zaak voor de rechter kan komen. 'De politie wil niets weten van vrouwenhandel. Je kunt in Denemarken tien jaar krijgen voor het verkopen of importeren van drugs, maar de hoogste straf die iemand ooit heeft gekregen voor het importeren van een vrouw is een jaar. De rechter verontschuldigde zich tegenover de veroordeelde voor de hoge strafmaat. Dat is toch om te huilen!'

En de meisjes dan? 'Ze krijgen vierentwintig uur om bij te komen [na een inval] en dan worden ze uitgezet,' zegt Otzen. 'De pooiers gaan gewoon verder met een nieuwe lichting. Elke maand. Of zelfs elke week.' Dat blijkt te kloppen. Een paar weken later bel ik de club en ontdek dat Albert zijn zaakjes weer heeft opgepakt. In een automatisch antwoord prijst hij de meisjes aan die hij op dit moment aanbiedt: een Litouwse, een Poolse en twee Russinnen. Hij noemt hun borstomvang en hun seksuele specialiteiten.

Bordelen worden heimelijk gedoogd, en dat is gevaarlijk. Het heeft meisjes het leven gekost in Denemarken. Hoeveel precies zullen we nooit weten, want de moorden vinden plaats in ondergrondse clubs en bars, waar de lichamen makkelijk kunnen worden afgevoerd.

Natasha Pavlova had hoge verwachtingen toen ze in 1996 in Kopenhagen aankwam. Ik ga op bezoek bij haar moeder Eugenia Pavlova in haar kleine flat in Riga. Ze zet thee en we praten, terwijl haar zesjarige kleinzoon tekenfilms kijkt op tv. 'Na een paar weken belde Natasha om te zeggen dat ze zou gaan trouwen.' Het was de vervulling van de droom van iedere Letse moeder. 'Ze vertelde dat ze een huis zochten. Daarna zou ze de kleine Andrei ophalen om bij hen te komen wonen. Ze wilde dat ik ook zou komen.'

Niemand weet of ze werkelijk een vriend had, of hij misschien een pooier was en hoe haar plannen uitmondden in vette krantenkoppen: *Bloedbad in massagesalon*. Magnus, een jonge it'er die in de straat woont en werkt waar de massagesalon was gevestigd, weet het nog goed. 'Een Aziatische vrouw kwam uit het souterrain gevlucht. Ze was naakt en zat onder het bloed. Ze had verwondingen over haar hele lichaam.' Buren belden de politie. Terwijl een agent zich om de vrouw bekommerde, liep een andere de massagesalon in en riep toen: 'Laat haar even. Kom hier kijken. Het is nog ernstiger!' Daar lag Natasha Pavlova in haar eigen bloed. Ze was met messteken om het leven gebracht.

'Altijd als de telefoon ging,' vertelt Eugenia Pavlova, 'dacht Andrei dat het zijn moeder was om te zeggen dat ze ons kwam halen. Pas zes maanden na haar dood kon ik de moed opbrengen om hem te vertellen wat er gebeurd was.' Niemand is ooit vervolgd.

Het bloedbad is al meer dan tien jaar geleden, maar er is niet veel veranderd. Pas in 2012 stelde de Deense regering, in overeenstemming met een eu-richtlijn, een maximumstraf van tien jaar in voor mensenhandel. Sinds 2010 worden jaarlijks ongeveer twaalf mensen aangeklaagd voor mensenhandel en gedwongen prostitutie. De straffen variëren van negen tot dertig maanden cel.

Denemarken is niet het enige land dat zo weinig moeite doet om dit probleem op te lossen. Seksslaven vormen een groeimarkt; vanuit rijke landen neemt de vraag nog altijd toe. Mensenhandelaars zijn actief in Nigeria, Thailand en Oost-Europa. Voor hen is het de moeite waard, want het pakrisico is klein en de opbrengst is groot.

Ik ga terug naar Riga voor meer onderzoek. Daar ontmoet ik Sveta (21) en Ljuba (19), jonge Letten zoals er zoveel zijn: goed opgeleid, ambitieus en aantrekkelijk, maar zonder baan. Ze kunnen in Letland geen werk vinden en dromen van een baan in het buitenland.

In de straten van Riga schieten de modeboetieks en winkels met de nieuwste smartphones als paddenstoelen uit de grond. Jonge vrouwen in modieuze designkleding stappen op hoge hakken uit nieuwe BMW's om daar te shoppen. Zij vormen niet meer dan 1 procent. Ga naar de mindere buurten rond het busstation en je ziet hoe dit land heeft geleden na de aftakeling van het Sovjetsysteem, met name voordat het in 2004 lid werd van de Europese Unie. Oude mensen slapen op banken in bushaltes. Voor velen is een beker dikke gruwel uit de gaarkeuken de enige maaltijd op een dag. Mensen zien er verwaarloosd en hulpbehoevend uit en lijken alle hoop te hebben verloren. Het is geen wonder dat jongeren de gekste risico's nemen om aan dit voorland te ontsnappen.

In haar verveloze kantoor in een vrouwencentrum in Riga schetst Tatiana Kurova een somber beeld. 'Vrouwen trekken weg om in het buitenland te gaan werken, hoe ernstig de risico's ook zijn. Er is hier geen droog brood te verdienen. Veel mensen zijn straatarm. Het is bijna onmogelijk om jonge mensen tegen te houden of zelfs maar aan het twijfelen te brengen. Ze zien hun ouders in armoede oud worden en dat is voor hen geen optie. Ze willen een beter leven en ze willen het nu.'

Sveta en Ljuba weten dat rijke jonge Letten, als ze al niet in het criminele circuit zitten, banden hebben of zakendoen met bedrijven in het Westen. Als ik met ze afspreek in een koffieshop, zitten ze net vacatures door te kijken. Ze hebben een uitzendbureau gevonden dat dienstmeisjes vraagt voor Ierland. Niet het soort baan dat rechtstreeks naar de modeboetieks leidt, geven ze toe, maar het is een begin. 'Ik vind het spannend,' zegt Ljuba, terwijl ze haar lange zwarte haar naar achteren zwaait. 'Alles wordt anders. We kijken de hele tijd op plattegronden en in onze oude aardrijkskundeboeken, en we praten alleen hier nog maar over. We zijn zelfs al begonnen met inpakken!' De mooie blonde Sveta is de serieuze van de twee. 'Ik wil mijn opleiding afmaken, maar daar heb ik geen geld voor. Ik moet wel in het buitenland gaan werken. Er is geen andere mogelijkheid.' Sveta wil dierenarts worden.

Een dag later tref ik de twee in opperste verwarring aan. Ze zijn naar het uitzendbureau geweest. Edgar, de eigenaar, heeft gevraagd of ze een aidstest willen laten doen. In de wachtruimte van het bureau ontmoetten ze een meisje dat al voor de tweede afspraak kwam. Zij was door Edgar gevraagd een foto mee te brengen en de omvang van haar borsten op te meten. 'Is dat normaal?' vragen Sveta en Ljuba. Ik verzeker ze van niet. Edgar heeft verteld dat ze terechtkunnen bij een zekere Con Foley, eigenaar van hotel-restaurant Foley's aan High Street in Portumna, Galway, in Ierland. Hij zegt dat hij daar al meer Letse en Litouwse meisjes naartoe heeft gestuurd. Ze hebben hem gebeld om te zeggen dat het werk ze prima bevalt. Ik druk Sveta en Ljuba op het hart om niets toe te zeggen voordat ik terug ben uit Ierland.

Het is dat het onderwerp zo serieus is, anders zou mijn zoektocht door Portumna naar aanknopingspunten voor internationale vrouwenhandel beslist iets komisch' hebben. In dit gehucht aan de westkust van Ierland zijn paardrijden en een tocht langs een kerk, een klooster en een abdij de belangrijkste toeristische attracties. Aan een oude man die met zijn hond wandelt vraag ik of hij wel eens vrouwen uit Letland tegenkomt. 'Waar ligt dat,' reageert hij, 'ergens bij Joegoslavië?' Ook bij het postkantoor hebben ze geen Let gezien – 'al was er vorig jaar wel een Spanjaard,' zegt de medewerkster behulpzaam. Van een hotel Foley's heeft niemand ooit gehoord.

Wel vind ik een man die Con Foley heet. Hij staat hamburgers te bakken in de plaatselijke Burger Express. Hij heeft ook een internetcafé – ingeklemd tussen de plastic tafeltjes en de jukebox. Ruimte voor een team Letse serveersters is er beslist niet. Ik probeer te begrijpen hoe het kan dat Con Foley in Riga wordt genoemd als eigenaar van een niet-bestaand hotel waar meisjes uit de Baltische staten zouden werken. Foley is een vriendelijke man, die eerst verlegen en vervolgens boos reageert als ik hem vertel hoe zijn naam in Riga gebruikt wordt. Hij laat me zien dat hij wel eens een online vacature heeft geplaatst toen hij erover dacht om een serveerster uit het buitenland in dienst te nemen. Dat is hier heel gewoon. In economisch gunstige jaren heeft de dienstensector in Ierland een groot tekort aan personeel. In een jaar gaf Ierland tienduizend werkvergunningen uit, waarvan duizend aan Letten. Foley vond toch een medewerker in de regio. Ik vraag of hij, als hij een meisje uit Riga had aangenomen, haar had gevraagd om een aidstest te laten doen. 'Goeie god, nee,' reageert hij blozend.

Ik ga naar Dublin, waar een plaatselijke journalist een afspraak voor me regelt met iemand die zijn geld verdient in de prostitutie. Hij werkt tot 's avonds laat. Na middernacht wacht ik hem op in de rosse buurt van de wijk Smithfield Village. Terwijl hij achter in onze auto gaat zitten, zegt hij dat hij alleen wil praten als ik hem volledige anonimiteit garandeer. Hij heeft wel een idee hoe Con Foley uit Portumna in de vacaturetekst terecht is gekomen. 'Handelaren gebruiken de naam van een betrouwbare werkgever om Letse meisjes hiernaartoe te lokken. Die naam komt ook op de werkvergunning te staan. In het hoogseizoen geeft de overheid tegenwoordig duizenden werkvergunningen per maand uit. Dat is nog relatief nieuw in Ierland. Het komt niet bij de overheid op dat iemand het systeem zou kunnen misbruiken.' Hij suggereert dat die 'iemand' meestal een medewerker is die een stapel officiële werkvergunningen achteroverdrukt 'en daar goud geld mee verdient'.

Op die manier laten mensenhandelaren jonge vrouwen met een werkvergunning op zak naar Dublin komen. Portumna of hun zogenaamde werkgever Con Foley krijgen ze nooit te zien. In Dublin maakt de handelaar gebruik van het vrije verkeer tussen de Ierse Republiek en het Verenigd Koninkrijk, legt mijn informant uit, 'om te kunnen voldoen aan de vraag naar prostituees in Londen, Birmingham en Manchester. Ik ken een van de grote vrouwenhandelaren hier in Dublin die meisjes transporteert naar Belfast en van daaruit naar Groot-Brittannië.' Haar werkvergunning voor Ierland maakt een meisje extra kwetsbaar, begrijp ik uit zijn verhaal. 'Het meisje is illegaal in het Verenigd Koninkrijk. De pooier doet daar zijn voordeel mee. Eerst neemt hij haar paspoort in beslag. Dan zegt hij dat haar reis hem 10.000 tot 20.000 pond heeft gekost. Hij dwingt haar tot prostitutie. Alleen zo kan ze voldoende geld verdienen om de kosten terug te betalen. Ze bedient twintig klanten op een dag. In feite is ze gevangene van de pooier zolang hij haar kan gebruiken.'

Terug in Riga spreek ik af met Ljuba en Sveta. Ik vertel over de onschuldige Con Foley en welke risico's ze lopen als ze in het buitenland gaan werken via een uitzendbureau als dat van Edgar. Ze zijn zwaar teleurgesteld. 'Ik hoopte zo dat ik in het buitenland voldoende geld kon verdienen voor mijn studie, zodat ik daarna een goede baan kon vinden,' zegt Ljuba. 'Dat was mijn toekomstplan, maar dat ligt nu in duigen.' Sveta ziet er verslagen uit. 'Mij zijn de ogen wel geopend. Het is duidelijk dat er mensen zijn die ons puur als prooi zien.' Ljuba en Sveta begrijpen dat ze niet in zee moeten gaan met iemand als Edgar, maar hun droom laten ze zich niet ontnemen. Een paar dagen later tref ik ze toevallig in hetzelfde café, gebogen over vacatures.

Ik ga opnieuw naar Tatiana Kurova in het vrouwencentrum en vraag haar waarom de autoriteiten niet meer doen om vrouwenhandel tegen te gaan of om bureaus als dat van Edgar aan te pakken. 'Omdat we worden overspoeld,' zegt ze. 'Laat ik het bij mezelf houden. Ik zou heel graag naar scholen gaan om met meiden in eindexamenklassen te praten over wat er gaande is. Maar mijn dagen zijn meer dan gevuld met het zorgen voor vrouwen die ontsnapt zijn. Ze zijn gebroken als ze terugkomen.'

Ze reikt naar de grote stapel dossiermappen die achter haar op een plank liggen. 'Waar zal ik eens beginnen? Nou, deze vrouw bijvoorbeeld. Ze kwam hier en vertelde over een soort concentratiekamp in Polen. Ze had daar gezeten met ongeveer driehonderd vrouwen. Om het kamp heen waren hekken van prikkeldraad. Het werd bewaakt met honden. De vrouwen werden misbruikt als seksslavin. Ze werden uitgehongerd. Drie van hen wisten te ontsnappen. Ze reisden 's nachts, om drukke wegen en controles te vermijden. Een van hen was de vrouw over wie ik het heb. Ze kwam hier letterlijk kruipend naar binnen.'

Tatiana vraagt me 's avonds terug te komen. Dan kan ik uit de eerste hand het verhaal horen van een van de vrouwen die ze onder haar hoede heeft, Irina. De zesentwintigjarige kettingrookster werkte al als prostituee in Riga toen haar werd verteld dat ze in Israël veel meer kon verdienen. 'We kregen te horen dat we 1000 dollar per maand zouden krijgen. Ze brachten ons naar plaatsen in heel Israël en verkochten ons aan verschillende pooiers. De eerste keer werd ik verkocht voor 15.000 dollar. De tweede keer kostte ik nog maar 10.000 dollar. Bij elke volgende verkoop zakte de prijs, totdat niemand me meer wilde hebben. We zouden vijftien klanten per dag krijgen. Ik werkte er tweeëndertig af op een dag. Ik moet 20.000 tot 35.000 dollar per maand hebben verdiend voor de pooiers. Zelf kreeg ik geen cent.' Pooiers zijn blij als mensenhandelaren hen jonge, naïeve vrouwen als Sveta en Ljuba aanbieden, weet Irina. 'Die zijn makkelijker koest te houden, snapt u. Een meisje had gereageerd op een oproep voor au pairs in Israël. Salaris 600 dollar per maand. Ze kreeg te horen dat een familie haar wilde hebben. De hele reis en alle benodigdheden werden voor haar geregeld. Toen ze aankwam in Tel Aviv brachten ze haar naar een bordeel en verkochten haar. Net zoals met ons was gebeurd. Er werd over haar opgeschept.'

Vrouwenhandel komt niet alleen voor in Letland en niet alleen in de Baltische staten. Ik heb meer reportages gemaakt over seksslaven dan ik me wil herinneren. Ik registreerde de handel van blanke Nepalese meisjes bij bordelen in Mumbay. Ik volgde een lange trieste stoet Aleksandra's, Ludmilla's en Nataliya's van Oekraïne naar lapdanceclubs in de Verenigde Staten. Het is vaak uiterste wanhoop die mensen drijft dit soort risico's te nemen. Net als Syriers en Somaliërs die vandaag de dag het gevaar lopen te verdrinken in de Middellandse Zee tijdens hun overtocht van Libië naar Europa in overvolle boten. Nog geen twintig jaar geleden ontvluchtten inwoners van de Sovjet-Unie hun land met een even groot gevaar voor hun leven. De Sovjet-Unie was een onhoudbare constructie die alleen nog maar uit elkaar kon vallen, maar daarmee verdween ook de zekerheid van de verzorgingsstaat, hoe slecht deze ook functioneerde. Dit heeft geleid tot enorm veel menselijk leed.

Een paar van mijn ergste terugkerende nachtmerries is in die tijd begonnen. Ik herinner me de stank van ontlasting en zweet in de jeugdgevangenis die ik bezocht in het net omgedoopte Sint-Petersburg. In een ondergrondse cel zonder ramen, eigenlijk bedoeld voor vier gevangenen, zaten twintig minderjarige jongens opgesloten. Enkele kinderen kunnen niet ouder dan twaalf jaar zijn geweest. Ze waren voor onbepaalde tijd gevangengezet wegens het stelen van brood omdat hun gezin honger leed. De staat kon zich geen rechtszaken meer veroorloven. Er was geen geld voor voldoende gevangenisbewakers om de gevangenen te laten luchten en om ze medicijnen te geven tegen de door het gebouw razende tuberculose.

Dit patroon van ellende breidde zich uit over het hele voormalige Russische keizerrijk. En als de hel op aarde letterlijk bestaat, dan zou die zich wel eens in Magadan kunnen bevinden, in het verre oosten van Rusland. Dit is het gebied van de beruchte dwangarbeiderskampen van Stalin, de goelags, waar nog altijd mensen wonen. Om in Magadan te komen, rijd je over de 'bottenweg', aangelegd door gevangenen uit de goelags. Volgens de lokale bevolking zijn de lijken van mensen die tijdens het werk bezweken verwerkt in de fundering van de weg. In een spartaans en ijskoud bejaardenhuis ontmoette ik daar Natasha Lvov. Zij was weliswaar vrijgekomen in 1953, maar had net als vele anderen nooit het geld gehad om terug te reizen naar huis in Leningrad, het huidige Sint-Petersburg.

Tijdens de Grote Vaderlandse Oorlog, zoals de Russen de Tweede Wereldoorlog noemen, werkte ze in de buurt van Rostov aan de spoorlijn die werd aangelegd om alle belangrijke industrie naar het oosten te verhuizen, weg van de Duitse opmars. 'De voorman gaf ieder van ons werklaarzen,' vertelde Natasha Lvov. 'Ik heb kleine voeten en hij had alleen nog een paar mannenlaarzen. Ik deed ze aan en moest lachen. Ik was pas achttien en liep grappend rond, deed een dansje op de rails en maakte de anderen aan het lachen.' Ze werd beschuldigd van het saboteren van oorlogswerkzaamheden en naar een goelag gestuurd, ruim zesduizend kilometer van huis.

Hoewel de strafkampen van Stalin dankzij het barre klimaat – de helft van het jaar is het land bedekt met sneeuw – bijna verdwenen zijn, zitten er nog altijd mensen gevangen. Tijdens de Sovjetperiode werden ingenieurs, artsen en leraren overgehaald om in dit barre land te komen werken. Tijdens de contractperiode ontvingen ze royale bonussen. Ze kregen de garantie dat ze na afloop terug konden keren naar hun huis en baan. Maar toen in 1991 de Sovjet-Unie uit elkaar viel en in 1998 de roebel een vrije val maakte, golden die garanties niet meer. In het ziekenhuis van Magadan had ik in 1999 een ontmoeting met hersenchirurg Vladimir Leteninkov uit Oekraïne. Zijn land hoorde allang niet meer bij Rusland, maar net als Natasha was hij alles kwijt. Hij kon niet eens een treinticket naar Kiev betalen. Zijn patiënten betaalden hem in plakken rendiervlees.

Het verdrietigste van alle verhalen komt uit een land dat zelden de kranten haalt, behalve wanneer het over het armste land van Europa gaat: Moldavië. Net als Letland was Moldavië onderdeel van de Sovjet-Unie, tot het in 1991 ineens overgeleverd was aan de vrije markt. Het land kan nauwelijks overleven van de opbrengsten uit de landbouw en van het geld dat Moldaviërs in het buitenland aan hun familieleden overmaken. De afgelopen vijfentwintig jaar is Moldavië grotendeels leeggelopen.

Ik ga naar het plaatsje Scoreni, ten westen van de hoofdstad Chişinău. Het is een typisch Moldavisch dorp met lage houten huizen en in zowat elke achtertuin een orthodoxe kerk met uivormige koepels die schitteren in de zon. Het is zondag en achter in een kerk volg ik het laatste deel van de dienst. De lucht is dik van de wierook. De priester loopt rond met een icoon van de Maagd Maria in een goudgeschilderde lijst. Oude vrouwen en jonge kinderen knielen en maken een kruisteken wanneer hij langskomt. Het is niet vreemd dat de kerkgangers vrijwel allemaal vrouw zijn. Het komt vaker voor dat zij meer bezig zijn met het spirituele welzijn van een gemeenschap dan mannen. Wat opvalt is dat bijna niemand tussen de zestien en veertig jaar is. Ik spreek een paar mensen aan terwijl ze de kerk verlaten en vraag waarom er zo weinig jongere vrouwen zijn. 'Die zijn naar Italië, Portugal, Turkije, zelfs naar Moskou,' zegt een vrouw. 'Hoeveel er precies vertrokken zijn weet ik niet, maar dat ze weg zijn, is zeker.' 'Er is hier geen werk en geen geld,' legt een andere vrouw uit. 'Alle staatsbedrijven, coöperatieve boerderijen en fabrieken die we vroeger hadden, zijn gesloten. We hebben niets meer.' 'Ze beloofde geld te sturen,' zegt iemand boos, 'maar we hebben niets meer van haar gehoord.'

Ik ga op bezoek bij Yeva, een zestigjarige vrouw in een lange rok met gebloemde hoofddoek, de gebruikelijke klederdracht in de regio. In haar huis aan de keukentafel serveert ze zwarte thee en lepels vol zelfgemaakte kersenjam. Met zorg zet ze de theeglazen en keramieken schaaltjes met jam op handgeborduurde onderzetters. Ik krijg er een bijpassend servet bij. Het ingewikkelde borduurwerk is een traditie van de vrouwen in deze regio. Helaas is er amper vraag naar. Yeva wil me foto's van haar dochters Tanya en Daniela laten zien. Een fototoestel of telefoon met camera hebben ze nooit gehad, dus ze beschikt alleen over schoolfoto's en familieportretten van de twee vrolijke meiden met vlechtjes in hun haar. 'Achttien en eenentwintig waren ze toen ze vertrokken,' zegt ze.

Een werkbemiddelaar uit de stad was naar het dorp gekomen. Ze zocht personeel. Meisjes en vrouwen tot dertig jaar konden in een chic hotel in Italië aan het werk als serveerster. 'De Italiaanse taal lijkt op die van ons,' had deze Svetlana gezegd. 'Die leren de meisjes snel genoeg.' Tanya en Daniela hadden niet geaarzeld. Voor schoolverlaters als zij was hier niets te doen. Er gingen geruchten dat gezinnen in andere delen van het land al profiteerden van de bedragen die zij toegestuurd kregen uit het buitenland. Yeva zag zich als weduwe geconfronteerd met een armzalige oude dag en moedigde hen aan.

De meisjes moesten zich verzamelen bij het busstation in de stad. De vriendelijke Svetlana was er om Yeva en andere bezorgde ouders gerust te stellen en bij te staan toen moeders en dochters huilend afscheid van elkaar namen. De bus reed weg, en sindsdien heeft Yeva haar dochters niet meer gezien. 'Er gaan allerlei geruchten in het dorp,' zegt ze met verstikte stem. 'Over ontvoeringen, bars en nog veel ergere dingen.' Yeva huilt nu zo hevig dat ze geen woord meer kan uitbrengen. Ik troost haar zo goed als ik kan. Als ik opsta om te vertrekken, zegt ze: 'Praat met Ana.' Ze bedoelt een buurvrouw aan de andere kant van de kerk. 'Zij weet tenminste in welke stad haar dochter is.'

Ik loop over de modderige paden tussen de vrolijk geschilderde houten huizen van Scoreni door en bevind me tussen middeleeuwse taferelen. Vrouwen vullen emmers met water uit de putten, ganzen pikken naar hun hielen en af en toe kleppert een paard met wagen door het dorp. De mannen mogen dan in de meerderheid zijn, gezond zien ze er niet uit. Naast jonge vrouwen heeft Scoreni een tweede exportproduct: nieren. Veel mannen hebben, vaak voor een belachelijk laag bedrag, een nier afgestaan. De organen worden verkocht aan patiënten in Turkije en Israël.

Ana en haar gezin halen overal plastic stoelen tevoorschijn, zodat we met z'n allen in hun tuin onder een pruimenboom kunnen zitten. 'Toen die agente, Tanya, naar het dorp kwam, waren we allemaal blij,' vertelt Ana. 'Ze leek een aardige vrouw. Mijn dochter kon hier geen baan vinden, dus haar aanbod kwam als een geschenk uit de hemel. Ze vertelde dat vrienden van haar hotels hadden in Istanbul en dat ze slimme, hardwerkende kamermeisjes nodig hadden. Ook kende ze gezinnen die au pairs zochten.' Toen agente Tanya vertrok, ging Elena mee – met instemming van haar ouders.

Een paar weken later liep Tanya tegen de lamp. In een zeldzaam moment van oplettendheid vroeg de douane bij de grensovergang wat de drie meisjes met hun gloednieuwe paspoorten bij haar in de auto deden. Tanya werd aangeklaagd voor het ronselen van meisjes voor bars en bordelen in Istanbul en is nu in afwachting van haar proces. De zaak werd breed uitgemeten in de pers, zelfs in Scoreni. Maar de arrestatie kwam te laat om Elena te redden. Waarschijnlijk is ze ergens in Istanbul.

'Hoe heeft dit kunnen gebeuren?' verzucht Ana. 'Ik vertrouwde mijn dochter aan die vrouw toe. Ze nam ons kleine meisje mee en verkocht haar. Het heeft mijn man zijn leven gekost.' Ana haalt een foto van Elena uit haar handtas en pakt mijn hand. 'Neem deze mee,' zegt ze. 'Ga naar Istanbul. Ik smeek het u. Vind mijn dochter terug.' Ze dringt zo aan dat ik de foto niet kan weigeren. Ik probeer haar uit te leggen dat ze het onmogelijke van me verlangt. Elke week gaan er vijftig à zestig meisjes uit Moldavië naar Istanbul. Uiteindelijk beloof ik dat ik een poging zal wagen, maar dat ze geen hoop moet hebben.

Ik vlieg naar Istanbul met cameraman Ian O'Reilly. Nadat we onze Roemeense fixer Liviu (Moldaviërs en Roemenen spreken dezelfde taal) hebben opgepikt, starten we onze zoektocht in bars in de buurt van het Taksim-plein, Aksaray en Istiklal Caddesi.

Eerder werkten we met ons drieën samen aan een documentaire in Roemenië over de handel in baby's. We wilden laten zien hoe makkelijk het is om illegaal aan een baby te komen in Roemenië en slaagden erin om in zeven dagen zeven kindjes te 'kopen', waarbij we ons steeds terugtrokken voor de uiteindelijke overhandiging van het geld.

We lopen bar in, bar uit. Liviu spreekt paaldanseressen met zombieachtige gezichten aan en probeert meisjes apart te nemen als ze voor een pauze van het podium af komen. Steeds laat hij de foto zien. Pooiers worden boos op hem. 'Als je tijd met een meisje wilt doorbrengen,' schreeuwt iemand over de dansvloer naar Liviu, 'dan kost dat 100 dollar per uur!' Niemand herkent het meisje op de foto. Als ik zo naar de vrouwen kijk in hun topje met hun smalle blote middel en hun netkousen, twijfel ik opeens of we wel in de goede richting zoeken. Elena ziet er op de foto uit als een verlegen, mollige achttienjarige met rode wangen en een flinke dos bruine krullen – een meisje van het platteland. Ze draagt de Moldavische variant van een Shetland-trui. Met geen mogelijkheid – vrijwillig of onder dwang – zie ik haar in de rol van paaldanseres. Ze straalt huiselijkheid uit, geen verleiding. Wat helaas niet betekent dat ze niet kan worden ingezet in de seksindustrie. Ik huiver bij het idee dat ze in een van de vele kelderbordelen terecht is gekomen of bij een massagesalon zoals die waar Natasha Pavlova dood werd gevonden.

De volgende ochtend gaan we naar het centrale busstation van Istanbul. Hier arriveren en vertrekken zoveel bussen van en naar de Moldavische hoofdstad Chişinău dat er altijd wel een paar buschauffeurs staan te kletsen en te roken. Voor het eerst hebben we beet. Twee van hen herkennen Elena op de foto. 'Ja, ze was op zoek naar een baan,' zegt een man, 'een maand geleden, denk ik.' Een vrouw zegt: 'Ik zag haar over straat rennen naar een bushalte. Ik dacht dat ze was ontsnapt uit een bar of bordeel of waar ze haar dan ook vastgehouden hadden, en dat ze naar huis wilde. Maar dat zal niet gelukt zijn zonder paspoort of geld.' Helaas loopt het kleine spoor hier meteen weer dood.

Ik ga naar het Bureau Vermiste Personen aan de rand van een park achter de Blauwe Moskee. Buiten zit een keurige rij mannelijke typisten op krukjes aan kleine tafels met typemachines. Iedereen moet een officieel vermissingsformulier laten invullen om het gebouw in te mogen. In hoog tempo schreeuwt de typist me de vragen toe: 'Naam? Geboortedatum? Adres? Nationaliteit? Wanneer voor het laatst gezien? Met wie?' 'Een bekende handelaarster, Tanya,' antwoord ik. Als hij vraagt naar mijn relatie met de vermiste, laat ik hem 'vriendin van de familie' intikken. Hij trekt het papier uit de typemachine en overhandigt het me, terwijl hij verzucht: 'Ik krijg maandelijks tientallen van deze gevallen van jullie Moldaviërs.'

In het gebouw loop ik naar het kantoor met het bordje BUREAU VERMISTE PERSONEN en daar sta ik opeens tussen bezorgd kijkende mensen uit misschien wel alle vijftien voormalige Sovjetrepublieken. Mensenhandelaren zetten hun valstrikken in veel landen uit, denk ik bij mezelf. Als ik aan de beurt ben, zucht ook deze dienstdoende ambtenaar bij het horen van de naam Moldavië. Hij reikt naar de dossiermap Moldavië achter hem. Het is de dikste van allemaal. 'Het spijt me,' zegt hij, terwijl hij gaatjes in mijn papier maakt, het in de map opbergt en die met een klap dichtdoet. 'Er staan duizenden vermiste Moldaviërs geregistreerd. Uw zoektocht is vergeefs.'

Helaas heb ik geen budget om terug te gaan naar Scoreni om Ana persoonlijk verslag uit te brengen. Liviu belt haar. Ze is teleurgesteld, al geeft ze toe dat ze niet veel hoop had. Toch geeft het haar een gevoel van rust dat de gegevens en foto van haar dochter nu tenminste officieel geregistreerd zijn in een kantoor in Istanbul. Liviu vertelt haar maar niet dat de ambtenaren met vermoeid zuchten kennis hebben genomen van de zoveelste vermiste Moldavische.

Dit is wat er gebeurde met andere jonge vrouwen uit het dorp, zoals Tanya en Daniela, de dochters van Yeva, die in een bus stapten met het idee dat ze naar Italië gingen om serveerster te worden.

Zodra de bus de grens met Roemenië over is en naar het westen rijdt, verandert de sfeer. De vriendelijke Svetlana, die eerder de huilende moeders troostte, stapt uit. Er komt een mannelijke mensenhandelaar voor haar in de plaats. De bus rijdt naar een berucht huis in Belgrado in Servië, dat speciaal hiervoor is ingericht. Daar proberen de handelaren de meisjes en jonge vrouwen eerst zelf uit, om hun weerstand te breken en zelf aan hun gerief te komen. Nadat ze allemaal, maagd of geen maagd, verkracht zijn, begint de mensenveiling. De jonge vrouwen moeten zich uitkleden en naakt paraderen voor inkopers van bordelen uit alle hoeken van Europa. Daarna worden de kopers uitgenodigd om 'de koopwaar te proeven' en worden de vrouwen opnieuw verkracht. De dag daarna vertrekken de kopers met hun aankopen naar bordelen in Sarajevo, Kosovo, Istanbul, Amsterdam, Kopenhagen en Londen. De paspoorten zijn ingenomen en waar controle kan zijn, worden de vrouwen gedrogeerd of in stilte bedreigd.

Ik hoor dit verhaal van de enkelingen die erin geslaagd zijn te ontsnappen. Meestal worden deze 'geluksvogels' naar huis gestuurd door de mensen van de Internationale Organisatie voor Migratie (IOM) die vestigingen heeft in steden waar seksslavernij veel voorkomt. De medewerkers van de IOM in Chişinău hebben een paar vrouwen bereid gevonden om met me te praten nadat hun vliegtuig uit de Bosnische hoofdstad Sarajevo geland is. Ze arriveren in het opvanghuis met een plastic zak met het logo van de Verenigde Naties erop, waarin ze hun schamele bezittingen met zich mee dragen. Omdat ze meestal geen paspoort hebben, hebben ze van de VN de noodzakelijke reispapieren gekregen. Hun paspoort en al het verdiende geld zijn achtergebleven bij de pooiers en bareigenaren voor wie ze zijn gevlucht.

Met gebogen hoofd en zenuwachtig bewegende handen zitten de vrouwen op de rand van hun metalen bed in de slaapzaal van het opvanghuis. Ze vertellen hoe dom ze zich naderhand hebben gevoeld, maar hoe gretig ze waren om de wereld buiten hun verarmde dorp te ontdekken. Hoe hard ze wilden werken om geld naar huis te kunnen sturen en waardering van familie en vrienden te krijgen. Hoe graag ze de toekomst wilden waarmaken die de bemiddelaar de mensen in het dorp had voorgespiegeld.

In tranen beschrijven ze hoeveel moeite het kostte om te overleven, maand na maand, jaar na jaar, in smerige cabines, louche bars en hotelkamers zonder daglicht. Ze vertellen hoe ze in elkaar werden geslagen door mensenhandelaars, pooiers en bareigenaars. Hoe ze tijdens de uren dat ze niet werkten in hun kamer werden opgesloten. Zonder contact met thuis, zonder paspoort en zonder loon was de kans om te ontsnappen nihil.

Gaan ze terug naar huis, nu ze terug zijn in Moldavië? Monica, die zes maanden in een bar in Sarajevo heeft gewerkt, weet zeker dat haar ouders haar zullen afwijzen. 'Het probleem is: ik kan het hun gewoon niet vertellen. Mijn ouders hebben sterke normen en waarden. Ze zouden het niet kunnen bevatten. Die bemiddelaar was zo vriendelijk. Hij nam drie van ons mee met de belofte dat we klassenassistent zouden worden op een school in Italië. Maar toen kwamen we in dat huis in Belgrado –' Ze breekt en kan niet verder praten.

Ook al is het buiten hun schuld, de jonge vrouwen hebben het gevoel dat ze hebben gefaald. De diepconservatieve, wereldvreemde en straatarme bevolking van geïsoleerde plattelandsstreken in Roemenië en Moldavië is een makkelijke prooi voor mensenhandelaars. Het idee van illegale en gedwongen prostitutie is voor de mensen niet te bevatten. Het past eenvoudig niet in hun wereld die bestaat uit bewierookte kerken, houten huisjes en zelfgemaakte kleedjes. Wanneer een slimme vreemdelinge als Svetlana naar het dorp komt met een oplossing voor hun problemen, voelen ze zich gevleid en gaan graag op haar aanbod in. Nee, de jonge vrouwen schamen zich te veel om naar huis te gaan.

Marianna werkt samen met de IOM in Moldavië. Veel teruggekeerde vrouwen komen terecht in haar opvanghuis in Chişinău voor zwerfkinderen en slachtoffers van mensenhandel. Ze probeert een familiesfeer te creëren. Alle bewoners eten samen, de volwassenen lezen de kinderen voor het slapengaan voor. Het is een therapie voor allemaal, en aan het constante kletsen en lachen te horen werkt het.

Ze regelt naaicursussen en kooklessen voor de jonge vrouwen, voornamelijk om ze een doel te geven en af te leiden. Moldavië wordt overspoeld met goedkope kleding uit China met Amerikaanse merklogo's erop. Veel vraag is er niet naar het soort jurken dat de vrouwen zorgvuldig op oude naaimachines maken. Ze leiden een opgesloten bestaan, worden gewaarschuwd om niet alleen uit te gaan. Er hangen veel mannen rond in de buurt van het opvanghuis. Ze wachten op meisjes die uit verveling en wanhoop hun veilige plek verlaten. Voor pooiers en mensenhandelaars zijn ze een makkelijke prooi.

Voordat ik vertrek, vraag ik Marianna of ze een idee heeft van de omvang van dit probleem in Moldavië, een land met 3,5 miljoen inwoners. Ze klapt een grote map open en zegt dat ze de afgelopen drie jaar vijfhonderd teruggekeerde vrouwen heeft gezien. Ongeveer 7500 meisjes en vrouwen verlieten in die periode hun dorp. Het lijkt erop dat zevenduizend van hen onherroepelijk verloren zijn geraakt.

'We verliezen meisjes vanaf twaalf jaar tot vrouwen van veertig jaar aan de mensenhandel. Hun leven is kapot. Begrijp je wat dat betekent? Als je de vrouwelijkheid van een land vernietigt, vernietig je de toekomst van dat land.' Marianna's telefoon gaat. Er is weer een vlucht binnen uit Sarajevo. Een nieuwe lichting gebroken levens die op de een of andere manier weer bij elkaar geraapt moeten worden.

Maar waarom zoveel vluchten uit Sarajevo?

7

Daar zijn het jongens voor

De pas gearriveerde vrouwen zitten in de huiskamer van het op-vanghuis in Chişinău in Moldavië. Ze zien er verdoofd, moe en ontzettend angstig uit. De vrouw van de Internationale Organisatie voor Migratie (IOM) legt uit wie ik ben en dat publiciteit over dege-nen die hen misbruikt hebben ervoor kan zorgen dat meisjes in de toekomst beter beschermd zullen zijn. De meesten verlaten schou-derophalend de kamer, en dat kan ik hun niet kwalijk nemen. Ze hebben geleerd dat ze niemand kunnen vertrouwen, en boven-dien worden ze zo in beslag genomen door hun eigen ellende dat ze moeilijk vooruit kunnen denken over de toekomst van iemand anders. Alleen Monica blijft achter om met me te praten.

Monica komt uit Chişinău, en ze is ontwikkelder en beter thuis in de wereld dan de meisjes die in afgelegen dorpen door de vrou-wenhandelaren worden gerekruteerd. Inmiddels is tot haar door-gedrongen dat toen haar vriend zei dat hij voor hen allebei werk had gevonden in Italië, hij haar in werkelijkheid aan een pooier had verkocht. Na een reis van drie dagen kwam ze terecht in de Vila Bar in Sarajevo in Bosnië. Ze gruwde van de smerigheid van de bar, de lapdancers en het feit dat een vrouw de euvele moed had om tegen haar te zeggen dat ze zich moest uitkleden en mee moest doen.

'Eerst dacht ik nog dat het een grap was,' zegt Monica. '"Ik blijf hier niet," zei ik tegen haar. En toen zei ze dat ik wel moest blijven, of dat de eigenaar van de bar me anders een aframmeling zou geven. Hij had mijn paspoort, vertelde ze, dus ik kon niet weggaan. Ze zei dat ik met iedere man die om mij vroeg naar bed moest. De volgende dag hoorde ik van de eigenaar dat de reis naar Sarajevo een hoop geld had gekost en dat ik de mannen moest terugbetalen die me hadden weggebracht. Ik moest met wel acht mannen per nacht naar bed.'

Maar wat Monica daarna zei was nog het meest verbijsterend: 'Veel van die mannen waren VN-mensen, soldaten en politieagenten die hierheen waren gekomen om het volk te helpen. Ik heb met name de jongere mannen gesmeekt me te helpen. Niemand die iets deed.' Na de oorlog in Bosnië kwamen er duizenden manschappen van de vredestroepen, zogenaamd om hulp te bieden bij de wederopbouw van het land, steun te verlenen aan burgerlijke en democratische instituten en orde en gezag te herstellen. Vraag het aan welke plaatselijke inwoner ook, en je krijgt te horen dat na aankomst van de vredestroepen met hun dikke salarissen algauw de vrouwenhandelaren en hun slachtoffers verschenen.

Na een halfjaar in de hel nam Monica haar kans waar. 'Het was een drukke avond geweest en de pooier had met zijn dronken kop vergeten de deur op slot te doen. Ik kroop de gang door en ging via een raam naar buiten, waar een brandtrap was. Ik zette het op een rennen door de straat, tot ik een vrouw tegenkwam. Ik schreeuwde en jammerde, maar ze verstond me niet. Ze nam me mee naar de politie en die brachten me naar een opvanghuis.'

Monica werd opgenomen door de opmerkelijke Célhia de Lavarène, één meter vijftig lang, elegant gekleed en met prachtig gekapt blond haar. Ze spreekt Engels met een betoverend Parijs' accent en is voor niemand bang. Célhia is de oprichtster van de liefdadigheidsorganisatie STOP, samen met haar team van voornamelijk Britse en Ierse politiemensen. Ze heeft van het hoofd van de VN-missie in Sarajevo het mandaat gekregen om de handel in seksslavinnen in Bosnië aan te pakken en is persoonlijk verantwoordelijk voor de sluiting van tientallen bars en het redden van honderden meisjes in Sarajevo.

We spreken elkaar tijdens een wekelijks overleg met haar zorgvuldig gekozen team politiemensen. Ze wisselen informatie uit over recente gebeurtenissen. John, een Britse agent van begin dertig, vertelt het verhaal dat hij van een van zijn contacten in de club-onderwereld heeft gehoord. Het gaat over een meisje dat twee dagen lang weigerde met een klant naar bed te gaan. 'En dus besloot de eigenaar haar ten voorbeeld te stellen,' zegt John. 'Ze werd in een kamer gezet, moest zich uitkleden, en mensen konden betalen om toe te kijken terwijl zij werd verkracht door de eigenaar zelf en zijn uitverkoren klanten.' De jonge Ierse politieman Terry, die net bij het team is, kijkt geschokt. 'Dat zijn geen mensen,' zegt hij. 'Ze hebben geen gevoelens, niks. Ze behandelen die meisjes alsof ze koopwaar zijn.'

Het team vindt het goed om me mee te nemen naar een inval bij een bordeel. Célhia geeft mijn team en mij opdracht ons de volgende dag om vier uur 's ochtends op haar kantoor te melden. We rijden in konvooi weg en zo'n uur voor zonsopgang houden we met een stoet politieauto's en busjes halt voor het betreffende bordeel in een onopvallend pand aan de weg die in westelijke richting Sarajevo uit loopt. Het STOP-team bonst op de deur. Van binnen horen we geschreeuw en het geluid van stoelpoten die over de houten vloer schrapen. 'De mannen schreeuwen tegen de meisjes dat ze de achterdeur uit moeten rennen,' zegt de politietolk. 'Achterom!' gilt Célhia tegen een van de politielui, en tegen de anderen: 'Trap die deur in, verdomme!'

We stuiven naar binnen. De pooiers zijn al door de achterdeur ontsnapt, met achterlating van peuken, halfleeggedronken kopjes koffie en stapels geld op een tafel in de voorkamer. Célhia stormt de trap op, wij erachteraan, en boven treffen we acht meisjes aan in smerige kamertjes, te verdoofd en uitgeput van het werk de afgelopen nacht om de pooiers te gehoorzamen en op de loop te gaan. Bleek en bevend van angst worden ze in busjes gestopt en naar het plaatselijke politiebureau overgebracht, waar Célhia hen ervan probeert te overtuigen dat ze nu veilig onder mensen zijn die hun goedgezind zijn. Dat is een lastige taak; de meisjes hebben immers allang geleerd dat ze niemand kunnen vertrouwen, en zeker geen mannen in uniform. Célhia is zeer ontstemd over het gedrag en de hypocrisie van vn-medewerkers. 'Waar vn-soldaten zitten, verschijnen de vrouwenhandelaren,' zegt ze. 'Het is het grootste schandaal binnen de Verenigde Naties vandaag de dag, en toch halen de superieuren van die manschappen hun schouders op en zien ze het allemaal door de vingers.'

Célhia en ik konden het meteen goed met elkaar vinden en zijn sindsdien vrienden gebleven. Toen ik de verhalen had gehoord van de meisjes in Moldavië, slaagde ik erin de redacteur van de documentaireserie *The Correspondent* van de bbc over te halen om me de betrokkenheid te laten onderzoeken van de vredespolitie en de soldaten van de vn bij de handel in seksslaven. We noemen de documentaire *Boys Will Be Boys*, omdat hun gedrag maar al te vaak wordt gerechtvaardigd door de redenatie dat het nu eenmaal jongens zijn. De meisjes die Célhia bij deze overval heeft bevrijd, komen uit Moldavië, Roemenië en Oekraïne. Zij blijven in het opvanghuis in Sarajevo tot het iom-team van de vn transport voor hen kan regelen terug naar hun land. Af en toe vraagt een meisje of ze tegen haar misbruikers mag getuigen. Monica was zo dapper om te weigeren naar huis terug te worden gebracht, omdat ze in Sarajevo wil blijven om de mannen die haar hebben gedwongen zich te prostitueren te kunnen aanwijzen en degenen die haar hebben misbruikt te kunnen identificeren.

'Ik moest naar bed met iedere man die maar om me vroeg. Dat gebeurde minstens driemaal per avond soms wel zeven- of achtmaal. De meesten waren Amerikanen. Die trappen graag lol, en je kunt je niet voorstellen hoe zij zich gedragen. Ze drinken een hoop, ze praten keihard, ze maken de meisjes belachelijk en ze behandelen ons als oud vuil. Ik wilde zorgen dat ze daarmee ophielden. Ze horen zich niet zo te gedragen. Dat is niet eerlijk, niet alleen tegenover mij, maar tegenover geen van de meisjes in die situatie.'

Haar klanten, legt ze uit, waren leden van de vredesmacht van de vn, de sfor (Stabilisation Force) en de door de vn aangestelde iptf (International Police Task Force), politiemensen die wereldwijd waren gerekruteerd om eind jaren negentig te helpen bij de wederopbouw van Bosnië. Die lui, die de opdracht hadden een geruïneerd land op te bouwen, weigerden Monica te helpen toen ze daarom smeekte. 'Ze zeiden dat ze niet in de problemen wilden komen, omdat ze niet in dat soort bars mochten zijn. Als ze mij hielpen, konden ze hun baan kwijtraken, zeiden ze. Dus ik moest me op eigen kracht uit die situatie zien te redden.'

Op het politiebureau herkende Monica vier leden van de internationale politiemacht en vier leden van de vredesmacht als mannen die haar hadden misbruikt. Ze zei dat ze bereid was geweest voor de rechtbank te getuigen, maar dat ze nooit de kans had gekregen. 'Omdat ik naar huis werd gestuurd. Ik weet niet waarom. Ik had geen haast. Ik zei tegen die mensen dat ik, toen ik er eenmaal mee begonnen was, alles op alles wilde zetten om te voorkomen dat dit andere meisjes ook overkomt. Ik ben ontzettend kwaad. Ik heb altijd in gerechtigheid geloofd, maar die was er niet. Iemand moet iets doen, maar het laat blijkbaar iedereen koud. Ze stoppen het in de doofpot.'

Die doofpotaffaire bleek al jaren gaande, en iedereen die de zaak aan het licht wilde brengen, kreeg daarvoor de rekening gepresenteerd. Ik sprak Kathy Bolkovac in Amsterdam, waar ze is gaan wonen toen ze haar functie in Bosnië uit was gewerkt. Ze woont daar nu met haar partner Jan van der Velde, een Nederlandse politieman die ook bij de IPTF in Bosnië heeft gediend. Bolkovac is een blonde, statige politievrouw die al twintig jaar ervaring had bij diverse politiekorpsen in Amerika toen ze solliciteerde voor een baan in Bosnië.

'Ik had zin in verandering. Ik had het gevoel dat ik op een moment in mijn leven was beland dat ik aan een grotere uitdaging toe was. Ik was tegen de veertig en had het idee dat ik geen straatagent wilde blijven die eenvoudige onderzoeken deed. Bovendien wilde ik altijd al de streek bezoeken waar mijn grootvader, de familie van mijn vader vandaan komt, Kroatië, en dit leek een goede manier om dat allemaal te combineren.'

Ze stuurde haar sollicitatieformulier naar het Amerikaanse bedrijf DynCorp, een particulier militair bedrijf dat net het contract voor Bosnië had binnengehaald voor zo'n beetje alles vanaf het beheer van pakhuizen en kantines tot het rekruteren van Amerikaanse politiemensen. Binnen een week hoorde ze dat ze was ingehuurd voor een jaarsalaris van 85.000 dollar. Er was geen sprake van een sollicitatiegesprek; ze hoefde alleen maar op te draven voor een training van een week in Fort Worth in Texas. 'Eigenlijk had ik tijdens die week trainen al moeten vermoeden dat er iets scheef zat,' vertelde ze me. 'De rekruten waren ofwel heel jong, zodat ik me nauwelijks kon voorstellen dat ze werkelijk die acht jaar ervaring hadden die op het sollicitatieformulier werd geëist; ofwel het waren gepensioneerden met een dikke buik en grijs haar. De meesten hadden van hun leven nooit een jaarsalaris van boven de 20.000 dollar gehad en konden hun geluk niet op.' Maar ze was zo opgetogen bij het vooruitzicht naar Bosnië te gaan dat ze zich liet verleiden om alle bedenkingen te negeren, en ze vloog met de andere tweeenveertig rekruten naar Sarajevo.

Om te beginnen deed ze het prima. Ze pakt een fotoalbum en laat me foto's zien van zichzelf in een opstelling voor de uitreiking van een medaille door het hoofd van de vn-missie, de van oorsprong Franse Amerikaan Jacques Paul Klein. Haar contract van een halfjaar werd driemaal verlengd en ze werd onderscheiden en gepromoveerd. 'Toen ik manager werd van de gender-afdeling was het mijn taak om toezicht te houden op alle onderzoeken betreffende kwesties rond gender, wat liep van vrouwenhandel en seksueel misbruik tot huiselijk geweld in het hele land.' Allengs werd haar tijd meer en meer in beslag genomen door de bloeiende seksindustrie. Ze gruwde van de verhalen over mensenhandel en nam aan dat haar collega's die afschuw deelden. Achteraf gezien was ze hopeloos naïef. 'Dan reed ik op patrouille rond en zag ik heel veel auto's van de vn voor die bars geparkeerd staan. In het begin dacht ik nog: oké, die nemen gewoon een slok en kijken hoe de boel ervoor staat.'

Met name één vrouw, Viktorija uit Moldavië, opende Kathy de ogen voor wie de ware gebruikers en misbruikers waren. Op een ochtend was Kathy op haar werk toen een van de auto's van de plaatselijke politie, een witte Yugo-patrouillewagen, halt hield voor haar kantoor. Een meisje dat 'nauwelijks ouder dan een tiener' was, kwam in een kort rokje en een tanktop de wagen uit gestruikeld, met haar haar vol bladeren en modder. De politieagent die haar begeleidde, legde uit dat ze in haar eentje ronddwalend langs de rivier de Bosna was aangetroffen, en dat ze in de war was.

Bolkovac nam haar mee naar haar kantoor, samen met haar tolk. Het meisje sprak geen Bosnisch. Daar keek Bolkovac van op. In het door oorlog geteisterde land waren nauwelijks banen, en voor zover ze wist kwamen er geen immigranten naar Bosnië op zoek naar werk. Ze hadden de grootste moeite om haar te volgen, en intussen merkte Bolkovac op dat ze rode striemen en blauwe plekken in haar hals had. Uiteindelijk konden ze vaststellen dat ze Viktorija heette en uit Moldavië kwam.

Afgezien van 'Viktorija' en 'Moldavië' was het enige andere woord dat ze maar bleef herhalen 'Florida'. Eerst kon Bolkovac dat niet plaatsen, tot haar een armoedige nachtclub te binnen schoot die Florida heette, naast een van de beste restaurants van de stad, dat beroemd was vanwege het favoriete plaatselijke gerecht met gevulde kool, op de rivieroever aan de rand van Sarajevo. 'Ik zag altijd vn-trucks op de parkeerplaats van de Florida staan,' kon Bolkovac zich herinneren, 'waarvan ik altijd had aangenomen dat dat mensen waren die hun auto niet kwijt konden bij het restaurant.' Zodra Bolkovac liet blijken dat ze begreep wat ze met Florida bedoelde, pakte Viktorija haar hand en keek ze haar smekend aan.

Bolkovac regelde een hotelkamer voor Viktorija en gaf een politieagent opdracht voor haar deur te posten. Dit speelt voordat Célhia de Lavarène daar verscheen, en er waren geen opvanghuizen voor de slachtoffers van vrouwenhandel. Met een plaatselijke politieman en een vertaler reed ze naar de Florida. Toen ze er binnenliepen, troffen ze de bar volslagen verlaten aan: 'Geen bedienend personeel, geen barkeeper, geen klanten. Op de bar stonden een paar halflege glazen bier, en er hing een rokerige, zweterige lucht. Nachtclubs die niets te verbergen hebben, worden niet zo haastig verlaten, en het was duidelijk dat iemand hen had gewaarschuwd voor onze komst.'

Bolkovac vond vervolgens een soort metalen wapenkist vol Amerikaanse dollars. Waarom zouden hier Amerikaanse dollars van eigenaar verwisselen, op deze verlaten plek die beschermd wordt door bossen en bergen, aan een weg die nergens heen leidt, vroeg ze zich af. En toen vond ze, bij wijze van antwoord op haar vraag, een bundeltje paspoorten van meisjes die soms nog maar vijftien waren, uit Oekraïne, Roemenië en Moldavië, waaronder dat van Viktorija. Bolkovac snakte naar frisse lucht en wandelde het gebouw uit, en intussen probeerde ze de betekenis van deze vondst te bepalen. Ze merkte een brandtrap op langs de zijkant van het gebouw, die naar een houten deur leidde. Ze riep de Bosnische agent Goran erbij om met haar mee de trap op te lopen. Hij probeerde de deur open te krijgen. Die zat op slot. 'Hier is niemand,' concludeerde Goran. Met haar legerkistjes trapte Bolkovac de deur in. 'En daarachter zaten in een benauwde, zolderachtige kamer zeven jonge vrouwen met wijd open ogen bijeengedoken, met het soort doodsbange gezichten dat ons maar al te bekend voorkwam.'

Op de grond lagen twee vieze matrassen, waar de meisjes nu op zaten te beven van angst. Hun kleren zaten in plastic tassen gepropt en over de rand van de prullenbak hingen condooms. 'We nemen jullie mee naar een veilige plek,' liet Bolkovac hun weten via de tolk. 'Zitten er nog meer meisjes verstopt? Vertel het me alsjeblieft, want dan kunnen we hen ook helpen.' Een blond meisje met blauwe ogen wees door het raam naar de borrelende stroom beneden en zei met onvaste stem: 'Dat kunnen we niet vertellen. We willen straks niet daar drijven.'

De interviews van Bolkovac met deze jonge meisjes in Sarajevo zijn een afspiegeling van wat ik heb gehoord van de meisjes die hetzelfde in Chişinău in Moldavië hadden doorgemaakt. 'Ze waren heel jong, heel kwetsbaar, en hadden uit vrije wil hun thuisbasis verlaten om werk te zoeken in het Westen,' vertelt Bolkovac. 'Ze waren gekoeioneerd door degenen die hen hadden meegenomen en de pooiers die hen gedwongen hadden zich te prostitueren. Je haalt niet zomaar een meisje van straat, stopt haar in een bordeel, en zegt tegen haar dat ze aan de slag moet. Het komt erop neer dat je zulke meisjes verkracht en misbruikt en ze op een afgrijselijke, traumatische manier vernedert om ze zover te krijgen.'

Het probleem was dat de meisjes uit de Florida zo getraumatiseerd waren dat ze weliswaar bereid waren een vage beschrijving te geven van mannen in uniform onder hun klanten, maar weigerden te getuigen tegen hun pooiers en degenen die hen hadden misbruikt, uit angst voor represailles. Binnen een paar dagen werden ze door de IOM naar hun eigen land teruggebracht. Bolkovac kon de metalen geweerkist met Amerikaanse dollars maar niet uit haar hoofd zetten. De enige plekken in Bosnië waar je aan dollars kon komen, waren Amerikaanse legerbases. Er zat hier iets scheef.

Een paar maanden later had Bolkovac meer succes bij de overval op de La Vila-bar in Doboj, waar Monica had gewerkt. De vrouwen die daar werden aangetroffen, waren wel bereid te praten. 'Deze vrouwen suggereerden dat er ook lui van de internationale politie in de bar over de vloer kwamen voor seksuele diensten. De vrouwen beschreven Amerikaanse mannen in uniform. Ze beschreven tatoeages. Ze beschreven allerlei zaken die tot identificatie konden leiden. Als politiebeambten zouden we in staat zijn deze mensen te identificeren, en deze vrouwen waren bereid te getuigen.'

Kathy bedacht iets wat volgens haar een slimme manier was om het onderzoeksproces op gang te helpen. Ze stuurde haar baas, de commandant van het Amerikaanse contingent, een e-mail met het voorstel de meisjes de betreffende mannen te laten aanwijzen aan de hand van de identiteitskaartjes met foto die iedere politiebeambte in Bosnië moest dragen. De volgende dag kreeg ieder lid van het Amerikaanse contingent een e-mail waarin het plan van Bolkovac uiteen werd gezet. 'Ik had sterk het gevoel dat hij het hele onderzoek onderuit had gehaald. Als er inderdaad Amerikanen bij betrokken waren, kregen die nu de kans een verhaal te bedenken over waar ze waren geweest en om elkaar een alibi te bezorgen.'

Maar toen ze erover doordacht, was ze bereid te geloven dat er misschien sprake was van oprechte verwarring. Ze dacht dat het wellicht handig was als ze de details over sekshandel nader verklaarde voor mannen die het niet helemaal begrepen. Ze schreef een e-mail aan iedereen in het Amerikaanse contingent met de volgende tekst:

> **Prostituee:** *iemand die uit vrije wil zijn of haar lichaam verkoopt voor seksuele diensten met het oog op materieel of financieel gewin, en die vrij is nee te zeggen als hij of zij dat wil.*
>
> **Mensenhandelaar:** *iemand die een persoon koopt, verkoopt, vervoert, als slaaf behandelt, verleidt, zaken in het vooruitzicht stelt, ontvoert, ontvangt, aanvalt of dwingt voor materieel gewin.*
>
> **Slachtoffer mensenhandel:** *de meeste vrouwen en kinderen naar wie jullie verwijzen als prostituee.*
>
> **Klanten:** *sommige plaatselijke mensen, SFOR, IPTF, plaatselijke politie en werknemers van internationale humanitaire organisaties in Bosnië en Herzegovina.*

Bolkovac sloot haar e-mail af met uitleg over haar motivatie om naar Bosnië te komen. Ze gaf toe dat het geld wel een drijfveer was, maar dat ze nooit haar belangrijkste missie vergat om mensen terzijde te staan en te beschermen. 'We vertrekken hier straks met geld op zak,' schreef ze, 'met medailles op onze borst en strepen op onze kraag die we thuis bij de politie of het leger nooit zouden hebben gekregen. Sommigen van ons hebben misschien de kans gehad om één of twee "prostituees" te helpen uit een gevaarlijke, wanhopige situatie te ontsnappen. Misschien dat we ervan zullen worden beschuldigd MET ONS HART TE DENKEN IN PLAATS VAN MET ONS HOOFD, maar in elk geval zijn we in de gelegenheid geweest om te DENKEN.'

De volgende dag werd Bolkovac ervan beschuldigd dat ze last had van een burn-out en ze werd uit haar functie gezet. Later werd ze ontslagen omdat ze zou hebben geknoeid met een werkrooster, wat ze ontkent. Zelfs toen ze haar spullen aan het inpakken was om zich in Nederland bij haar partner te voegen, voelde ze zich nog bedreigd. 'Er stonden dag en nacht auto's bij me voor de deur,' vertelt ze. 'Sommige collega's vertelden me zelfs dat ze voor mijn leven vreesden.' Tegen de tijd dat ik met een filmploeg in Sarajevo arriveerde, was Kathy Bolkovac uit Sarajevo vertrokken. Maar ik kwam wel functionarissen tegen, en met name de vrouwen onder hen, die geschokt en kwaad waren over het gebeuren. Aan het hoofd van de Mensenrechtencommissie van de VN, Madeleine Rees, vraag ik of het klopt om Bolkovac iemand te noemen met een burn-out. 'Op basis waarvan dan?' antwoordt ze. 'Er heeft nooit een evaluatie plaatsgevonden. Die conclusie is getrokken zonder haarzelf te raadplegen, of iemand die in de positie verkeerde om zo'n inschatting te maken.'

Waarom werd ze er dan wel van weerhouden haar werk te doen, vraag ik. 'Volgens mij was dat duidelijk omdat zij de eerste persoon was die ontvoerde vrouwen ondervroeg. Dus kreeg ze iedere vrouw te spreken die met vrouwenhandel te maken had gehad en die het IOM-programma doorliep, en ze was heel goed in haar werk. Dankzij die vrouwen kwam ze erachter wat de omvang was van de betrokkenheid van de IPTF.' Bolkovac diende een klacht in tegen DynCorp Aerospace, het Britse filiaal van het bedrijf dat haar in de Verenigde Staten in dienst had genomen, wegens onterecht ontslag. In 2002 besliste de rechtbank in Southampton aan de zuidkust van Engeland unaniem in haar voordeel. Sommige van de politiemensen die zij had genoemd werden ontslagen, maar omdat zij tijdens hun werk in Bosnië onschendbaar waren geweest, werd geen van hen aangeklaagd of gestraft.[1]

Tien jaar na mijn eerste ontmoeting met Bolkovac sprak ik haar weer, toen ze in Londen was voor de promotie van het boek dat ze over haar ervaringen in Bosnië had geschreven, *The Whistleblower*. Haar verhaal is verfilmd met dezelfde titel, met in de hoofdrol Rachel Weisz. Amnesty International vroeg me Kathy te interviewen in het theater van hun chique nieuwe kantoor in de Londense wijk Clerkenwell, waarna ze vragen beantwoordde. Ze kreeg de vraag voorgelegd of ze nog steeds kwaad was over het gebeurde. 'Die woede komt en gaat,' zei ze. 'Ik heb dan wel de rechtszaak gewonnen, maar echte antwoorden heb ik nooit gekregen.'

Een andere vragensteller informeerde naar de opstelling van de mannen met wie ze samenwerkte. Bolkovac gaf ten antwoord dat er onder de hogere functionarissen een stemming heerste van: 'Vooruit zeg, het is oorlog.' Ze beschreef de seksuele pesterijen die de vrouwelijke politiemensen te verduren kregen van hun mannelijke collega's, en ze plaatste dit alles onder de noemer van het 'daar zijn het jongens voor'-sfeertje dat er hing. De diepe verachting die de mannen betoonden tegenover de vrouwen die ze misbruikten, stemde haar tot grote wanhoop: 'Ze vonden dat die vrouwen gewoon oorlogshoeren waren, prostituees die het echt wilden.'

Ik pak mijn aantekeningen erbij van dat eerste interview in Amsterdam, toen Bolkovac nog niet haar rechtszaak had gewonnen en waar ze treurig zei: 'Af en toe bekruipt me het gevoel dat het allemaal nergens goed voor is geweest. Dat ik mijn carrière heb verpest. En mijn geloofwaardigheid. Ik heb een prima leventje in Amerika opgegeven om naar Bosnië te gaan en in het buitenland te werken. Maar dan besef ik weer dat er soms maar één persoon nodig is om ergens verandering in te brengen, om de bal aan het rollen te krijgen door te blijven drammen.'

Geen mens kan eraan twijfelen dat Bolkovac flink en dapper is en erkenning verdient voor wat ze heeft gedaan. Maar heeft ze ook verandering gebracht? Helaas wijst alles erop dat een grote, door mannen gedomineerde internationale vredesmacht vrijwel altijd in zijn kielzog een seksindustrie heeft waarbij kwetsbare jonge vrouwen zijn betrokken. Maar als het blijkbaar zo'n onvermijdelijk verschijnsel is, hoe zit het dan met de pogingen vanuit de hoogste regionen van de bevelsstructuur om de zaak in de doofpot te stoppen?

Ik ging naar Roemenië om een van de andere meisjes te spreken die uit de La Vila-bar waren bevrijd. We ontmoeten elkaar in een dorpje vlak bij de stad Braşov in West-Roemenië. Haar ouders hadden haar opmerkelijk genoeg na haar gruwelijke ervaring weer thuis verwelkomd, en ik kan Alina interviewen in de schaduwrijke boomgaard naast hun huis, onder de appel- en perenbomen. 'We moesten per avond 200 Duitse mark verdienen. Als we dat weigerden, begon de baas ons te bedreigen en zei hij dat hij ons geen kost en inwoning kon geven als we niet werkten. Als we bleven weigeren, werden we afgeranseld. Als we niet lief met de klanten praatten, werden we ook afgeranseld.'

Alina had geluk. Toen ze nog maar twee weken in de bar werkte, kreeg een van haar klanten, een Argentijn die voor de IPTF werkte, medelijden met haar. Hij betaalde de bareigenaars 3000 mark om haar vrij te laten; hij kocht haar vrij alsof ze een slaaf was en hielp haar terug te keren naar Roemenië. Ze nam zich voor om Bosnië uit haar hoofd te zetten en haar leven weer op de rit te krijgen. Een paar maanden later kwam het hoofd van de VN-missie in Sarajevo, Jacques Paul Klein, naar Boekarest, en tot haar grote verbijstering stuurde hij een auto om haar op te halen voor een gesprek.

Ze vertelde me dat Klein haar een fotoalbum had laten zien met foto's van twintig leden van de IPTF. Ik vroeg hoeveel van hen ze had herkend als klanten van de bar. 'Van de twintig die hij me liet zien, waren er maar drie die ik niet herkende. Ik identificeerde hen, maar voor zover ik weet is er niets met hen gebeurd. De enige in wie hij was geïnteresseerd, was degene die me had geholpen. Ze wilden bewijzen tegen hem verzamelen wegens het bezoeken van dat soort bars, zodat ze hem naar huis konden sturen. Ze zaten achter de enige aan die had aangeboden mij te helpen.'

Ik ging naar het hoofdkantoor van de VN-missie in Sarajevo en informeerde bij Klein naar deze uitzonderlijke ontmoeting. Waarom had hij als hoofd van de missie, de speciale gezant van de secretaris-generaal van de VN in Bosnië, de tijd genomen om een slachtoffer van mensenhandel in Roemenië te ondervragen? 'Ik ben forensisch onderzoeker geweest,' legde hij uit. 'Ik was speciaal agent, inclusief de kwalificaties en de penning. Ik heb meer onderzoeken uitgevoerd naar moord, fraude en noem maar op dan de meeste van mijn mensen bij de IPTF. Dus dat ik dat in Roemenië heb gedaan in de context van een andere bezigheid, heeft niets onlogisch of illegaals.'

En wat had het interview opgeleverd? 'Ze herkende één persoon, volgens mij. Diegene is gestraft en naar huis gestuurd.' Ik vertelde Klein dat ik Alina twee dagen daarvoor had gesproken en dat ze had gezegd dat ze zeventien politiemensen had geïdentificeerd. 'Dat is dan een regelrechte leugen. Ik heb een document. Ze heeft geen zeventien politielui geïdentificeerd. Dat is volslagen onwaar.' Beschermt u die mensen, vroeg ik. 'Toe nou, een beetje serieus,' antwoordde hij verontwaardigd. 'Ik dacht dat u een serieuze journalist was.' Ik vroeg het kantoor van Klein om het document waarvan hij beweerde dat het zijn beeld van het interview bevestigde. Maar serieuze journalist of niet, dat document kreeg ik niet.

Het is het woord van een slachtoffer van mensensmokkel uit een dorpje in Roemenië tegenover dat van een van de hoogste functionarissen bij de Verenigde Naties. We zullen de waarheid ongetwijfeld nooit kennen. Ik legde het hoofd van de afdeling Mensenrechten van de vn-missie de vraag voor of zij verrast was dat Jacques Paul Klein zich op dat niveau met het onderzoek had bemoeid. 'Als je hem ernaar zou vragen, zou hij waarschijnlijk zeggen dat hij in eigen persoon wilde uitzoeken wat de waarheid was omtrent de betrokkenheid van de iptf bij mensenhandel,' zei Madeleine Rees. 'Maar dat verandert niets aan het feit dat je, als je zo'n hoge positie bekleedt, niet iemand gaat ondervragen die het slachtoffer is van mensenhandel, want zo iemand heeft steun en begeleiding nodig en is niet echt in de juiste conditie om op die manier een verklaring af te leggen. Het was een uitzonderlijke en totaal ongepaste actie.'

Ter verdediging van Klein moet ik wel zeggen dat hij tientallen politiemensen van de iptf naar huis heeft gestuurd vanwege betrokkenheid bij mensenhandel in Bosnië. Maar meer kon hij niet doen. Tijdens ons interview in Sarajevo legde hij uit wat de beperkingen waren van zijn macht. 'Ik voer hier een zerotolerancebeleid; ze worden meteen naar huis gestuurd. U of iemand anders kan mijn kantoor binnenlopen en de naam noemen van een politiefunctionaris waar dan ook die gebruikmaakt van de diensten van een prostituee, en die zal per omgaande worden ontslagen en naar huis gestuurd. Het probleem is dat geen land ter wereld, ook het uwe niet, de diplomatieke onschendbaarheid zal laten vallen. Zo eenvoudig ligt dat, dus dan gebeurt er verder niets. Wat u en ik allemaal kunnen bedenken over wat er hoort te worden gedaan, dat zal nooit gebeuren.'

Alsof hij wilde benadrukken dat de beruchte e-mail die Bolkovac haar baan had gekost wel degelijk relevant was, gebruikte Klein hier het woord 'prostituee'. Had Bolkovac gelijk? Begrepen hij en de meeste mannen die onder hem dienden dan eenvoudigweg niet het verschil tussen een vrouw die nee kan zeggen en een slachtoffer van mensenhandel? Klein weigerde Bolkovac te ontvangen, al vroeg ze meerdere malen om zijn hulp bij haar onderzoek. Hij weigerde haar te ontvangen toen ze bij hem aanklopte met het verzoek te voorkomen dat ze uit haar functie zou worden gezet.

Bolkovac vertrok uit Bosnië, en Klein stelde Célhia de Lavarène en haar STOP-team aan om het probleem aan te pakken en bordelen binnen te vallen. Zij zorgden voor de sluiting van ruim honderd bordelen en repatrieerden driehonderd meisjes.[2] En toch doet Madeleine Rees veel van dit soort acties af als puur vertoon, bestemd voor consumptie door het publiek, dramatische activiteiten die krantenkoppen opleveren om de indruk te wekken dat de VN dingen ondernemen om het probleem aan te pakken. Maar volgens haar is het een veel complexere situatie, die bovendien door de markt wordt gestuurd:

Mensenhandelaars zijn geen sukkels. Die gaan niet zitten wachten tot er een inval is in een bordeel. Natuurlijk niet. Er staat te veel geld op het spel. Ze zullen nog steeds die vrouwen de prostitutie in drijven, maar dan in andere omstandigheden, waar ze niet zo makkelijk kunnen worden vervolgd. In plaats van dat die vrouwen in een bar zitten, heb je tegenwoordig 06-nummers en worden de vrouwen afgeleverd bij een appartement, een hotel of een restaurant. Die restaurants worden niet als nachtclubs of bars beschouwd, maar er zijn tegenwoordig restaurants waar ze kamers op de bovenverdieping hebben en je een vrouw kunt kopen om mee naar boven te nemen.

STOP is dan misschien honderden bars en clubs binnengevallen, dat heeft maar weinig rechtszaken tegen bareigenaars opgeleverd.

In Bosnië[3] noch op de plek waar ze daarna te hulp werden geroepen, zijn fatsoenlijke strafmaatregelen getroffen tegen leden van de internationale vredesmacht.

Van Sarajevo ga ik naar Kosovo, waar zes jaar later dan in Bosnië oorlog uitbrak. In de hoofdstad Pristina is de helft van de bars in handen van een internationale organisatie. De rood-witte auto's van de internationale politiemacht worden door de plaatselijke bevolking 'Coca-Cola-auto's' genoemd. Op het hoogtepunt waren er 50.000 leden van de internationale vredesmacht in het land.[4] De Amerikanen zitten op een reusachtige basis, Bondsteel genaamd, inclusief bioscopen en pizza- en hamburgertenten om de mannen te troosten die zogenaamd tijdens hun vrije tijd zitten opgesloten op de basis. Dat neemt niet weg dat er ter plekke een kliniek is waar men zich kan laten behandelen tegen soa's (seksueel overdraagbare aandoeningen). Ik vraag de dienstdoend arts of er veel soa's in Bondsteel voorkomen. 'Het komt voor,' antwoordt hij. 'En die zijn dan hier opgelopen, terwijl de mannen hier gestationeerd waren?' 'Jawel, mevrouw,' zegt hij.

Ik verlaat Bondsteel en rijd rond in de stad. Er zijn in 2002 heel wat meer bars dan ik me herinner van toen ik hier tien jaar geleden tijdens de oorlog was. Het is niet bijster origineel als een journalist informatie vraagt aan een taxichauffeur, maar het is nu eenmaal zo dat die vaak een goede bron zijn. Vanaf de achterbank in de taxi vraag ik Bashkim welk van beide er het eerst was: de soldaten of de bars. 'De bars verschenen na de soldaten.' En breng je daar soldaten heen? 'Zo ongeveer om de avond,' antwoordt hij. 'Soms zijn ze in uniform, en soms verkleden ze zich bij mij in de auto, van hun legerspullen in burgerkleding. De mensen hier vinden het maar niks en denken dat het een slecht voorbeeld is voor onze jongeren, maar het zijn nu eenmaal soldaten, en die blijven niet op hun plek als er buiten de barakken ergens een nachtclub is.'

Daar heb je het weer: daar zijn het jongens voor. Toen de vredesmacht in Kosovo arriveerde, werden ze verwelkomd omdat ze de plaatselijke Albanese bevolking de broodnodige bescherming zouden bieden tegen aanvallen door de Serviërs die het er voor het zeggen hadden. Maar inmiddels begint de bevolking zich af te vragen of ze niet moeten worden beschermd tegen hun beschermers. Pristina is al ruim voorzien van alle attributen van een geoliede vrouwenhandelindustrie in de vorm van clubs, massagesalons en geheime huizen waar meisjes op zolderkamers gevangen worden gehouden.

Niet-gouvernementele organisaties die zich daar zorgen over maken, helpen meisjes die uit zulke tenten weten te ontsnappen en richten opvanghuizen in waar zij een veilig onderkomen vinden. In een van deze opvanghuizen ontmoet ik een meisje van veertien. Op het eerste gezicht lijkt Luljeta een doodgewone tiener, in jeans en een Minnie Mouse-sweatshirt en op gympen. Ze zit in de keuken aan tafel naast een vrouw van middelbare leeftijd die haar aanmoedigt te tekenen. Met een frons op haar voorhoofd van de concentratie kiest Luljeta uit een collectie kleurpotloden. Ik bekijk haar tekeningen. Op de eerste staat een klein meisje naast een auto, dan een naakt klein meisje, en daarna hetzelfde meisje dat nauwelijks te zien is, met mannen naast en op haar. 'Ze verkrachtten me de hele tijd,' zegt ze.

Haar verzorgster en therapeut Svedie gelooft dat tekenen een onderdeel is van het genezingsproces en vraagt Luljeta mij haar verhaal te vertellen. Een jaar geleden, toen ze dertien was, vertelt ze, 'liep ik over straat met een vriendinnetje, op weg naar school. Een vrouw hield me aan en vroeg of ik zin had om mee te komen en in een bar te werken om wat geld te verdienen. Ik zei nee, maar de vrouw dwong me mee te gaan. Ze nam me mee met de auto langs een stel controleposten met soldaten en toen naar een huis waar de soldaten waren. Ze gooide me zo naar binnen. Ik zei dat ik niet wilde, maar ze dwongen me. Ze sloegen me. Ik zei tegen de vrouw dat ik niet wilde, en zij sloeg me ook.'

Luljeta zegt dat ze wist dat het buitenlanders waren door de manier waarop ze praatten, en omdat ze hen in buitenlandse auto's had zien aankomen. Wat voor auto's, vraag ik. 'Rood-witte,' zegt ze. Svedie dringt er vriendelijk bij Luljeta op aan verder te gaan met tekenen, en ze neemt mij mee naar een andere kamer, buiten gehoorsafstand van het meisje. Ze vertelt dat diverse leden van de internationale vredesmacht en politie die in Kosovo jonge meisjes hebben verkracht naar huis zijn gestuurd. Maar zijn er ook lui bij die gestraft zijn, vraag ik. 'Nee, vanwege hun onschendbaarheid. Je kunt hier geen internationale soldaat of politieman arresteren, omdat ze hun onschendbaarheid hebben, die voor alle leden van de internationale gemeenschap geldt. Wat er ook gebeurt, ook als ze een minderjarige verkrachten, en zelfs als ze een moord plegen.'

Geen wonder dat de vrouwen die het wagen in opstand te komen wanhopig zijn. Kathy Bolkovac vond het geweldig om politievrouw te zijn, maar na haar rechtszaak en de slechte naam die ze kreeg door haar boek en haar film is ze nooit meer aan de bak gekomen. 'Het is een kleine gemeenschap,' zegt ze, 'en ik ben berucht.' Tegenwoordig heeft ze een kantoorbaan bij een internationaal veilinghuis. 'Wat zal ik zeggen? Ik heb mijn best gedaan. Ik heb hard gewerkt en kan alleen maar hopen dat er ooit verandering komt.' Maar erg hoopvol gestemd is ze niet.

Célhia de Lavarène en haar STOP-team werkten nog twee jaar op de Balkan, eerst in Bosnië, daarna in Kosovo. Ze deden invallen in honderden bars en clubs, zorgden dat die werden gesloten, en hielpen menige jonge vrouw met begeleiding, repatriëring en herstel. Na de Balkan werd ze voor hetzelfde ingezet toen de mensen van de VN naar Liberia trokken en daar de vrouwenhandel uit Azië en Noord-Afrika op gang kwam, en, net als op de Balkan, uit de armste landen van Oost-Europa, om tegemoet te komen aan de behoeften van de vredesmacht.

Een van haar eerste taken in Liberia was om dertig meisjes in veiligheid te brengen die uit Oost-Europa naar Liberia waren gehaald voor buitenlanders die wel prostituees wilden, maar weigerden met Afrikaanse vrouwen naar bed te gaan. Die vroegen om wit vlees. Ook in Liberia kwam ze tot de gruwelijke ontdekking hoe wijdvertakt de handel was. Leden van de VN-vredesmacht eisten de invoer van blanke meisjes uit Roemenië en Moldavië, en intussen 'hebben we vernomen dat er vrouwen van Liberia naar Londen worden verscheept. Iemand in Londen belde me op om te vertellen dat er Liberiaanse meisjes werden verhandeld,' zegt Célhia.[5]

Ik hou contact met Célhia, en zo'n twaalf jaar nadat we samen in Sarajevo op bordeeljacht gingen, zien we elkaar weer. Tijdens een lunch in een restaurant in Spanje vertelt ze me dat de situatie in Liberia vrijwel dezelfde is als we op de Balkan hebben gezien. 'De paspoorten van de meisjes worden ingenomen, ze worden in een kamer opgesloten, verkracht, verdoofd, geslagen en gedwongen zichzelf te prostitueren, en dat allemaal met dezelfde overbekende klantenkring: de zogenaamde vredesmacht.'

Ze schiet vol als ze een veertienjarig meisje uit Sierra Leone beschrijft dat werd ontvoerd toen ze op een dag van school naar huis liep, en dat verkocht werd als seksslaaf in Freetown in Liberia. Ze zag kans het meisje in veiligheid te brengen en naar huis te sturen. Ze leerde het meisje goed kennen toen ze in het opvanghuis van STOP zat. Het was volgens haar een van de hartverscheurendste gevallen die ze ooit is tegengekomen. Maar haar missie in Liberia loopt ten einde. 'Ik ga echt niet zeggen dat we succes hebben geboekt,' zegt ze. 'Misschien dat de vrouwenhandel even is opgeschort, maar zodra ik vertrek, zullen de handelaars erachter komen dat ik weg ben, vrees ik.' Célhia de Lavarène heeft daarna voor de VN in Cambodja en in Oost-Timor gezeten. 'Er zal altijd wat te doen blijven voor ons,' zegt ze treurig.

8

Van Kashmir tot Bradford

GEDWONGEN HUWELIJKEN

Ik was opgetogen, want als we de zomervakantie in Pakistan doorbrachten kocht mama altijd een nieuwe *salwar kameez* en sandalen voor mij, mijn jongere zusje en mijn twee broers. Op het vliegveld van Islamabad stonden al onze ooms om ons af te halen. We gingen naar de stad Mirpur en logeerden daarna op de boerderij van mijn oom en tante. Zij hadden een zoon van een jaar of twintig. Hij was een magere slungel met een kromme rug. Ik vond hem lelijk. Zijn gezicht zat vol puisten en hij had boze groene ogen, die me bang maakten. Als er niemand in de buurt was, begon hij altijd tegen me te kletsen. Ondanks mijn angst probeerde ik aardig te doen, want ik was te gast en hij was een neef van me. Ik was vijftien. Na de middelbare school zou ik naar de universiteit gaan. Hij zei dat we binnenkort zouden gaan trouwen. Dat nam ik niet serieus, want er werd gezegd dat hij niet helemaal goed bij was. Nu is hij mijn man.

Nazish is ondergedoken in Islamabad. Ze zit op de bank met de gordijnen gesloten tegen opdringerige blikken van de buren. Ze is mooi, maar mager. Al kettingrokend probeert ze haar zenuwen de baas te blijven. Zoals zoveel jonge Pakistanen in het Verenigd Koninkrijk groeide ze op met onverzoenlijke tegenstellingen van twee culturen. 'Mijn ouders waren streng. We moesten respect hebben voor iedereen die ouder was. Mannen maakten de dienst uit. Zelfs mijn broers moest ik gehoorzamen. Ik begreep niet dat mijn vrienden 's zaterdags gingen winkelen. Ik mocht dat niet. Ik moest met mijn moeder en mijn broer mee. Als ik een vriendin tegenkwam of een jongen van school, schaamde ik me dood.'

Ze moest een hoofddoekje en een losse sjaal over haar hoofd dragen. 'Elke morgen verstopte ik mijn hoofddoek in het schuurtje achter het huis en pakte daar mijn make-up en mijn schoolmap, die ik had volgeplakt met plaatjes van popsterren en acteurs. Ik wilde niet anders zijn dan andere kinderen.' Ze deed eindexamen en werkte hard om hoge cijfers te halen. 'Alles ging goed, totdat op een dag bij ons thuis de telefoon ging en een jongen naar mij vroeg. Mijn ouders luisterden altijd mee als ik telefoneerde en ze waren ervan overtuigd dat ik iets met die jongen had.' Uit angst dat ze zou ontsporen namen haar ouders haar mee naar Pakistan. Voor de trouwerij van een neef, zeiden ze. Pas toen ze daar was, hoorde ze wie de bruid was. Zij.

'Tijdens de ceremonie hield mijn moeder mijn ene arm vast en mijn oma de andere. Ze deden me pijn en zeiden dat het opa's dood zou worden als ik niet meewerkte. Met zijn zwakke hart zou hij sterven van schaamte, zeiden ze.' Zo werd Nazish gedwongen te trouwen met haar neef, de boosaardige jongen van vroeger. Hij sprak geen Engels en kon lezen noch schrijven. 'In plaats van te werken keek hij de hele dag pornofilms met zijn vrienden. Als hij terugkwam, dwong hij mij te doen wat hij in die films had gezien. Hij bedreef niet de liefde met me, hij verkrachtte me. Ik klemde me vast aan de zijkanten van de matras en wachtte tot het voorbij was. Alle keren dat hij in me is geweest, was het verkrachting.'

Haar schoonmoeder was een boosaardige tante. 'Ze bepaalde dat haar slimme schoondochter uit Engeland nu op de boerderij moest werken. Ik moest voor de buffels zorgen. Wat wist ik nou van buffels! Ik maakte 's ochtends het huis schoon, deed de afwas en de was, veegde het erf, ruimde de mest van de dieren op en maakte dan de lunch klaar. Ze koken daar nog boven een open vuur. Dat had ik nog nooit gedaan. Ik wist niet eens hoe ik een vuur moest maken. Binnen de kortste keren zat ik onder de brandwonden. En mijn schoonmoeder maar schreeuwen tegen me.'

Nazish huilt als ze vertelt over het bezoek van haar vader:

Het was een jaar na de bruiloft. Ik was vijf maanden zwanger. Hij kwam uit Bradford met het vliegtuig. Hij liep het erf op waar ik bezig was met de buffels, mijn handen en armen vol brandwonden. Ik zag er niet uit. Ik was niet in bad geweest en mijn kleren hingen als smerige vodden om me heen. Vaak waste ik me dagenlang niet. Ik borstelde mijn haar niet en ik poetste mijn tanden niet, in de hoop dat mijn man uit mijn buurt zou blijven. Mijn vader schrok zich rot. Ik zei niets, maar hij zag aan mijn blik wat ik dacht: ken je me nog? Je dochter die arts zou worden? Mijn vaders ontsteltenis duurde niet lang. Het gaat bij ons allemaal over de eer van de familie, en hij had zijn bijdrage geleverd.

Een jaar na de geboorte van haar zoon zag Nazish kans om te ontsnappen. Van het platteland van Mirpur vluchtte ze naar Islamabad, waar ze gelukkig een baan vond als kindermeisje en lerares Engels bij een welgestelde familie. Ze leidde een rustig leven in de personeelsverblijven van het bewaakte familieterrein.

Na het interview met Nazish in Islamabad rijd ik twee uur in zuidoostelijke richting naar Mirpur in het Pakistaanse deel van Kashmir, samen met cameraman Ian O'Reilly en Razia Sodagar uit Bradford. We maken voor *Newsnight* een documentaire over gedwongen huwelijken. Razia is een activiste. Ze voert campagne tegen gedwongen huwelijken en zal ons helpen. We blijven een paar dagen in de stad, waar we niet onopgemerkt blijven. We zijn blank, hebben filmapparatuur bij ons en we interviewen politiemensen en journalisten over de honderden Britse meisjes die jaarlijks naar Mirpur worden gevlogen en daar tegen hun wil worden vastgehouden om te trouwen met een man die ze nog nooit hebben ontmoet en met wie ze niets gemeenschappelijks hebben.[1] Dat er over ons gepraat wordt, merk ik als de receptie van ons Hotel Jabeer in Mirpur me een roze briefje overhandigt. Het is gericht 'aan de BBC die in Mirpur verblijft' en luidt simpelweg: 'Ik heb hulp nodig. Komt u alstublieft morgen langs. Ik zal proberen alleen te zijn. Koheema', gevolgd door een adres.

Op ons balkon overleggen we hoe we op het briefje zullen reageren. Ik kijk uit over de hoofdstraat van Mirpur. Er is geen vrouw te zien. In deze mannenwereld zitten de vrouwen achter gesloten deuren. In de straat zie ik mannen met kamelen, geiten en glimmende nieuwe suv's. In de fraaie gebouwen zijn banken gevestigd, die snelle overboekingen naar en uit het buitenland beloven. De reisbureaus zijn talrijk. Kennelijk is er druk reisverkeer tussen Mirpur en Bradford, want zelfs British Airways heeft hier een kantoor. Ik herinner me het accent van West-Yorkshire in de rij voor het postkantoor, waar internationaal getelefoneerd kan worden.

De banden tussen Mirpur en het Verenigd Koninkrijk gaan terug tot de jaren vijftig, toen na de aanleg van de Mangla-dam een grote strook landbouwgrond in de regio Mirpur overstroomde. De overheid keerde een schadevergoeding uit aan mensen van wie hun huis verloren was gegaan. In West-Yorkshire werd personeel gezocht voor de textielindustrie en veel mensen gebruikten de vergoeding om vliegtickets te kopen voor mannen die Mirpur verlieten om in het Verenigd Koninkrijk te gaan wonen. Maar voor wat hoort wat, en zo gaan de dochters van de nieuwe Britten naar de in Mirpur achtergebleven en verder uitgedijde families, zodat hun zoons ook kunnen emigreren.

We zijn het erover eens dat we moeten proberen om Koheema te ontmoeten. Razia gaat met me mee. Ik ken haar al een tijdje en heb gezien hoe ze op ministers en lokale afgevaardigden in het parlement af stapt om haar mening te geven over de manier waarop de Britse overheid gedwongen huwelijken faciliteert. Ik heb alle vertrouwen in haar, maar voor de zekerheid laten we de chauffeur voor het huis op ons wachten, zodat we in geval van nood onmiddellijk weg kunnen rijden.

We gaan naar binnen. Tot onze ontzetting scharrelen er een heleboel vrouwen in het huis rond. Razia zegt dat ze voor Koheema komt. Ze stelt zich voor als een schoolvriendin uit Bradford en mij als een vriendin van de familie. We krijgen Koheema niet alleen te spreken. Haar moeder zit naast haar op de bank met beide handen als een bankschroef om haar dochters arm. Razia vertelt de groep smakelijke verhalen uit hun zogenaamde gezamenlijke verleden en zegt dan: 'Maar Koheema, waar zijn je Engelse manieren gebleven? Waar blijft de thee?' De moeder laat los en de twee jonge vrouwen en ik verdwijnen naar de keuken.

In ademloze flarden en met nerveuze blikken naar de deur doet Koheema fluisterend haar verhaal. Ze studeert medicijnen aan Bradford University en is meegenomen naar Pakistan met de smoes dat haar nicht zou gaan trouwen. Koheema wil apotheker worden, maar haar ouders willen dat ze stopt met haar universitaire studie. Ze vinden dat Koheema beïnvloed wordt door haar losbandige Engelse medestudenten en zijn bang dat ze zich straks helemaal aan het ouderlijk gezag zal onttrekken.

Toen ze in Mirpur aankwamen, ontdekte Koheema dat de familie de trouwerij niet voor haar nicht organiseerde, maar voor haar. Ze heeft een vriendje in Engeland en weigerde om mee te werken, maar werd net zo lang geslagen tot ze zich onderwierp en deelnam aan de trouwceremonie. Nu wordt van haar verwacht dat ze voor haar man een verblijfsvergunning aanvraagt voor het Verenigd Koninkrijk. 'Wil je dat wij je helpen?' vraag ik. 'Ja, alsjeblieft,' zegt ze met wanhoop in haar stem. 'Hoe zouden je ouders reageren als ze wisten dat je hierover met ons praat?' 'Dan vermoorden ze me,' zegt ze. Bij het weggaan zien we in de voorkamer wapens liggen.

Koheema's verhaal staat niet op zichzelf. Waar in Pakistan we ook komen, overal vertellen vrouwen een soortgelijk verhaal tijdens stiekeme ontmoetingen die Razia en onze Pakistaanse fixer Homaira voor ons regelen. Een medewerker van Buitenlandse Zaken bevestigt dat continu honderden meisjes in deze situatie verkeren en ergens tussen het Verenigd Koninkrijk en Pakistan in hangen. De meisjes worden tegen hun wil vastgehouden, bedreigd en geslagen, om te eindigen in een ongewenst huwelijk met een man van wie ze niets moeten hebben.

De vraag is hoe we Koheema kunnen bevrijden. We gaan naar het politiebureau, lopen langs overvolle cellen naar het kantoor van commissaris Karishi. Hij vertelt dat de politie van West-Yorkshire een jaar eerder bij hen op bezoek is geweest en dat ze het goed met elkaar konden vinden. Is er overleg geweest over gedwongen huwelijken, vraag ik. 'Dat stond niet op het programma,' antwoordt hij. Ik vertel hem over Koheema, zonder haar naam te noemen, en dat zij vreest voor haar leven. Hij zegt dat hij een vrouw alleen maar kan helpen als een mannelijk gezinslid hem vraagt om haar in preventieve hechtenis te nemen.

Op het politiebureau heerst een vijandige en vrouwonvriendelijke sfeer. Geen wonder dat niemand de politie om hulp vraagt. Hechtenis betekent hier verkracht worden. Ik denk aan een eerdere filmreportage in Pakistan. Na een slopende dag gingen fixer Homaira en ik nog even wat drinken. Terwijl ik whisky in van plastic flessen gemaakte bekers schonk, vroeg ik: 'Wat gebeurt er als iemand ons hier in de hotelkamer betrapt op het drinken van alcohol?' 'O, dat is heel simpel,' zei ze. 'We worden naar het politiebureau gebracht en verkracht. Daarna worden we naar de gevangenis overgebracht en verkracht. Daarna word jij vrijgelaten en mag ik maandenlang in de gevangenis wachten tot de zaak voorkomt, terwijl ik steeds opnieuw word verkracht.'

Van de politie hoeven we niets te verwachten. We roepen de hulp in van een mensenrechtenactivist die zijn kantoor deelt met de lokale krant van Mirpur. Hij zegt dat hij jonge vrouwen uit West-Yorkshire wil helpen als ze zich verweren tegen de dwang van hun familie. Hij laat de honderden dossiers zien van vrouwen die zich tot hem hebben gewend voor hulp. 'Maar wat kan ik doen? Als de politie niet helpt, wie dan wel? Waarom doet de Britse overheid hier niets aan? Deze meisjes hebben een Brits paspoort. Hun overheid zou hen moeten steunen. Er zou hier in Mirpur een adres moeten zijn waar ze terechtkunnen voor hulp.'

Van de Britse afgezanten in Pakistan heb ik geen hoge pet meer op sinds Nazish me dit verhaal vertelde:

Toen ik er helemaal doorheen zat en dringend hulp nodig had, wendde ik me tot het Britse Hoge Commissariaat. Ik was zwanger en bang de baby te verliezen doordat ik mishandeld en verkracht werd. Ik wist dat zij er waren om me te helpen en was opgelucht toen ik die geruststellende Britse stem aan de andere kant hoorde: 'Waarmee kan ik u van dienst zijn?' Ik zei: 'Ik ben er slecht aan toe, ik ben bang en ik heb hulp nodig.' Hij vroeg mijn naam, en die gaf ik hem. 'Maar u bent Pakistaanse,' zei hij. 'Uw naam is Pakistaans.' 'Ik heb een Brits paspoort,' zei ik. 'Sorry,' zei hij, 'wij kunnen u niet helpen.' En hij hing op. Het was een klap in mijn gezicht. Ik kreeg een inzinking.

Toen ik Mark Kettle, plaatsvervangend hoofd van de consulaire afdeling, confronteerde met dit verhaal, was hij duidelijk in verlegenheid gebracht. Dit is een probleem voor mensen met een dubbele nationaliteit, erkende hij. Volgens de Pakistaanse wet wordt een Britse vrouw van Pakistaanse afkomst wanneer ze in Pakistan is beschouwd als een Pakistaanse. 'Wij kunnen haar niet ophalen,' zei hij. De Britse overheid kan een vrouw alleen helpen als ze naar het Hoge Commissariaat komt, een stukje Britse grond achter een hek met prikkeldraad in de diplomatieke enclave in Islamabad. Buiten stond een massa mensen te wachten, die door bewakers steeds weer in een nette rij werden gedreven. Alleen al in die rij staan kan gevaarlijk zijn, hadden twee meisjes uit Bradford een jaar daarvoor ontdekt. Met een gedwongen huwelijk in het vooruitzicht vluchtten zij van Mirpur naar Islamabad, wat hun met de bus drie uur kostte. Niet lang nadat ze hadden aangesloten in de rij, zagen ze de oom aankomen die had gedreigd hen te zullen vermoorden. Hij had een bewaker bij het Hoge Commissariaat omgekocht om hem te waarschuwen als de meisjes kwamen opdagen, en hij had een mes bij zich. De meisjes konden ternauwernood ontsnappen. Uiteindelijk werden ze veilig naar het Verenigd Koninkrijk gebracht. De bewaker werd ontslagen.

Ik vraag Mark Kettle of Pakistaans-Britse meisjes, als ze kans zien om bij het commissariaat te komen, gerepatrieerd worden naar het Verenigd Koninkrijk. 'Ja,' zegt hij, 'dat doen we.' Het probleem is dus: hoe krijgen we Koheema in Islamabad? De altijd vindingrijke Razia Sodagar regelt iemand die contact opneemt met Koheema. Zij zegt de familie dat Koheema naar het Hoge Commissariaat moet komen om de papieren te regelen voor haar echtgenoot. Alles wordt in orde gebracht. De vlucht is geboekt, er is een onderduikadres geregeld en iedereen weet dat ze behoedzaam moeten zijn en geen argwaan mogen wekken.

De familie arriveert met de aanvraagformulieren in de hand. We stellen hen voor aan Kettle. Hij begroet hen en vraagt of hij Koheema even onder vier ogen kan spreken. De ouders kijken verbaasd en achterdochtig, maar de omgeving is te intimiderend om nee te zeggen en er staat te veel op het spel. Wanneer hij met Koheema in de spreekkamer is, legt Kettle uit dat ze haar meteen veilig het land uit kunnen brengen. Hij vertelt over het netwerk van blijfhuizen in het Verenigd Koninkrijk voor Aziatische vrouwen die in dezelfde situatie zitten. Koheema weigert het aanbod. Kettle vraagt me binnen, zodat Koheema het zelf kan uitleggen. 'Ik ben dankbaar voor al uw hulp, maar ik heb besloten te blijven. Ik ben al vaker weggelopen. Ze hebben me altijd teruggevonden en vervolgens mishandeld. Had ik maar een plek gehad om naartoe te gaan voordat het huwelijk geregeld werd. Dan zou ik zijn weggelopen. Nu is het te laat. Ik ben uitgehuwelijkt. Ze zullen me nooit loslaten. Al moet het twee of drie jaar duren, ze zullen me vinden om me te vermoorden.'

Waarschijnlijk heeft ze gelijk. Nazish kwam een paar jaar later terug naar het Verenigd Koninkrijk nadat we haar in Islamabad hadden geholpen, maar zij vreest nog altijd voor haar leven. Ik zocht haar op in het dorp waar ze met haar zesjarige zoon woont. Ze ziet er gezond en blij uit – ze is wat aangekomen en heeft een nieuwe levenspartner –, maar ze mist Bradford en haar vrienden van toen. 'Ik kan daar nooit meer naartoe,' zegt ze. 'Binnen een paar minuten weet mijn familie dat ik terug ben. Ze zullen me meteen opzoeken en vermoorden.' Om zichzelf moeilijker vindbaar te maken, heeft ze de achternaam van haar partner aangenomen, al kan ze zonder scheiding nooit met hem trouwen. De uitkeringsinstantie weigert haar kinderbijslag uit te keren omdat ze een valse naam gebruikt. 'Realiseren ze zich niet dat de mensen die achter mij aan zitten slim zijn en overal spionnen hebben? Als ik mijn echte naam gebruik, hebben ze me zo gevonden.' Ik schrijf voor haar een brief aan de uitkeringsinstantie, waarin ik vertel dat ik me in haar zaak heb verdiept, uitleg waarom ze voor haar leven moet vrezen en waarom ze niet anders kan dan een pseudoniem gebruiken. Het helpt. Ze ontvangt nu kinderbijslag.

Families uit Zuid-Azië zetten vaak alle middelen in om een weggelopen vrouw terug te vinden. Zelfs voor een premiejager deinzen ze niet terug.[3] Vandaar dat dit een lucratief baantje is in Londen, West-Yorkshire en de West-Midlands. Ik zoek contact met een premiejager in Bradford. Op voorwaarde van anonimiteit stemt hij in met een interview. We hebben afgesproken in een vrij donker kelderrestaurant in Bradford, maar Tahir blijft zenuwachtig om zich heen kijken. 'Ik kan het me niet veroorloven om met u gezien te worden,' verklaart hij. Hij stelt voor dat we in zijn auto stappen en met elkaar praten terwijl hij rijdt.

Terwijl de auto door de donkere straten van Bradford glijdt, begint hij te vertellen. 'Ik gebruik verschillende methoden om meisjes op te sporen. Ik praat veel met winkeliers en taxichauffeurs. Vaak weten zij waar een meisje veel komt en wat voor werk ze doet. Als ik een meisje vind, is ze meestal heel bang. Ik zeg dan: "Loop niet weg voor je probleem. Kijk het in de ogen!" Ik vertel de familie nooit waar ze woont of werkt. Dat veroorzaakt alleen maar toestanden. Als ze de ouders wil zien, regel ik een ontmoeting op een neutrale plek, bijvoorbeeld een café in het centrum van de stad.' Ik vraag hem hoeveel hij betaald krijgt. 'Dat kan ik niet zeggen. Ik zie mezelf als een mediator. Zo vond ik eens een meisje van wie de vader had gezegd dat hij haar zou vermoorden. Ik heb ervoor gezorgd dat hij dat niet deed toen ik haar thuisbracht.' Hij vertelt van een andere zaak:

Een ander geval betrof een zeventienjarig meisje. Haar ouders wilden haar naar Pakistan brengen om met een vijfendertigjarige neef te trouwen. Ze liep van huis weg en de ouders deden een beroep op mij. Ik vond het meisje en zei tegen haar: 'Als ze je toch dwingen om mee te gaan naar Pakistan, vertel het dan aan de beveiliging op het vliegveld.' We gingen bij elkaar zitten voor een gesprek. Ik zei tegen de vader dat zijn dochter niet uitgehuwelijkt wilde worden. Hij zei: 'Ik heb u ingehuurd en betaald. Vanaf hier neem ik het over.' Ik zei: 'Ze is uw dochter, niet uw vijand. Waarom dwingt u haar te trouwen met een familielid dat oud genoeg is om haar vader te zijn?' Toen ik wegging, zei ik tegen het meisje dat ze me kon bellen als er iets was. Een paar maanden later belde ze. De vader was een reis naar Pakistan aan het regelen. Ik zei dat ze haar paspoort aan de politie moest geven. Dat deed ze. Na een tijdje gaf de vader het op. Ze heeft de opleiding gedaan die ze graag wilde en is getrouwd met de jongen van haar keuze.

Betreffen al zijn zaken gedwongen uithuwelijking, vraag ik. 'Ja, vrijwel alle gevallen,' zegt hij. 'Kijk, ik ben tegen gedwongen huwelijken. Ik weet dat ouders bereid zijn hun dochter te vermoorden als ze hun niet gehoorzaamt. Helaas heb ik maar al te vaak een tragische afloop meegemaakt. Aan de andere kant ben ik het niet eens met de handelwijze van de politie in dit soort zaken en vind ik de blijfhuizen geen oplossing. De politie brengt een meisje naar een onderduikadres en daarmee is voor hen de kous af. Bemiddeling is er niet bij. De politie begrijpt niet hoe het werkt. In een Aziatische gemeenschap werkt het anders dan in de Engelse. Wij gaan samen zitten en praten onze problemen uit.'

Het wordt al laat, de pubs lopen leeg. We hebben nu zo vaak hetzelfde rondje gereden dat de meisjes van de nacht beginnen te denken dat we iets willen en naar de auto komen met aanbiedingen. Tahir rijdt de parkeerplaats van ons hotel op. In de tijd dat hij met ons sprak is zijn mobiele telefoon volgelopen met berichtjes. Hij moet verder. Bij het afscheid vraag ik of hij zijn werk leuk vindt. 'Het wordt me te veel,' zegt hij. 'De ene dag rij ik helemaal naar het noorden, de andere dag moet ik in het zuiden zijn. Er is veel werk en er zijn onvoldoende mensen met de benodigde capaciteiten. De enige oplossing zou zijn dat de overheid op Aziatische leest geschoeide bemiddelingsbureaus zou opzetten.'

De volgende dag is het vrijdag, de dag van het gebed. Ik wil weten of meer mannen zo gematigd en verzoenend van opvatting zijn als Tahir, of dat de meesten toch vinden dat vrouwen onder hun controle moeten staan en onder dwang uitgehuwelijkt kunnen worden. Om mannen te kunnen interviewen bij het verlaten van de moskee zet Ian O'Reilly zijn camera op de stoep bij de ingang en wacht ik met een microfoon in mijn hand tot ze naar buiten komen. Ik heb amper een vraag gesteld of een bebaarde man in salwar kameez en topi komt op Ian af en zegt: 'Weg met die camera, of ik schop hem weg!' We gaan niet tegen hem in.

Het lijkt veiliger om een afspraak te maken met dr. Ghayasuddin Siddiqui, voorzitter van het Britse islamitische parlement. Ik vraag hem of de islamitische wet gedwongen huwelijken toestaat. 'Nee, beslist niet,' antwoordt hij. 'In de islam is een huwelijk een sociale overeenkomst die alleen gesloten kan worden met instemming van beide partijen. Zonder wederzijdse instemming is een huwelijk niets waard. Elke seksuele omgang binnen een gedwongen huwelijk is verkrachting. Wat hier gebeurt is dat culturele gebruiken worden meegebracht uit de landelijke gebieden van het subcontinent. Het is geen religieus gebruik.'

En hoe zit het met de controle die mannen over vrouwen willen uitoefenen? Ik heb jonge mannen uit West-Yorkshire zo vaak horen zeggen dat ze zich slechts houden aan wat de Koran voorschrijft. 'De Koran geeft niemand deze autoriteit. Wat er gebeurt is dat jonge mannen overnemen wat hun ouders doen en wat imams zeggen. Ze denken dat dit uit de Koran komt. De meerderheid van onze imams is afkomstig uit landelijke gebieden van Pakistan. Ze worden hiernaartoe gebracht om hun vroomheid, meer dan om hun geleerdheid. Ze onderwijzen en herhalen wat ze zelf hebben geleerd van hun ouders en voorvaders. Zo wordt de traditie voortgezet.'

Het is het bekende verhaal in het Verenigd Koninkrijk. Degenen die de Britse moslims zeggen te vertegenwoordigen, zoals dr. Siddiqui, schudden vol afschuw hun hoofd over het soort preken dat lokale imams in Britse moskeeën geven over gedwongen huwelijken en jihadisme. 'Zij vertegenwoordigen niet de meerderheid.' 'Ze dragen niet de islamitische gedachte uit.' 'Ze interpreteren de Koran verkeerd.' Met hoeveel wanhopige gebaren ze het ook zeggen, de boodschap lijkt niet aan te komen bij de grotendeels uit Mirpur afkomstige Pakistanen in Bradford. Vooralsnog is er geen enkele vorm van controle of vervolging van imams die onderdrukking of geweld prediken.

De politie van West-Yorkshire geeft toe dat ze wordt overspoeld door meldingen die te maken hebben met gedwongen uithuwelijking. Jaarlijks krijgt ze honderden telefoontjes van meisjes die hulp nodig hebben. De blijfhuizen die hen moeten verbergen en beschermen barsten uit hun voegen. Ik loop een dag mee met Philip Balmforth, contactpersoon voor de gemeenschap, probleemoplosser en ridder voor veel Aziatische vrouwen. 'Vorig jaar had ik driehonderd gevallen, dit jaar heb ik er ook al driehonderd en het is pas juli. Volgend jaar zullen het er meer dan duizend zijn,' voorspelt hij, terwijl we met zijn politie-Range-Rover door de straten van Bradford rijden.

Hij krijgt een telefoontje van een vrouw die Samira heet. Hij is al eerder bij haar thuis geweest wegens huiselijk geweld. Haar stem klinkt alsof ze totaal over haar toeren is. Ze zegt dat de man met wie ze onder dwang is getrouwd haar weer slaat. 'Hij is net weggegaan. Komt u me alstublieft halen!' Balmforth keert onmiddellijk en rijdt naar een rijtjeshuis in Noord-Bradford. Al voordat hij kan aanbellen doet Samira open. Ze kijkt bang. Met een vinger voor haar lippen vraagt ze Balmforth meteen weer te gaan. Haar man is terug en hij zal haar zeker weer slaan als hij ontdekt dat ze contact heeft met de politie.

'We kunnen pas ingrijpen wanneer vrouwen dat willen,' vertelt hij bij het wegrijden. 'Achter dichte deuren is veel ellende gaande, maar we kunnen het niet weten voordat er een beroep op ons wordt gedaan. Ik ben bang dat meer en meer meisjes en vrouwen in de problemen komen.' Wanneer hij een vrouw uit huis helpt, brengt hij haar naar een blijfhuis ergens in Groot-Brittannië. Zelfs als ze is ondergedoken wordt een vrouw vaak nog bedreigd door boze familieleden die wraak willen nemen. Daarom wordt een vrouw uit Bradford altijd naar een andere plaats, bijvoorbeeld Leicester, gebracht. In een blijfhuis in Bradford logeren vrouwen uit andere plaatsen, zoals Birmingham.

Het blijfhuis in Bradford doet me denken aan een meisjeskostschool of klooster. Het is gevestigd in een lommerrijke buitenwijk, omgeven door een hoge muur, en aan de deur staat een bewaker. Iedere vrouw heeft haar eigen kamer; daarnaast zijn er gemeenschappelijke ruimtes. In een kleine zitkamer stelt Ian de camera op, zodat ik Fozia kan interviewen. Het is het bekende verhaal. 'Ik was verliefd op iemand uit Bradford toen ze me meenamen naar Pakistan. De hele bruiloft door heb ik gehuild. Hij gaf niet om mij. Door te trouwen kon hij naar het Verenigd Koninkrijk komen, daar ging het om. Hij was een slechte echtgenoot en vader. Om het minste of geringste sloeg hij me. Bijvoorbeeld als er niet genoeg zout in de chapati's zat.'

De deur gaat open en een vrouw wil de kamer in lopen. Ze schrikt van de camera. 'Haal dat ding weg!' zegt ze, en ze begint te gillen. Iemand van het personeel komt binnen en we nemen haar mee naar de kamer ernaast. De vrouw is helemaal over haar toeren. 'Je gaat ons toch niet filmen?!' schreeuwt ze. 'Als ik word herkend of iemand hier noemt mijn naam, komt mijn man me halen.' Ze barst in huilen uit. Ik leg rustig en vriendelijk uit dat de lens van de camera op Fozia was gericht, dat zij niet in beeld is geweest en dat er op geen enkele manier naar haar wordt verwezen. Ze beeft van angst en het duurt even voordat we haar overtuigd hebben. De rust in het blijfhuis keert terug.

De stemming onder de vrouwen is gelaten en berustend. Vaak is hun situatie uitzichtloos. De angst voor hun familie is zo groot dat ze hier soms tientallen jaren wonen. Zelfs al wonen ze nu honderden kilometers van hun oude huis, de meesten zijn te bang om naar buiten te gaan voor een boodschap of om samen ergens koffie te gaan drinken. Hoe goed ze het hier binnen ook hebben, ze zijn in feite gevangenen.

Rozia Sodagar acht de Britse overheid verantwoordelijk voor de uit de hand gelopen situatie. We ontmoeten elkaar weer in Bradford, waar ze wekelijks vergadert met de actiegroep Our Voice. Ze vindt het goed dat we filmen, al wil de helft van de vrouwen niet met haar gezicht in beeld komen. Een van hen vertelt me dat haar broer haar in elkaar zou slaan als hij ontdekte dat ze naar dergelijke bijeenkomsten ging. Voor een kennelijk nogal provocatieve actiegroep is de toon bijzonder gematigd. 'Wij zijn niet tegen een gearrangeerd huwelijk,' zegt Razia, 'en we zijn niet tegen de islam. We voeren alleen maar campagne tegen gedwongen huwelijken en tegen de immigratiewet die deze puinhoop heeft veroorzaakt.'

In 1997 schrapte de nieuw aangetreden Labour-regering het artikel over het primaire verblijfsdoel uit de immigratiewet, omdat het racistisch zou zijn en gezinsvorming tegenhield.[3] Tot dan toe was 'primair verblijfsdoel' een belangrijk artikel in de Britse immigratiewet. Het gaf medewerkers van de immigratiedienst de mogelijkheid om de aanvraag voor een verblijfsvergunning af te wijzen als het vermoeden bestond dat een huwelijk uitsluitend gesloten was om die vergunning te verkrijgen. Labour-partijleden hebben voor de verkiezingen in Oost-Londen, de West-Midlands en West-Yorkshire campagne gevoerd voor de afschaffing van dit artikel, waarmee ze veel bijval oogstten onder de mannelijke leden van Brits-Aziatische organisaties. Het resultaat was een enorme toename van het aantal gedwongen huwelijken.[4]

'Onzin!' zegt Razia als ik opmerk dat de Labour-partij dit artikel racistisch en anti-gezin vond:

Een echtgenoot uit India, Pakistan en Bangladesh hiernaartoe halen is niet zomaar iets. We moeten werk hebben, we moeten een huis hebben, we moeten belastingen betalen. Ook wanneer de echtgenoot hier eenmaal is, moeten we blijven werken, omdat hij meestal geen Engels spreekt en geen baan kan vinden. Maar het zou verboden moeten worden dat echtgenoten, wanneer ze hun verblijfsvergunning hebben, teruggaan naar hun land van herkomst om opnieuw te trouwen – misschien met het meisje waarmee ze wilden trouwen voordat hun ouders een huwelijk arrangeerden. Ze verlaten ons, gaan scheiden en vragen een verblijfsvergunning voor hun nieuwe vrouw aan, soms tot twee, drie keer aan toe!

We zitten op een bank in Bowling Park in Bradford. Razia praat harder naarmate haar verontwaardiging stijgt. Mensen die langslopen kijken verbaasd. 'Zie je wel,' zegt Razia. 'Mensen zijn niet gewend de stem van een Aziatische vrouw te horen. In de Britse Aziatische gemeenschap wordt alleen naar de mannen geluisterd. Wij vrouwen worden gebruikt en misbruikt, en we mogen niets zeggen. Veel vrouwen hebben het lef niet om te zeggen: "Luister naar ons!" Ze houden hun mond en lijden in stilte. Ze laten het oplossen van problemen aan de mannen over. Maar als er problemen ontstaan, zijn het de vrouwen die daarvan te lijden hebben, niet de mannen.'

We rijden naar een bijeenkomst in een school in Keighley waar de Labour-minister van Immigratie van dat moment, Mike O'-Brien, met een honderdtal leiders uit de Zuidoost-Aziatische gemeenschap zal praten over gedwongen huwelijken. De zaal zit vol mannen. Razia, een vrouw die vaak de bijeenkomsten van Our Voice bijwoont en ik zijn de enige vrouwen in het publiek. Naast O'Brien zit het door West-Yorkshire afgevaardigde Labour-parlementslid Ann Cryer. O'Brien verzekert zijn publiek dat er geen sprake is van herinvoering van het omstreden wetsartikel. Hij doet een beroep op de aanwezigen om orde op zaken te stellen in de eigen gemeenschap en 'de kleine minderheid van ouders die huwelijken onder dwang arrangeren tegen te houden, zodat vrouwen niet in een onaanvaardbare situatie terechtkomen'.

De zaal is stil. Geen applaus, geen vragen. O'Brien kijkt afwachtend naar de rijen Aziatische mannen voor hem, maar ze kijken onbewogen voor zich uit. Hij krijgt geen enkele reactie. De bijeenkomst is voorbij. Razia dringt zich langs de assistenten van de minister om hem aan te spreken. 'De overheid moet in actie komen, want zij zullen het niet doen,' zegt ze met een gebaar naar de mannen die in stilte hun weg naar buiten zoeken. Nigel Farage zou de woorden toejuichen die ze daaraan toevoegt: 'Waarom beseft de regering niet dat ze een halt moet toeroepen aan het gespuis dat zich als zogenaamde liefhebbende echtgenoten toegang verschaft tot ons land? Ziet u dan niet wat hier aan de hand is? Het is gewoon immigratieoplichting!' O'Brien kijkt haar geschrokken aan, excuseert zich en vertrekt.

Waar haalt Razia haar lef vandaan? Haar zelfvertrouwen moet wel te danken zijn aan het sterke gezin waaruit ze komt en haar, zeker voor West-Yorkshire begrippen, bijzonder verlichte vader. Na de bijeenkomst gaan we naar haar huis, een mooi groot hoekhuis in het centrum van Bradford. Haar ouders kwamen in de jaren zestig naar Mirpur, kregen vijf kinderen en deden het goed. Haar vader spreekt Engels, haar moeder niet. Ze hebben Razia's huwelijk voor haar gearrangeerd, maar zonder dwang uit te oefenen. Nu haar man en zij gescheiden zijn van tafel en bed, woont Razia zonder problemen weer thuis. Haar ouders vinden het goed dat ze in de voorkamer vergaderingen houdt van Our Voice. Altijd als ik langskom word ik welkom geheten met schalen vol curry en chapati's.

De man van Razia vraagt haar om in te stemmen met een echtscheiding nu hij dankzij haar Brits staatsburger is. Hij wil dat zijn nieuwe vrouw, met wie hij in Pakistan is getrouwd, bij hem in Bradford komt wonen. Zoals veel ongeschoolde Aziatische mannen in West-Yorkshire werkt Mohammed Sodagar als taxichauffeur. Razia vertelt ons wat zijn standplaats is. We wachten tot hij optrekt in de rij en uitstapt voordat ik hem benader met een microfoon. 'Goedemorgen. Uw vrouw Razia vertelt ons dat u bent hertrouwd in Pakistan, terwijl u nog met haar getrouwd bent?' 'En wat dan nog?' antwoordt hij. 'Ik ben moslim. Ik kan twee, drie, vier keer trouwen. Geen probleem. Ik heb Razia goed behandeld. Het probleem met haar is dat zij niet begrijpt wat ik wil.'

Gezien het feit dat ik hem interview in het openbaar bij een taxistandplaats vind ik hem bijzonder beleefd. Veel andere mensen zouden zich niet in het nauw laten drijven, in de auto stappen en wegrijden. Het lijkt wel, denk ik bij mezelf terwijl hij praat, of hij ervan geniet om Razia zwart te maken waar zijn collega-taxichauffeurs bij zijn. 'Ze weet niet hoe ze met een echtgenoot moet samenleven,' gaat hij verder. 'Ze maakt altijd ruzie met me. Ze beledigt me. Ze gaat elke dag op pad, soms ook 's avonds. Ze doet niet wat ik zeg. Waarom zou ik haar houden? Ik ga van haar scheiden.' Natuurlijk hoeft hij volgens de Britse wet maar twee jaar van tafel en bed gescheiden te leven om een echtscheiding te kunnen aanvragen.

Ik neem de interviewopnamen mee terug naar Londen. In de montagestudio van *Newsnight*, waar voornamelijk vrouwen werken, moeten we lachen. Het is goede televisie geworden. We maken grappen over de arrogantie waarmee de man volslagen verouderde ideeën over zijn vrouw ventileert, alsof hij haar meerdere is aan wie ze toestemming moet vragen om naar buiten te gaan. Helaas leer ik een onaangename les uit deze confrontatie tussen oosterse traditie en westers vrijdenken. Voor Razia pakt de uitzending niet goed uit. Dat ze 's avonds naar buiten gaat, met wat voor keurig doel dan ook, betekent voor sommige mensen dat ze geen fatsoen heeft. Voor de westerse kijker mag ze een heldin zijn, het conservatieve deel van de Zuidoost-Aziatische gemeenschap vindt haar een hoer. Haar familie is er niet blij mee.

Ondanks haar kritiek op de lokale Aziatische gemeenschap heeft parlementslid Ann Cryer van Keighley haar zetel weten te behouden tijdens de lange regeerperiode van Labour, van 1997 tot 2010. Ze heeft de gemeenschap verantwoordelijk gesteld voor gedwongen huwelijken en eerwraak, en ze heeft gezegd dat immigranten die het land binnenkomen de beginselen van de Engelse taal moeten kennen.[5] Meer recent was ze een van de eersten die aandacht vroegen voor het *grooming*-schandaal, waarbij mannen met een Zuidoost-Aziatische achtergrond meisjes van elf tot zestien jaar lokten, verkrachtten en soms tot prostitutie dwongen.[6] In het kantoor van haar kiesdistrict vertelt Ann Cryer me dat ze geen enkele terughoudendheid in acht wil nemen als het om gedwongen huwelijken gaat. Zij vreest dat deze praktijk bij de ongeletterde echtgenoten uit Mirpur een 'ziedende wrok' oproept, die zich maar al te vaak op hun echtgenotes richt – wat een gevaar is voor onze hele samenleving:

Hij belandt in een situatie waarin hij zich een tweederangs-persoon voelt omdat hij geen Engels spreekt en geen baan vindt. Terwijl zijn vrouw naar haar werk is, zit hij als een ge-castreerd mannetje thuis. Dit leidt tot rancune of erger, en die richt hij op zijn vrouw. Hij komt per slot van rekening uit het subcontinent. Van een extreem patriarchale maatschap-pij die mannen superieur acht aan vrouwen komt hij in een hem wezensvreemde samenleving, waar hij in vele opzich-ten ondergeschikt is aan zijn vrouw.

Ann Cryer praat met Zuidoost-Aziatische vrouwen in haar kiesdis-trict West-Yorkshire. Ze probeert hen over te halen hun schoon-zoons elders te zoeken. De meeste dochters zijn niet tegen een ge-arrangeerd huwelijk, zegt ze, 'maar ze willen niet trouwen met een man met een totaal andere levensstijl. Als de meisjes zelf mochten kiezen, zouden ze niet met dit soort mannen trouwen. Ze zouden een jonge, goed opgeleide, Engelssprekende Aziatische moslim uit West-Yorkshire kiezen. Daarmee zouden veel problemen zich niet eens voordoen.'

Ann Cryer gaat voorbij aan de Mirpur-factor. Er wordt zoveel heen en weer gereisd tussen Manchester en Islamabad dat de route 'pendeldienst Mirpur' wordt genoemd. Mirpur is tegenwoordig de meest welvarende regio in het armoedige Kashmir. Er staan meer marmeren herenhuizen dan waar ook in landelijk Pakistan en er is een levendige handel in klassieke zuilen en portieken. Het wordt al-lemaal betaald met geld dat succesvolle migranten in het Verenigd Koninkrijk naar hun familie sturen. De huizen worden gebouwd voor ouders en andere achtergebleven familie of voor de oude dag.

Dankzij nauwe banden en verplichtingen aan een uitgebreide fa-miliekring moesten Koheema, Nazish en Fozia alle drie trouwen met een man uit Mirpur, met alle tragische gevolgen van dien. De man-nen krijgen alles wat ze willen, zegt Razia. 'Als een man uit Mirpur eenmaal een Brits paspoort heeft, maakt het niet meer uit wie hij is, wat voor karakter hij heeft, of hij knap is of niet. Hij heeft alle keuze. Iedere jonge vrouw op het subcontinent droomt ervan met zo'n man te trouwen en in het welvarende Verenigd Koninkrijk te wonen.'

Jonge moslima's die zich verzetten tegen een gedwongen huwelijk riskeren vermoord te worden. Het ergste is dat mannen er vaak mee wegkomen, doordat hun misdaad door de gemeenschap wordt bestempeld als eerwraak.

Een jaar nadat ik voor de bbc filmreportages heb gemaakt over gedwongen huwelijken in Pakistan en Bradford, richt de Labour-regering de Werkgroep Gedwongen Huwelijken op, waarin de ministeries van Binnenlandse en Buitenlandse Zaken samenwerken om meisjes te helpen die in de problemen komen nadat ze gedwongen werden te trouwen. Pas in 2014 was de Conservative-regering zo dapper om gedwongen huwelijken bij wet te verbieden. In haar wekelijkse column in de *Independent*, waarin ze de eerste vervolging op basis van de nieuwe wet bejubelde, feliciteerde moslima Yasmin Alibhai-Brown premier David Cameron met het treffen van deze 'langverwachte wettige maatregelen (nadat al die Labour-parlementsleden, bang om "etnische" stemmen te verliezen, er jarenlang voor terugschrokken om iets te doen tegen gedwongen huwelijken)'.[7]

Alibhai-Brown voerde al lang strijd tegen deze praktijk. Ze citeerde een huiveringwekkende brief van een vader die haar schreef over zijn dochter, een zangeres, die met haar neef in Pakistan was getrouwd. 'U schrijft al deze dingen over strenge ouders. U weet niets. Zij wilde zangeres zijn. Hoe kan ik me nog bij de mensen vertonen als ze dat is? Rahman, de zoon van mijn broer, is een goede jongen. Hij maakte een eerbare, gehoorzame vrouw van haar. In Pakistan nam ze vergif in. Ze doodde zichzelf en de baby in haar buik. Ze kon niet naar het paradijs. Ik wou dat ze nooit geboren was.'

'Van zienswijzen als deze moeten we echt af,' schrijft Alibhai-Brown.[8]

9

Eerwraak

MOORD OM DE FAMILIE-EER TE REDDEN

Het woestijnlandschap strekt zich uit zo ver het oog reikt. In de verte liggen kale, steile bergen. Een lammergier maakt een duik-vlucht de afgrond in om te kijken of hij op de vlakte een maaltijd kan vinden. Rivieren hebben de bergkloven gevormd waardoor-heen eeuwenlang legers een weg vonden om buurland Afghanistan binnen te vallen. Beloetsjistan beslaat maar liefst 44 procent van het landoppervlak van Pakistan. Toch woont er door het gebrek aan water slechts 5 procent van de bevolking.

Ik rijd via de dorre vlakte naar een dorp in de uitlopers van het Sulaiman-gebergte. Stoffige wegen met dadelpalmen leiden langs ommuurde erven met huizen van leem. Ik zie kamelen en mannen in salwar kameez met tulband. Dit moet een van de meest afgelegen plekken op aarde zijn. Het is niet moeilijk om te geloven dat hier het ondenkbare kan gebeuren. Het gebied is schaars bevolkt, families leven vrijwel autonoom. Hier heersen de wetten van de eeuwenou-de stammenmaatschappij. Op zijn erf maakt de man de dienst uit.

Ik wil proberen te begrijpen hoe tradities van hier hun weg vin-den naar Acton, Mitcham en Warrington. Britse politiechefs en mi-nisters van Binnenlandse Zaken kunnen op televisie nog zo stellig beweren dat de zogenoemde 'eerwraken' allesbehalve eervol zijn en dat ze niet passen in de huidige Britse samenleving, maar men-sen laten diepgewortelde overtuigingen niet vallen zodra ze over de witte kliffen van Dover vliegen. Zij brengen hun gewoonten mee. Dus wat lokt eerwraak uit?

'Hij heeft haar vermoord omdat hij haar zag praten met een jongen terwijl ze was uitgehuwelijkt aan een ander,' antwoordt een vrouw op mijn vraag over een recente zaak in het dorp van een vader die zijn dochter vermoordde. 'Hij begon op haar armen en benen in te hakken met een mes. Ze riep tegen haar vader: "Alsjeblieft, maak me niet dood." Ze viel op de grond en probeerde weg te kruipen, maar hij sneed haar keel door en hakte haar handen eraf. De moeder smeekte haar man: "Niet zo, alsjeblieft. Schiet haar dan liever dood."'

Ze noemen het *karo kari*: overspelige man, overspelige vrouw. Vrijwel altijd wordt alleen de vrouw schuldig bevonden. De moord was een collectieve daad. De veertienjarige Nawara wilde trouwen met een jongen uit een familie die aan de andere kant van het dorp op een groot erf woonde. Haar vader wilde haar uithuwelijken aan een vijfenveertigjarige neef die niet lang daarvoor weduwnaar was geworden. Er werd een mooie bruidsschat verwacht en de ouders wilden het geld graag in de familie houden. Daarom werd Nawara gedood, als voorbeeld voor haar zussen.

Nawara's vader zou geen straf krijgen. In Pakistan heeft de familie van het slachtoffer weliswaar recht op *qisas* – wraak. Maar als de moordenaar en het slachtoffer vader en dochter zijn, krijgt de moordenaar automatisch gratie en wordt zijn daad 'eerwraak' genoemd: moord ingegeven door de noodzaak om de gekrenkte eer van de familie terug te winnen. Eerwraak is een mes dat aan vele kanten snijdt. Door middel van eerwraak houdt men controle over vrouwen, blijft het familiekapitaal behouden, worden erfenisconflicten voorkomen, en kunnen vetes worden uitgevochten.

Naar schatting vinden elke dag twee of drie eermoorden plaats in Pakistan. Volgens recente cijfers van Pakistans Mensenrechtencommissie zijn sinds 2008 meer dan drieduizend meisjes en vrouwen uit eerwraak gedood. De Aurat Foundation, een belangengroepering in Pakistan, schat het aantal nog hoger en denkt dat eerwraak jaarlijks duizend vrouwenlevens kost.[1] Waarschijnlijk komen er veel eermoorden voor waarbij het lichaam wordt opgeruimd zonder tussenkomst van of kennisgeving aan de autoriteiten.

Ontwikkelde Pakistanen mogen graag denken dat dit een gebruik is van het platteland van Beloetsjistan en Sindh. Totdat in april 1999 de toen achtentwintigjarige Samia Sarwar in het kantoor van haar advocaat werd doodgeschoten door een schutter die was ingehuurd door haar familie. Meer recent, in mei 2014, werd een zwangere vrouw doodgeslagen door haar vader, haar broer en de neef met wie ze verloofd was geweest op de trappen van het Hooggerechtshof van Lahore. Deze dertigjarige Farzana Parveen wilde haar man verdedigen tegen de aanklacht van haar familie dat hij haar had ontvoerd. Ze zou de rechter vertellen dat ze van haar man hield en uit eigen vrije wil met hem was getrouwd. Ze kreeg de kans niet. Twintig van haar familieleden en nog eens vijftien van de gedumpte verloofde Mohammed Iqbal wachtten haar op met stenen en bakstenen. Ze stenigden haar dood waar de politie bij stond.

De moord in het openbaar veroorzaakte wereldwijd zoveel afschuw dat de daders werden vervolgd – ongebruikelijk in Pakistan. De mannen werden schuldig bevonden aan moord en ter dood veroordeeld. Tijdens de rechtszaak werd een verklaring van de vader van Parveen voorgelezen. Hij had tegen de politieagent die hem arresteerde gezegd: 'Ik heb mijn dochter gedood, omdat ze onze hele familie heeft beledigd door zonder onze toestemming met een man te trouwen, en ik heb er geen spijt van.'[2] Ook bleek tijdens het proces dat Mohammed Iqbal een paar jaar daarvoor zijn eerste vrouw had vermoord om met Parveen te kunnen trouwen. De zoon uit dat eerste huwelijk vertelde aan journalisten dat de familie hem had overgehaald om zijn vader te vergeven voor de moord op zijn moeder, waarop de vader vrijkwam uit de gevangenis. De mannen gingen in hoger beroep tegen het vonnis.

In het dorp aan de voet van het Sulaiman-gebergte blijken de mensen meer verhalen te kunnen vertellen over recente moorden. Op weg naar mijn afspraak met Bibi Fatima loop ik langs marktkramen met hoog opgestapelde meloenen, uien en eieren die per stuk worden verkocht, na zorgvuldig te zijn gewogen en in kranten verpakt. Ik zie niet één vrouw. Kooplui en klanten zijn allemaal mannen. Vrouwen komen amper buiten, zelfs niet om boodschappen te doen. Heel af en toe vang ik een glimp op van een vrouw, in zware gewaden gehuld, die achter op een passerende ossenkar balanceert of haastig de deur van haar huis sluit tegen nieuwsgierige blikken.

Afgezien van groepen jonge meisjes die opgewonden kletsend uit school komen, ben ik de enige vrouw die vrijelijk door de zanderige straten loopt. Als ik de meisjes aanspreek, vertellen ze dat ze onderweg naar huis voorzichtig moeten zijn om niet de aandacht van een jongen te trekken. 'Als onze broers zien dat we met een jongen praten, vinden ze ons *kari*,' legt de tienjarige Hanni uit. 'Dan zeggen ze dat ze ons zullen doden.' Nog niet zo lang geleden is dat een meisje van tien en een jongen van veertien jaar overkomen, vertellen de meisjes. Beiden werden vermoord.

Ik ontmoet Bibi Fatima op het erf van haar familie in een kamer die is afgeschermd met een gordijn. Ze wordt omringd door zussen, dochters en nichtjes. Het is duidelijk dat ze getraumatiseerd zijn door de moord op een nicht twee maanden geleden. Geen van de vrouwen heeft sindsdien het huis nog durven verlaten. Bibi Fatima vertelt het verhaal, terwijl de andere vrouwen hoog jammerend details aanvullen. Haar nicht was kleren aan het wassen in de rivier toen haar man zag dat een andere man naar haar keek. Thuisgekomen zei haar man dat hij haar ging doden. 'Ze had helemaal niets gedaan,' vertelt Bibi Fatima terwijl de tranen over haar gerimpelde wangen lopen. 'Ze vroeg: "Waarom wil je me dood hebben? Wat heb ik verkeerd gedaan?" Ze zwoer op de Koran dat ze onschuldig was en stelde voor om naar haar vaders huis te gaan om te praten. Hij schoot haar dood.' 'Eerst sloeg hij haar,' onderbreekt een vrouw die naast de vertelster zit. 'Dat is waar,' zegt Bibi Fatima. 'Eerst sloeg hij haar, daarna schoot hij haar dood. Hij deed het voor het geld. Hij kreeg 10.000 roepies van de man die hij beschuldigd had.' Ze vertelt dat het om een schikking ging van een langer lopend conflict tussen twee buren. De moordenaar ontving het geld en, nadat hij het slachtoffer had begraven, een nieuwe vrouw.

Deze moorden vonden plaats in één jaar in dit dorpje van ongeveer vijfhonderd zielen. De politie voelt zich niet schuldig over de hoge moordcijfers op vrouwen en meisjes in hun district. 'Het wordt gezien als handel,' zegt inspecteur Akbar Marri. 'Dit is voor mannen een manier om aan geld te komen. Ze laten ons hun wapen zien, geven toe dat ze een vrouw hebben vermoord en zeggen dat dat gerechtvaardigd was.' Maar waarom zegt u dan niet dat het verboden is, vraag ik. De inspecteur haalt zijn schouders op. 'Ze vinden dat het hun recht is.'

De Pakistaanse wet is niet eenduidig, en dat is een probleem voor vrouwen. Nadat Samia Sarwar in 1999 vermoord was in het kantoor van Hina Jalani kreeg de mensenrechtenadvocaat eindelijk enige steun door een resolutie van een parlementslid waarin eerwraak veroordeeld werd. Voor Jalani, die in 1980 in Lahore het eerste volledig vrouwelijke advocatenkantoor opende, betekende de resolutie een doorbraak na decennialang campagne voeren. Maar de resolutie werd verworpen, vertelt ze me, 'door parlementsleden die vinden dat eerwraak deel uitmaakt van onze cultuur. Dat is natuurlijk volstrekt onaanvaardbaar.'

Er was weer reden tot optimisme toen in 2004 een wijziging van de Pakistaanse wet werd doorgevoerd, die stelde dat 'eerwraak moet worden behandeld als een gewone moord'. Maar Jalani wijst erop dat moordenaars nog steeds beschermd worden door tegenstrijdige wetgeving. Volgens de islamitische Hudood-verordeningen uit 1979 is de status van vrouwen lager dan die van mannen. Daardoor zijn vrouwen op cruciale punten van het rechtssysteem in het nadeel. De nieuwe wetswijziging maakt geen einde aan de mogelijkheid voor de dader om de familie van het slachtoffer vergiffenis te vragen 'in naam van God', waarna de aanklacht komt te vervallen. 'Daardoor gaat degene die de trekker overhaalt vrijuit,' volgens Jalani. 'We willen graag dat deze wet aangepast wordt, maar eerlijk gezegd betwijfel ik of het parlement zijn vingers hieraan wil branden.'

In de Pakistaanse regering woeden al lange tijd conflicten tussen de islamisten en de secularisten. Het probleem ligt dieper dan de wetgeving. Het begint met de erbarmelijke status van vrouwen in de Pakistaanse samenleving. Bij de geboorte van een jongen wordt feestgevierd, de geboorte van een meisje is reden voor rouw. Er zijn streken waar slechts 10 procent van de meisjes naar school mag van hun vader. Meisjes worden verondersteld gehoorzaam te zijn aan hun vader en broers, ook als die jonger zijn. De mannelijke familieleden beslissen over het leven van een meisje, bepalen met wie ze gaat trouwen en kunnen haar ongestraft vermoorden als het hun uitkomt. De vrouw heeft geen macht over haar leven en mag geen mening hebben. Zoals Hina Jalani zegt: 'Gehoorzaamheid aan de sociale regels en tradities is voor een Pakistaanse vrouw een voorwaarde om te mogen leven.' En er zijn weinig tekenen die wijzen op daadwerkelijke verandering van die ingebakken tradities.

Toen in de jaren vijftig de Mangla-dam werd aangelegd in Mirpur in het zuiden van Kashmir, kwamen voornamelijk mannelijke Pakistaanse migranten naar het Verenigd Koninkrijk om te werken in de staal- en textielindustrie en later de Nationale Gezondheidsdienst. De meesten vestigden zich in Bradford, Oldham en Birmingham. Toen in het kader van gezinshereniging ook vrouwen en kinderen naar Engeland kwamen, werd eerwraak ook hier ingevoerd.

Lang niet elke Pakistaanse familie in Groot-Brittannië draagt deze traditie van wraakzucht en geweld in zich. Het zou grove laster zijn om dat te beweren. Zoals ik eerder schreef, hadden de ouders van Razia Sodagar begrip en respect voor hun dochter. Maar meer dan de helft van de gedwongen huwelijken in het Verenigd Koninkrijk werd gesloten door inwoners met een Pakistaanse achtergrond, bleek uit onderzoek van het ministerie van Binnenlandse Zaken in 2000. Negentig procent van de gevallen van huwelijksdwang betrof islamitische gezinnen.[3] Toen ik in 2004 mijn eerste reportage over dit onderwerp in het Verenigd Koninkrijk maakte, had volgens schattingen van de politie een honderdtal moorden of verdwijningen van jonge vrouwen in de laatste paar jaar te maken met eerwraak.

Shafilea Ahmed werd geboren in Bradford, en het gezin verhuisde later naar Warrington. Ze haalde goede cijfers op school en wilde advocaat worden. Toen haar ouders haar in de zomer van 2003, op haar zeventiende, in Pakistan wilden uithuwelijken aan een tien jaar oudere neef die geen woord Engels sprak, dronk ze in haar wanhoop een fles bleekmiddel leeg. Het huwelijk ging niet door. Terug in Engeland bleek dat ze onder medische behandeling moest blijven. Haar vader verklaarde dat Shafilea 's nachts in het pikkedonker had gedacht dat ze mondwater pakte. Er was al vaker sprake geweest van huiselijk geweld in het gezin, en dat verergerde nadat Shafilea het huwelijk had geweigerd. Leraren uitten hun bezorgdheid over verwondingen in Shafilea's hals en gezicht. Maatschappelijk werkers namen poolshoogte, maar spraken alleen met het hele gezin. Shafilea was waarschijnlijk te zeer geïntimideerd door haar vader om iets te durven zeggen. Toen ze niet kwam opdagen bij haar medisch behandelaars en op school, stelde de politie een onderzoek in. De politie herinnert zich dat haar vader, taxichauffeur Iftikhar Ahmed, veeleer boos en opstandig dan bezorgd reageerde op de verdwijning van zijn dochter. Hij hield vol dat ze was weggelopen, dat ze boven de zestien was en kon doen wat ze wilde.

De politie verdacht de ouders en plaatste afluisterapparatuur in het huis. Zo hoorden ze dat Iftikhar en Farzana hun kinderen waarschuwden: 'Niets zeggen op school!' En dat vader Ahmed daaraan toevoegde dat het rechtssysteem in het Verenigd Koninkrijk werkt op basis van bewijsvoering. 'Zonder bewijs kunnen ze je niks maken. Zelfs al zouden jullie klootzakken veertig mensen vermoorden.' Zes maanden na haar verdwijning werden Shafilea's stoffelijke resten gevonden in de rivier de Kent bij Kendal in het Lake District. Ze verkeerden in verregaande staat van ontbinding en de moordenaar had zijn sporen goed weten te wissen. Ondanks twee autopsies werd de doodsoorzaak niet gevonden. In 2008 werd het onderzoek naar de oorzaak van de 'onnatuurlijke dood' gesloten.

Het duurde bijna tien jaar voordat de moordenaars voor de rechter kwamen. Zeven jaar na de verdwijning vertelde Alesha Ahmed, een jongere zus van Shafilea, dat de fatale aanval op haar zus een reactie was op de kleren die ze had aangetrokken om naar het callcenter te gaan waar ze parttime werkte: een T-shirt en strakke broek. Haar ouders hadden Shafilea vermoord waar de andere vier kinderen bij waren. Alesha zei dat ze Shafilea op de bank duwden, een plastic zak in haar mond drukten en haar verstikten. Ze hoorde haar moeder zeggen: 'Afmaken, gewoon hier!'

Lijkschouwer Ian Smith in Cumbria kwam tot de conclusie dat Shafilea slachtoffer was geworden van een gruwelijke moord. Ze wilde een leven leiden als dat van haar klasgenoten, niet volgens de regels van het platteland in Pakistan waar haar ouders vandaan kwamen. Shafilea was leergierig en ambitieus; ze wilde rechten studeren en carrière maken. Het zijn fundamentele rechten van een mens, maar ze werden haar afgenomen.

In 2012, twee jaar nadat Alesha haar verhaal had gedaan bij de politie, kwam de zaak voor de rechter in Chester Crown Court. Schijnbaar onbewogen hoorden Iftikhar en Farzana Ahmed uiteindelijk het vonnis aan: vijfentwintig jaar gevangenisstraf. Rechter Justice Evans lichtte toe: 'De wens [van de verdachten] dat zij haar culturele erfgoed zou kennen en respecteren, is volkomen begrijpelijk, maar van haar verwachten dat zij haar leven zou doorbrengen in een geïsoleerde omgeving, afgescheiden van de cultuur van het land waarin ze woonde, dat was niet realistisch. Het heeft haar beschadigd en het was kwaadaardig.' Ook andere rechters, alsmede politiemensen en politici, gaven blijk van hun afschuw. Intussen ging het moorden door. Terwijl de politie van Warrington onderzoek deed naar Shafilea's dood, deed de politie in West-Londen moeite om te begrijpen wat er was gebeurd met de door haar vader Abdullah vermoorde zestienjarige Heshu Yones.

Abdullah Yones was een Iraakse Koerd die tien jaar daarvoor met zijn vrouw en twee kinderen het Irak van Saddam Hoessein was ontvlucht en zich als politiek vluchteling in Groot-Brittannië had gevestigd. Hij werd geconfronteerd met een andere cultuur die hij niet kon bevatten. Hij was geschokt door wat hij beschouwde als hoerig gedrag van jonge vrouwen die hij tegenkwam op Acton High Street. De korte rokken, de hoge hakken, hun zelfvertrouwen en onbevangenheid boezemden hem angst in voor de toekomst van Heshu. In de rechtbank gaf hij toe dat hij zich zorgen maakte dat zijn dochter, die populair was en zo graag plezier maakte, te westers zou worden en de familie te schande zou maken.

Toen hij erachter kwam dat ze een christelijk vriendje had, een achttienjarige Libanese leraar, zag hij zijn angsten bewaarheid en begon haar regelmatig te slaan. Heshu was van plan om weg te lopen van huis. In een brief aan haar vader schreef ze: 'Jij en ik zullen elkaar misschien nooit begrijpen. Het spijt me dat ik niet de dochter ben die jij jezelf had gewenst, maar het is zoals het is. Weet je, voor een oudere man sla en schop je nog best hard. Ik hoop dat je hebt genoten van je krachtmetingen met mij, het was leuk om de ontvangende partij te mogen zijn. Goed gedaan.'

Voordat ze het huis uit kon glippen, stak Abdullah haar neer en sneed haar keel door. Toen hij een jaar later voorkwam, zei rechter Neil Denison: 'Dit is, van welke kant je het ook bekijkt, een tragische geschiedenis die voortkomt uit onoverbrugbare culturele verschillen tussen traditionele Koerdische waarden en de waarden van de westerse samenleving.' Hij veroordeelde Abdullah Yones tot levenslange gevangenisstraf. Later bleek dat familieleden hadden samengespannen om de dader een alibi te verschaffen. De politie deed onderzoek naar verschillende personen in de Koerdische gemeenschap, maar kreeg deze 'belemmering van de rechtsgang' uiteindelijk niet bewezen.

Vanwege al deze gebeurtenissen leek het me goed om af te reizen naar het Midden-Oosten, om zelf te onderzoeken hoe wijdverspreid de traditie van eerwraak is. Ik vlieg eerst naar Jordanië, een land dat gezien wordt als een oase van stabiliteit en rust in de turbulente regio. Het Westen stelt veel vertrouwen in de elkaar opvolgende koningen die de Britse militaire academie Sandhurst hebben gevolgd, met hun in de Verenigde Staten opgeleide blootshoofdse echtgenotes. Met plezier verlenen de Amerikanen koning Abdullah II een subsidie van 1 miljard dollar per jaar. Het Ontwikkelingsprogramma van de Verenigde Naties prijst de hoge ontwikkelingsgraad van het land.

Tot mijn verbijstering ontdek ik dat in dit vooruitstrevende, liberale land met een alfabetiseringsgraad van 97 procent eerwraak een levende traditie is. Volgens officiële cijfers gaat het om vijfentwintig moorden per jaar op 8 miljoen inwoners.[4] Dat zijn er veel minder dan in Pakistan, maar er is geen enkele aanwijzing dat het aantal daalt of dat het enthousiasme voor deze traditie afneemt. Uit een recent onderzoek van Cambridge University onder meer dan 850 tieners, gemiddelde leeftijd vijftien jaar, in de Jordaanse hoofdstad Amman blijkt dat 46 procent van de jongens en 22 procent van de meisjes zich kunnen vinden in ten minste twee eerwraaksituaties. De onderzoeker, hoogleraar Manuel Eisner, wijst erop dat hun mening niet altijd terug te voeren is op hun religie. 'Hoewel de grootste demografische groep die eerwraak goedkeurt jongens betreft uit traditionele laagopgeleide gezinnen, bleek er ook een aanzienlijke minderheid te zijn van goed opgeleide meisjes en zelfs van niet-religieuze tieners die zich kunnen vinden in het principe van eermoord. Dit wijst op een brede maatschappelijke steun voor deze traditie.'[5]

Ik vond een welbespraakte voorstander in een streng beveiligde gevangenis op een kale zandvlakte, een uur rijden van Amman. De gevangenis is even modern als indrukwekkend. Het personeel is vriendelijk, en als ze al verbaasd zijn dat ik Ahmed Hamid kom interviewen, laten ze het niet merken. We worden naar een binnentuin geleid met acaciabomen, struiken en zwarte lissen, waar de gevangene ook naartoe zal komen. Hij wordt geflankeerd door twee bewakers, maar die laten ons alleen. Hamid is elegant gekleed in een gestreken overhemd en broek. Ik schat hem in de dertig. Hij is ingenieur bij een respectabel bedrijf in Amman. Zijn zus was docent in het voortgezet onderwijs – voordat hij haar vermoordde.

Als je op een bank zit naast iemand die sororicide heeft gepleegd en de camera draait, kun je maar één vraag stellen: waarom hebt u uw zus vermoord? 'Ik had geen andere keus,' zegt Hamid eenvoudig. 'Het was duidelijk dat een van de vier broers haar moest doden. Ik zei dat ik het graag op me wilde nemen. Ze had de echtgenoot die we voor haar hadden uitgezocht verlaten voor een andere man. Ze hield van hem, zei ze. En dan, wat zou het volgende zijn? Ze had wel met honderd mannen kunnen weglopen. Wat zou dat voor de familie-eer hebben betekend? Onze hele familie zou worden onteerd;

zolang zij leefde, zou niemand van ons kunnen trouwen – niet eens met een verre neef of nicht.'

Wat ging er door hem heen toen hij met zijn handen haar keel dichtdrukte? 'Ik bad,' antwoordt hij. 'Ik vroeg Allah om mij kracht te geven om te doen wat ik moest doen. Toen ze nog een beetje adem had, zei ik dat ze moest bidden, maar dat deed ze niet. Toen heb ik Allah gebeden haar te vergeven.' Voordat Hamid teruggebracht wordt naar zijn cel, vraag ik hoeveel vrouwenmoordenaars in deze gevangenis zitten. 'Er zitten hier tientallen mannen zoals ik. Allemaal worden we met respect behandeld door andere gevangenen en door de bewakers. Nou ja, we zitten hier ook maar een paar maanden.'

Het interview is voorbij en hij loopt naar de bewakers. Maar dan draait hij zich toch weer om en stapt op me af. De bewakers doen niets als hij me dreigend in de ogen kijkt. 'Reken er niet op,' zegt hij, 'dat dit iets is wat voorbijgaat. Wij zijn verantwoordelijk voor de kuisheid van onze zussen, echtgenotes en dochters. Verliest een vrouw haar kuisheid, dan verliest de hele familie haar eer. Dus deze traditie blijft bestaan, en dat is maar goed ook. Het is onze manier.' Als Hamid over een paar weken vrijkomt, na een gevangenisstraf van zes maanden, kan hij thuis rekenen op een heldenonthaal.

Mijn bezoek aan de gevangenis is nog niet voorbij. Naast het cellencomplex van de moordenaars met hun uitzicht over de binnentuin is een vrouwengevangenis gevestigd. De kamers van de vrouwen hebben vrije toegang tot een binnenplaats die lelijk en kaal zou zijn zonder de kriskras gespannen waslijnen met kleurig wasgoed. Deze vrouwen zijn moordenaar noch dief. Volgens hun mannelijke familieleden zijn ze erger dan dat. Hier zitten de vrouwen en meisjes die gevlucht zijn voor mannen met wie ze niet wilden trouwen of voor echtgenoten die hen misbruikten. Ze zitten in de gevangenis voor hun eigen veiligheid. Preventieve hechtenis noemen de autoriteiten dat. Hun broers en vaders hebben geprobeerd en zullen pogingen blijven doen om hen te vermoorden. De vrouwen kiezen voor de gevangenis in plaats van een vrijheid die hun het leven zou kosten.

Fatima is was aan het ophangen aan de gemeenschappelijke waslijn. Ik vraag haar of ze met me wil praten en ze stemt toe, op voorwaarde dat haar gezicht niet in beeld komt. 'Ik mag dan in de gevangenis zitten, de mannen van mijn familie zijn wanhopig en niet dom,' legt ze uit. 'Als ze erachter komen dat ik hier zit, komen ze me halen.' Ze vertelt me dat haar oom haar twaalf keer heeft beschoten nadat ze was weggelopen van haar gewelddadige echtgenoot. Ze lag een halfjaar in het ziekenhuis voordat de politie haar hiernaartoe bracht, voor haar eigen veiligheid. 'Ik weet dat het fout was wat ik deed,' zegt ze. 'Het was een vergissing. Maar ik zit hier inmiddels vier jaar, terwijl mijn oom al na twee weken vrijkwam. Het voelt onrechtvaardig.'

Op moord met voorbedachten rade staat in Jordanië de doodstraf, behalve wanneer het om eerwraak gaat: mannen die een vrouwelijk familielid vermoorden omdat ze overspel heeft gepleegd of iets anders heeft gedaan wat volgens haar mannelijke familieleden niet door de beugel kan. Mensenrechtenorganisaties hebben tal van pogingen gedaan om de wet te veranderen. Zonder succes. 'Want,' zegt Reem Abu Hassan, een vooraanstaand activiste, 'de hele mentaliteit van ons land moet veranderen. Het is aanvaardbaar geworden om zomaar iemands leven te nemen.' Maar toen de regering in 2011 een wetsvoorstel deed om de strafmaat aan te passen aan de ernst van het misdrijf, wezen conservatieve parlementsleden het af. Net als in Pakistan voerden ze aan dat de wetswijziging de eigenzinnigheid van vrouwen zou stimuleren en dat dit zou leiden tot meer overspel. De tegenstanders wilden hun achterban in de plattelandsgebieden niet voor het hoofd te stoten. Opnieuw leden de campagnevoerders een nederlaag. 'Die tribale mentaliteit is onze belangrijkste tegenstander. Daar loopt het steeds weer op stuk,' zegt Reem Abu Hassan. Bedroefd voegt ze eraan toe: 'Er is in dit land geen politieke wil om eerwraak af te schaffen.'

Sommige actiegroepen die strijden voor wetswijziging in Jordanië bieden ook onderdak aan vrouwen die op de vlucht zijn voor eerwrekers. Zo ontmoet ik Rana, moeder van twee kinderen, wier vader pogingen deed en doet om haar te vermoorden. Voor het in terview gaan we achter in een vrijwel leeg café in Amman zitten. Ook zij vraagt de cameraman haar alleen van achteren te filmen. Ze is op de vlucht. 'Ik was zeventien jaar toen ik gedwongen werd te trouwen. Ik had daar zelfs nog nooit een gedachte aan gewijd. Ik ging graag naar school en wilde mijn opleiding afmaken. In plaats daarvan werd ik vastgezet in de gevangenis van het huwelijk.' Ze had een gewelddadige man, van wie ze twee kinderen kreeg.

De afkeer was wederzijds. Hij scheidde van haar en eiste de kinderen op. Rana ging terug naar haar ouderlijk huis om opnieuw te beginnen met haar leven. Haar ouders zeiden dat ze dat van hen zojuist had beëindigd. De eer van de familie was gekrenkt, zei haar vader tijdens het avondeten. Hij moest haar doden. Rana, die blij was weer thuis te zijn, dacht dat hij een grapje maakte. Toen ze 's avonds naar bed was gegaan, kwam hij met een vuurwapen haar slaapkamer in en schoot drieëntwintig keer. Rana had geluk: haar vader was geen scherpschutter.

De dag na het interview mag ik met Rana mee naar een routinecontrole en de dokter laat me zien waar de kogels haar lichaam in zijn gegaan: drie in haar been en één in haar schouder. 'God heeft me gered,' zegt Rana. 'Mijn vader richtte op mijn hoofd. Mijn haar waaide alle kanten op, ik zag vonkjes waar kogels mijn haar verschroeiden. Hij zal wel gedacht hebben dat hij me door het hoofd had geschoten, want hij liet zijn wapen vallen en ging het huis uit.' Rana's moeder bracht haar naar deze dokter, een progressieve man die Rana stimuleert om door te gaan met de rechtszaak die ze met hulp van een vrouwenactiegroep heeft aangespannen. 'Laat de aanklacht niet vallen,' zegt de dokter bij haar vertrek. 'Ik kan de rechtbank alle foto's van je schotwonden laten zien.'

Rana en ik lopen over straat naar de volgende afspraak, bij haar advocaat. Naast smartphonewinkels zijn er dure boetieks en luxe autoshowrooms. Aan de muren van de winkels hangen portretten van het moderne koningspaar koning Abdullah en koningin Rania. De Jordaniërs worden de hemel in geprezen voor de efficiëntie en edelmoedigheid waarmee ze meer dan een miljoen vluchtelingen hebben opgenomen sinds de opstand in april 2011. Ik blijf het onbegrijpelijk vinden dat een land met zo'n hoge ontwikkelingsgraad en zulk humaan leiderschap ruimte geeft aan zo'n barbaarse traditie, die jaarlijks vijfentwintig vrouwen en meisjes het leven kost.

Rana's advocaat wacht ons bij het ijzeren hek van het Hof van Justitie op met goed nieuws. Volgende week is de hoorzitting van Rana's zaak. 'Als je vader de rechter kan overtuigen dat het een poging tot eerwraak was, zal hij niet meer dan drie tot zes maanden gevangenisstraf krijgen,' zegt ze. 'Maar het is belangrijk dat we doorgaan. We hebben ook publiciteit nodig om aandacht te vestigen op de schandalig korte gevangenisstraf die zogenaamde eerwraakmoordenaars opgelegd wordt.' Rana vertelt de advocaat dat haar vader contact met haar heeft gezocht om te vragen of ze de aanklacht wil laten vervallen. In ruil daarvoor belooft hij haar met rust te laten, zodat ze verder kan met haar leven. 'Ga er niet op in,' adviseert de advocaat. 'Je kunt eerwrekers niet vertrouwen. Het risico is te groot.'

Wanneer Rana en ik weglopen bij het gerechtsgebouw, begint ze te huilen. 'Wat heeft het allemaal voor zin,' zegt ze. 'Misschien gaat hij een poosje naar de gevangenis, maar hij zal er altijd zijn. Hij blijft me volgen tot hij een kans ziet om zijn daad te voltrekken. En ik kan zonder toestemming van een mannelijk familielid niet eens een baan krijgen. Ik moet me de rest van mijn leven blijven verschuilen. Ik ben vijfentwintig en mijn leven is voorbij.' In dit opzicht is de situatie in Jordanië niet anders dan in Pakistan. De traditie van eerwraak stamt weliswaar uit een oude tribale samenleving, maar het belang van de familie-eer en de overtuiging dat die berust op de kuisheid van de vrouwen zijn zo diepgeworteld en worden zo diep gevoeld dat zelfs hoogopgeleide mannen uit de stad, zoals ingenieur Hamid, eraan vasthouden. Weldenkende artsen, advocaten en een paar politici doen hun best om de traditie te veranderen die niet past in de ontwikkelde maatschappij van de eenentwintigste eeuw. Elk land erkent de misdaad bij wet, maar de strafmaat is veel te laag om mensen tegen te houden dergelijke wrede, irrationele moorden met voorbedachten rade te begaan.

Voor mijn volgende reis vlieg ik vanuit Jordanië richting noordoosten, naar Koerdistan. Enkele schrijnende eerwraakgevallen die onlangs voor de rechter kwamen in het Verenigd Koninkrijk betroffen mensen uit dit land, dat slechts bestaat in de hoofden van de Koerden en dat zich uitstrekt over delen van Syrië, Irak, Iran en Turkije. Diyarbakir, de oude Romeinse stad aan de Tigris waarvan de indrukwekkende basalten muren zelfs te zien zijn vanaf de maan, zo vertelde een inwoner me, is de hoofdstad van Turks Koerdistan. Het is een ruig, semiautonoom gebied waar de Turkse autoriteiten weinig over te zeggen hebben. Inwoners wisten me ook te vertellen dat er een jaar eerder in Koerdistan tweehonderd vrouwen werden vermoord uit naam van de familie-eer.

Ook hier leven vrouwen die weten te ontsnappen aan hun schietgrage mannen in blijfhuizen. Ze zijn opgericht door moedige activisten die vastbesloten zijn om de traditie te trotseren en een plek van veiligheid en menselijkheid te bieden in een moorddadige, vrouwonvriendelijke omgeving. Ook Fatima houdt haar rug naar de camera als ze vertelt dat haar schoonouders haar na de dood van haar man wilden laten trouwen met hun andere zoon. Ze weigerde. 'Mijn schoonmoeder begon me te slaan en zei: "Je bent van ons. Je moet doen wat wij zeggen. Mijn zoon vermoordt je."' Gelukkig wist Fatima te ontsnappen voordat hij de kans kreeg.

'Het is de Koerdische manier,' verklaart een jonge man in een café in Diyarbakir diezelfde avond. Tot mijn verrassing kennen eerbreuk en eerwraak bij hem verschillende gradaties. 'Als een dochter wegloopt met een jongen, kun je een deal sluiten. Je kunt onderhandelen. Maar als je vrouw je verlaat of ongehoorzaam is, valt er niets te onderhandelen. Dat heeft met eer te maken. Je moet haar doden.'

'Oneens,' onderbreekt de jongen naast hem, die zich voorstelt als Serhat. 'Mijn zus zou net zo schuldig zijn als mijn moeder als ze mij niet gehoorzaamde. Ze zei dat ze niet wilde trouwen met haar veertigjarige neef. Ik ben een aardige broer, dus ik gaf haar een waarschuwing. Ik zei dat ik haar zou moeten doden als ze niet deed wat ik haar opdroeg. Ze trouwde met hem.' Twintig jaar ervaring met het interviewen van mensen heeft me geleerd om mijn emoties niet te tonen in situaties als deze. Ik bedank de jonge mannen voor hun tijd en ga ervandoor.

Het is de Koerdische manier, de Jordaanse en de Pakistaanse. Ik hoor het zinnetje in elk land waar ik kom. Hoe meer ik hoor van vrouwen die gedwongen worden te trouwen met mannen van wie ze niet houden en van veertienjarige meisjes die worden weggegeven aan mannen van middelbare leeftijd alsof het stukken land zijn die worden verkocht of weggegeven om een familierelatie te bestendigen, des te meer raak ik ervan overtuigd dat de oorzaak van dit alles gezocht moet worden in de status van vrouwen. In deze landen worden vrouwen gezien als bezittingen waarmee je kunt doen wat je wilt. Hun gedachten en gevoelens zijn onbelangrijk, evenals een volwassen, liefdevolle relatie. Maar intussen is wel de eer van de hele familie afhankelijk van hun kuisheid en onvoorwaardelijke gehoorzaamheid. Is die geschonden, dan kan alleen hun dood de familie-eer herstellen.

Ik was een van de journalisten die op dat moment bezig waren met de mensenrechtensituatie in Turkije. Het land wilde toetreden tot de Europese Unie en de bureaucraten in Straatsburg stelden lastige vragen over de positie en behandeling van de Koerdische bevolking van Turkije. In de jaren tachtig en negentig was in het Koerdische deel van Turkije een burgeroorlog nooit ver weg. Aan het begin van deze eeuw handhaafden het Turkse leger en de politie in feite de staat van beleg: Koerdische radio- en tv-stations bleven verboden en de honderden Koerdische politiek gevangenen bleven in de gevangenis.

Turkije werd verzocht de erbarmelijke vrouwenrechtensituatie te verbeteren en gewaarschuwd dat gebrek aan vooruitgang de toetreding tot de EU zou belemmeren. De wetten die betrekking hadden op eerwraak dienden gemoderniseerd te worden. Net als in Pakistan en Jordanië werd eermoord nog altijd behandeld als een daad van passie en een familieaangelegenheid. Als er al een rechter aan te pas kwam, werden de daders met toegeeflijkheid berecht. In reactie op de druk van de EU werd de strafmaat voor eerwrekers opgehoogd naar levenslange gevangenisstraf. Helaas had dit onvoorziene en dramatische gevolgen.

De reisgids adviseert de stad Batman links te laten liggen. Je kunt even pauzeren om een foto te nemen van jezelf bij het plaatsnaambord, maar rijd daarna vooral door. Beter kun je het mooie Koerdische zuidoosten van Turkije gaan verkennen. Batman, tachtig kilometer ten oosten van Diyarbakir, was een dorp van een paar honderd zielen tot er in de jaren vijftig olie werd ontdekt. Inmiddels wonen in de lelijke industriestad van betonnen en uit B2-blokken opgebouwde flats die haastig neergezet zijn tussen het station en de raffinaderijen ongeveer een kwart miljoen mensen.

De reisgids maakt geen melding van de recente bekendheid van Batman als de vrouwenzelfmoordhoofdstad van Turkije. Volgens de Turkse vrouwenrechtenorganisatie KAMER hebben meer dan honderd vrouwen, vooral jonge meisjes, zichzelf gedood sinds de invoering van de nieuwe sancties.[6] De enige logische verklaring lijkt dat ouders willen voorkomen dat eerwrekers levenslang krijgen en daarom de onteerde dochter overhalen om zichzelf te doden.

Ayten Tekay, een maatschappelijk werker voor KAMER, legt uit: 'Liever dan twee kinderen verliezen ouders een dochter.' Van de honderden meisjes en vrouwen die een beroep doen op de organisatie horen ze dat ze werden opgesloten in een kamer met een touw, gif of een pistool. 'We moeten deze moorden in de openbaarheid brengen en vrouwen vertellen dat ze rechten hebben,' zegt ze. 'De wet mag dan aangepast zijn, de cultuur zal niet een-twee-drie veranderen.'

In de eerste zes maanden van 2006, een jaar nadat de levenslange gevangenisstraf voor eerwrekers in de wet was vastgelegd, pleegden zesendertig vrouwen zelfmoord. Hoogleraar Yakin Ertürk, gezant van de Verenigde Naties, concludeerde na onderzoek dat het in de meeste gevallen ging om 'eerwraak vermomd als zelfmoord of als een ongeluk'. Opvallend was dat de meeste gevallen zich hadden voorgedaan in de stad Batman en nabijgelegen dorpen. Ter verklaring verwezen sommigen naar de destijds meest recente roman *Ka* (Sneeuw) uit 2002 van de Turkse schrijver Orhan Pamuk, winnaar van de Nobelprijs voor de literatuur. Hierin komt een zelfmoordepidemie voor onder tienermeisjes in Batman aan het begin van deze eeuw. Amateurpsychologen speculeerden over kopieer-gedrag, anderen waarschuwden voor 'de vloek van Batman'.

Een andere verklaring lijkt me realistischer. De meerderheid van de vrouwen die hulp zoeken komt uit gezinnen die ooit uit de afgelegen, landelijke gebieden in het zuidoosten van Turkije naar Batman zijn verhuisd om in de olieraffinaderijen te werken. De meesten zijn ongeschoold en analfabeet; weinigen zullen Pamuk hebben gelezen. Wel hebben meisjes van nu toegang tot telewinkels en MTV. Veel meer dan hun ouders zijn ze zich bewust van de openheid en vrijheid elders in de wereld. Maar er wordt van hen verwacht dat ze de moderne wereld negeren en gehoorzaam blijven aan hun mannelijke familieleden.

De zeventienjarige Derya ontving lieve sms'jes van een jongen van school. Toen haar familie haar immorele gedrag ontdekte, gebruikten ze paradoxaal genoeg hetzelfde verguisde moderne medium om haar op te dragen zelfmoord te plegen. Haar oom sms'te: 'Je hebt onze naam bezoedeld. Dood jezelf of we zullen je vermoorden.' Nadat ze op een dag vijftien van deze berichten had gekregen, wierp ze zich in de Tigris. Ze verdronk niet. Toen ze vervolgens haar polsen doorsneed, bracht een politieagent haar naar een blijfhuis van KAMER.

'Mijn familie gaf me het gevoel dat ik niets waard was en dat ik de ergste zonde had begaan die er maar bestaat,' vertelt Derya. 'Omdat ik mijn familie had onteerd, had ik geen recht meer om te leven. Ik moest de wens van mijn familie respecteren en besloot te sterven.' Derya kreeg therapie en heeft niet langer de neiging om zelfmoord te plegen, maar ze is pessimistisch over haar toekomst en die van andere meisjes in het gebied: 'Deze streek is religieus. Als je als vrouw jezelf wilt zijn, heb je twee opties: je familie verlaten en naar een stad verhuizen of jezelf van het leven beroven.'

Een derde mogelijkheid, emigreren en een nieuw leven beginnen in een ander land, kan net zo gevaarlijk zijn als blijven. Ik ging uiteindelijk terug naar huis in het noorden van Londen, waar Koerdische winkels dolma en köfte verkopen en de muziek van de nationalistische Koerdische zanger Sivan Perwer uit de winkelpuien schalt. De meeste Turkse Koerden kwamen naar Groot-Brittannië in de jaren tachtig en negentig, toen er in hun land zoveel gevochten werd. Hun pittige, exotische gerechten en hartverscheurende muziek waren een welkome afwisseling in het westerse Londen. Maar ze brachten ook hun tradities mee.

Inmiddels heeft Scotland Yard een speciale eerwraakeenheid opgericht onder leiding van Andy Baker, hoofd van het directoraat Ernstige Delicten bij de Metropolitan Police. 'Ik wil één ding duidelijk maken,' vertelde hij me in een interview. 'Er is niets eervols aan eerwraak.' Hij zei te hopen dat de levenslange gevangenisstraf van Abdullah Yones, de vader en moordenaar van Heshu, niet alleen een afschrikkende werking zou hebben, maar ook de zwijgende meerderheid zou stimuleren zich uit te spreken over mishandeling van vrouwen. 'Geweld in naam van de cultuur wordt niet getolereerd. Moord om de eer wordt beantwoord met de zwaarste straffen in de wet.'

Toch liet de politie een schandalig gebrek aan begrip en gevoeligheid zien in de behandeling van de zaak-Banaz Mahmod, die in 2006 verdween. Ze zocht vijf keer contact met de politie van Surrey omdat ze vreesde voor haar leven. Ze had een gewelddadige man en ook haar familie bedreigde haar. Op beelden van een bewakingscamera in het politiebureau, waar ze een politieagente vertelt dat haar man haar heeft mishandeld en haar wil vermoorden, is een mooie jonge vrouw te zien. Ze heeft donker haar in een keurige paardenstaart, bruine ogen en een hartvormig gezicht, dat vertrokken is van angst. Ze is negentien jaar.

'Hij sloeg me, hij stompte me, hij verkrachtte me, hij schopte me tegen mijn hoofd en hij sleepte me aan mijn haren over de vloer. Ik was pas zeventien toen ik trouwde. In het begin wist ik niet of dit normaal was,' vertelt ze de politieagente over de Iraakse Koerd met wie ze in 2005 trouwde. Het was een gearrangeerd huwelijk. De man kwam rechtstreeks uit het noorden van Irak. Banaz: 'Hij heeft een mentaliteit van een halve eeuw geleden. Alles gaat altijd op zijn manier. In onze cultuur is het niet toegestaan om de naam van de echtgenoot uit te spreken waar andere mensen bij zijn. Toen we een keer gasten hadden, noemde ik hem bij zijn naam. Hij zei dat hij me zou vermoorden als ik dat ooit weer deed. Ik zei: "Dit is Groot-Brittannië!"'

Banaz liep weg uit haar ongelukkige huwelijk en werd verliefd op een Koerd uit Iran, Rahmat Suleimani. Het was onmogelijk om de relatie geheim te houden. Ze had al snel in de gaten dat haar verlaten echtgenoot haar liet volgen. Ze vertelde de politie: 'Als ik naar buiten ga, word ik altijd gevolgd door een man in een auto. Daarom kom ik naar het politiebureau. Als er iets met mij gebeurt, heeft een van hen het gedaan.' Ze vroeg: 'Wat gaat u doen nu ik dit heb verteld?' De politie deed niets. Er kwam geen onderzoek en geen bescherming voor de jonge vrouw die vreesde voor haar leven.

Op oudejaarsavond 2006 haalde haar vader Banaz over om elkaar te ontmoeten in het huis van haar grootmoeder in Morden. Haar oudere zus Bekhal zag hem thuis vertrekken 'met in zijn ene jaszak een fles drank en in de andere een groot mes'. Het was brandewijn. 'Hij gaf me iets te drinken wat ik nog nooit eerder had geproefd,' vertelde Banaz later. 'Ik moest langzaam drinken, zei hij. De gordijnen waren dicht en het was erg donker. Mijn vader ging de kamer uit en kwam terug op Reebok-sneakers en met handschoenen aan. Ik moest gaan zitten en ik zou slaperig worden, zei hij. Toen verliet hij de kamer weer.' Ze begreep dat hij haar wilde vermoorden, vluchtte via de achterdeur het huis uit en sloeg het raam van de buren in om aandacht te trekken voordat ze wegrende en uiteindelijk instortte in een café.

Met door glasscherven bebloede handen en polsen werd ze naar het plaatselijke ziekenhuis gebracht, waar het personeel later zei dat ze nog nooit iemand zo bang hadden gezien. Haar vriend Rahmat haastte zich naar haar toe en had de tegenwoordigheid van geest om alles wat ze zei op te nemen met zijn mobiele telefoon. De politieagent die Banaz kwam ondervragen, geloofde haar verhaal niet. Hij constateerde slechts dat ze dronken was en een vernieling had aangericht. Niemand zag een verband met de jonge vrouw die op het politiebureau had gesmeekt om hulp.

Banaz verdween een paar weken later en de zaak werd overgedragen aan rechercheur Caroline Goode, hoofdinspecteur bij de Metropolitan Police. De schrijnende details van de moord kwamen in 2007 bij de rechtbank naar buiten.

Haar oom en haar vader hadden een bende opgetrommeld om Banaz te vermoorden. Op geheime opnamen in de gevangenis waar de verdachten hun proces afwachtten, is te horen wat ze elkaar vertelden: hoe ze haar seksueel misbruikten, wurgden en op haar nek stampten om haar ziel eruit te krijgen. Hoe ze vervolgens haar lichaam in een koffer propten en naar een huis in Birmingham brachten, waar het drie maanden in een ondiep graf onder een oude vriezer lag tot het werd ontdekt. Oom Ari Mahmod, het brein achter de moord, kreeg drieëntwintig jaar gevangenisstraf. Banaz' vader kreeg twintig jaar, hun handlanger Mohamed Hama zeventien jaar. Twee andere medeplichtigen, Mohammed Ali en Omar Hussain, neven van Banaz, waren gevlucht naar Irak. In een ongekende samenwerking tussen de twee landen leverde Irak de twee uit en haalde hoofdinspecteur Goode de mannen terug naar het Verenigd Koninkrijk, waar ze werden berecht en veroordeeld tot achttien jaar gevangenisstraf.

Caroline Goode kreeg een koninklijke onderscheiding voor haar behandeling van deze zaak. Vanuit haar ervaring riep ze op tot meer onderwijs, opleiding en communicatie over eermoorden: 'We moeten hierover praten in plaats van het onderwerp onder het vloerkleed vegen omdat het niet politiek correct is.' Later stelde de Onafhankelijke Klachtencommissie van de Politie in een rapport vast dat de politie van Surrey, die de zaak in eerste instantie had behandeld, grote steken had laten vallen en Banaz Mahmod aan haar lot over had gelaten. Intussen gingen de moorden door.[7]

In 2009 rapporteerde de Metropolitan Police een enorme toename van het aantal geregistreerde eergerelateerde misdrijven. In de zes maanden tussen april en oktober waren er 211 incidenten geweest, waarvan 129 misdrijven. Een onafhankelijke niet-gouvernementele organisatie, de Iraanse en Koerdische vrouwenrechtenorganisatie ikwro, twijfelde aan de cijfers, die volgens hen veel hoger waren. In het kader van het wettelijke recht op informatie namen ze contact op met alle tweeënvijftig politiekorpsen van het land en kwamen erachter dat de politie in 2009 en 2010 in het Verenigd Koninkrijk 2823 eerwraakgevallen had geregistreerd. Londen stond met 495 zaken boven aan de lijst, gevolgd door West-Yorkshire en de West-Midlands.[8]

Nazir Afzal, hoofdofficier van justitie en gespecialiseerd in dwanghuwelijken en eerwraak, denkt dat het aantal eermoorden op jonge Britse vrouwen onderschat wordt. 'We hebben ook te maken met exportmoorden,' zegt hij. 'De slachtoffers worden meegenomen naar het buitenland en daar vermoord, waardoor ze niet in onze politiedossiers terechtkomen.' Wanneer een kind voortijdig van school wordt gehaald, moeten de alarmbellen eigenlijk al gaan rinkelen, vindt hij. 'Het is belangrijk om ons niet alleen te concentreren op de slachtoffers, maar ook de aandacht op potentiële slachtoffers te richten. Als een meisje of jongen van school wordt gehaald, kan dat een aanwijzing zijn voor uithuwelijking.'

Uit een recent rapport van het ministerie van Binnenlandse Zaken bleek dat alleen al in Bradford 250 meisjes tussen de dertien en zestien jaar uit de leerlingenlijsten van scholen werden geschrapt nadat ze niet waren teruggekeerd van een vakantie in het buitenland.[9] Voormalig parlementslid Ann Cryer durft opnieuw haar nek uit te steken. 'Het probleem is dat niet iedereen er belang bij heeft om na te gaan wat er met deze kinderen gebeurt. Ouders, de school en de gemeenschap kijken liever weg. Het kan mij niet schelen wie, maar iemand moet de ouders vragen waarom een kind niet meer naar school gaat.'[10]

En zo gaat het maar door. Weerzinwekkende gebruiken als eerwraak en vrouwenbesnijdenis beschadigen de Britse samenleving. Beter onderwijs, integratie van etnische gemeenschappen en meer bewustwording bij politie, scholen en het maatschappelijk werk zijn nodig om deze zaken tegen te gaan. We kunnen weigeren om eufemismen te gebruiken en eerwraak te verdoezelen. We kunnen en moeten meer doen om deze eeuwenoude overtuigingen te ontkrachten.

Ik ga op bezoek bij het clubhuis van de Koerdische werknemersvereniging in Finsbury. Ik ken het gebouw goed. Eerder kwam ik hier advies vragen aan Koerden die in Londen woonden voordat ze naar Turkije of Irak reisden om verslag te doen van mensenrechtenschendingen tegen Koerden in deze landen. Ik ben altijd vriendelijk behandeld. Ze brachten me in contact met leiders binnen de gemeenschap en met familieleden in hun thuisland. Ik ben hier ook geweest toen de Koerdische gemeenschap in de publiciteit in verband werd gebracht met eerwraak door de moord op de zestienjarige Heshu Yones door haar vader. Vandaag de dag hangen de jonge mannen hier rond in merkjeans en capuchontruien waar iPod-draadjes uit hangen. Een typisch eenentwintigste-eeuws tafereel.

Ik bestel een sterke, bittere koffie en ga zitten bij een groepje jonge mannen die wachten op hun volgende beurt aan de biljarttafel. Ik vraag of ze geloven in eerwraak. 'Als een vrouw, een echtgenote of dochter, niet gehoorzaamt of wegloopt, verliest een man zijn eer,' vertelt Samir. 'Om die eer te herstellen, moet hij haar straffen of vermoorden. Dat is onze traditie. We kunnen niet anders.' Ahmed, een oudere man, voegt daaraan toe: 'Als iemand een vrouw vermoordt, gebeurt dat altijd onder druk van zijn familie en de gemeenschap. Hij weet niet beter dan dat hij haar moet doden om hun respect terug te winnen.' Ik had net zo goed in Diyarbakir kunnen zitten, waar middeleeuwse tijden eeuwig voortduren.

10

India

DE ELLENDIGSTE PLEK TER WERELD VOOR MEISJES

Manemma vertelt:

Ik vond het een mooie jurk. Zij was roze en rood, met hier
en daar wat goud, en mama hing sieraden rond mijn hoofd
en mijn gezicht. Ze zei dat het een bijzondere dag was en ik
was heel opgetogen. Er waren een heleboel mensen en er was
een hoop lawaai. Ik was zes en er waren andere meisjes van
mijn leeftijd en wat ouder. Alle jongens waren ouder, en er
waren ook een paar mannen. We moesten om een vuur heen
lopen, en dat was eng. Maar mama liep met me mee, dus het
ging goed. Toen begon mama te huilen en ze zei: 'Vaarwel',
en ze droeg me over aan een onbekende vrouw. Ik begon te
huilen en zei dat ik naar huis wilde. Maar mama rende weg en
ik ging pas twee jaar later weer naar huis.

Manemma is inmiddels elf en ze zit omringd door haar familieleden
een beetje troosteloos op de grond in hun tweekamerwoning. Ze
vertelt over haar trouwdag vijf jaar geleden. 'Toen ik trouwde, had
ik geen idee wat er gaande was,' gaat ze verder. 'Ik was jong en vond
het heel leuk om me mooi aan te kleden, maar toen ze me vertelden
dat ik thuis wegging, moest ik vreselijk huilen. Ik wilde niet weg bij
mijn ouders, mijn zussen en broers, maar ik werd gedwongen. En

zodra ik bij mijn man thuis arriveerde, zette mijn schoonmoeder me aan het werk.'

Manemma's huwelijk eindigde in een complete ramp. Na twee jaar wilde haar echtgenoot, die twintig was, liever een seksueel meer ervaren vrouw en hij stuurde haar naar huis. 'Hoe behandelde je man jou?' Ik wil haar niet rechtstreeks vragen of hij probeerde met haar te vrijen. Manemma is nu elf jaar, maar ze ziet er veel jonger uit en gruwend van gêne zegt ze: 'Ik wil het niet over mijn man hebben.' Artsen melden dat prepuberale meisjes in haar situatie regelmatig worden verkracht. Eén ding weet Manemma in elk geval zeker. Ze zegt dat ze nooit meer wil trouwen.

Ik wend me tot haar vader en vraag hem hoe hij zijn dochter dit heeft kunnen laten overkomen. Zonder schaamte kijkt hij mij net zo strak aan als ik hem. Hij haalt zijn schouders op en zegt op nuchtere toon: 'Zo gaat dat hier nu eenmaal. Ik heb vijf dochters en kan me niet veroorloven om ze allemaal te eten te geven. Meisjes trouwen heel jong. De meeste oudere mannen hebben graag een jong meisje, en van de meisjes wordt verwacht dat ze zich bij de situatie neerleggen. Het is nu eenmaal traditie.' Hij kijkt met een beschuldigende blik naar zijn dochter, en ik vraag me af hoelang zij zich kan blijven verzetten tegen een nieuw huwelijk.

Ik wil het op een krijsen zetten als ik hem het woord 'traditie' hoor aanvoeren als uitleg. Hoeveel misdaden worden er over de hele wereld tegen vrouwen gepleegd uit naam van de traditie? De mensheid raakt steeds beter geïnformeerd, geglobaliseerd, en meer onderlegd, zou je denken, dus waarom blijven mensen maar verwijzen naar achterhaalde en onverklaarbare tradities die spotten met het gezond verstand, en zelfs met de wet? Wat is het toch vreselijk handig om tradities aan te voeren om vrouwenhaat te verhullen en zelfs misdadig gedrag te legitimeren.

Kindhuwelijken zijn verboden in India. In de Wet op de kindhuwelijken, aangenomen in 1929, onder het Britse koloniale bewind, stond dat een meisje vijftien en een jongen achttien moest zijn om te kunnen trouwen. Na de onafhankelijkheid werd de wet in 1978 aangepast en werden de leeftijden tot respectievelijk achttien en eenentwintig opgetrokken. In 2006 werd in de wet betreffende het verbod op kindhuwelijken een gevangenisstraf van twee jaar opgenomen voor mannen van boven de achttien die met minderjarige meisjes trouwen of die een officiële rol vervullen bij een huwelijk waarbij een meisje van onder de achttien is betrokken.[1] Ouders van een kindbruidje kunnen eveneens worden gestraft, en de nieuwe wet schept de mogelijkheid voor kindbruidjes en bruidegoms om hun huwelijk nietig te laten verklaren zodra ze de volwassenheid hebben bereikt.

Ondanks al die wettelijke hervormingen in de loop van negentig jaar wordt de wet in dit land met zijn omstreeks 1,2 miljard inwoners alom met voeten getreden. Uit de jongste cijfers van India's Nationaal Bureau voor de Statistiek blijkt dat in 2014 slechts tweehonderdtachtig zaken aanhangig zijn gemaakt betreffende een kindhuwelijk. En toch wijzen cijfers van UNICEF erop dat zo'n 18 procent van de meisjes in India voor hun vijftiende wordt uitgehuwelijkt, en 30 procent voor hun achttiende. Rajasthan is een van de staten waar de meeste kindhuwelijken voorkomen. Op een paar kilometer van een aantal zeer populaire Indiase toeristenbestemmingen, de steden Jodhpur en Jaipur, worden kleine meisjes gedwongen een illegaal huwelijk als minderjarige aan te gaan en zich te onderwerpen aan kindermisbruik.

In de overheidsgebouwen in Jodhpur doet de afdeling Kinderbescherming eerder aan het India van de negentiende eeuw denken dan aan het hightech India van vandaag de dag, met zijn slimme IT'ers en zijn ruimteraketten. Een plafondventilator draait met veel gedruis rond boven een handjevol ambtenaren in een rommelig kantoor waar stoffige dossiers op een bureau liggen opgestapeld, naast één enkele telefoon. Het is Akshaya Tritiya, de dag in mei die geschikt is om in het huwelijk te treden, en de telefoon is geïnstalleerd om ervoor te zorgen dat mensen de ambtenaren kunnen waarschuwen over illegale ceremonies. De telefoon rinkelt niet.

De directeur van de kinderbescherming is zo te zien niet bijzonder verontrust. Hij legt uit dat de bruiloftsplanners erg slim zijn. 'Ze zijn ons altijd een stapje voor. Ze kondigen een bruiloft aan en dan verschuiven ze de datum of de plek waar de bruiloft plaats-vindt. Rajasthan is heel groot, en de politie kan niet in het hele ge-bied patrouilleren. Als ze voldoende auto's hadden, zouden ze die bruiloften misschien kunnen tegenhouden.' Een ander probleem is dat een groot deel van het land in de staat Rajasthan nog steeds in bezit is van rijke landeigenaren met uitstekende connecties. Hun landgoederen genieten bepaalde privileges.

De hitte stijgt op uit de woestijn in Rajasthan en verduistert de horizon. De auto zet ons af aan de grens van een privédomein waar 'de politie niet naar binnen durft', volgens de chauffeur. Hij verze-kert ons dat we geen moeite zullen hebben om de massale bruiloft te vinden, en hij geeft vaag een richting aan. Bij een temperatuur van vijfenveertig graden is het voor mij en mijn plaatselijke rege-laar Farzana trouwens wel een probleem om met de camera rond te sjouwen, en de nevel maakt het lastig om dingen te onderscheiden. Als we een paar minuten hebben rondgestrompeld, horen we het geluid van trommels en snaarinstrumenten.

Als we dichterbij komen, ontwaren we felgekleurde tenten die uit het stof opdoemen. Er zijn een paar honderd mensen; de vrouwen in felroze en rood, de mannen in witte dhoti en tulband. Al zingend dragen oudere vrouwen de in zijden tapijten gewikkelde bruids-schatten naar de omsloten afdeling van de bruidegoms. Het is een wirwar van kleuren, getrommel en uitgelatenheid. Met de groot-ste moeite banen Farzana en ik ons een weg door de menigte, in de richting van de prachtigst versierde tent, op zoek naar de bruiden.

We trekken een flap van de tent opzij en zien ongeveer vijftien jonge meisjes in karmozijnrode jurken van synthetische stof, met guirlandes rond hun hals en versierd met strengen glazen kralen rond hun hoofd en vastgemaakt aan een neusvleugel. Niet één lijkt ouder dan zestien. Een kindbruidje dat onmogelijk ouder dan zes kan zijn, zit popperig gekleed in felrood en goud met haar met kohl omrande ogen verbijsterd te kijken naar wat zich allemaal om haar heen afspeelt.

Ineens neemt de kakofonie toe; de musici beginnen extra be-vlogen te spelen en de vrouwen barsten los in gezang. De bruiden worden naar buiten geleid, naar waar de priester naast het heilige vuur staat te wachten. Ze zien hun aanstaande echtgenoot voor de eerste keer. De jongste van de in het wit gestoken bruidegoms lijkt ongeveer twaalf jaar oud, en er zijn er ook een paar van in de twintig en de dertig. Het meisje van zes struikelt bijna als ze bij wijze van bruiloftsritueel rond het vuur loopt, terwijl de priester zijn mantra's reciteert. Als haar schoonmoeder haar wegleidt naar de plek waar ze voortaan thuishoort, barst ze in huilen uit.

Een meisje wordt in India vanaf haar geboorte beschouwd als iets overtolligs, als een extra mond om te voeden, iemand die geen bijdrage kan leveren aan de inkomsten van een gezin. Sterker nog: als gevolg van de Indiase traditie om overtrokken bruidsschatten te geven, kan ze economisch gezien een ondraaglijke last zijn. Als een bruid maar jong genoeg is, zal de familie van de bruidegom minder geld vragen. Dus hoe eerder haar ouders van haar afkomen, hoe beter het voor hen is. In plattelandsgemeenschappen in India is het een alom geaccepteerde traditie. Die mag dan illegaal zijn, geen mens zal de politie bellen.

Wat de dramatische gevolgen zijn als niemand wat onderneemt, is te zien in plaatselijke ziekenhuizen. Op de afdeling Spoedeisende Hulp van het Mahatma Gandhi-ziekenhuis in Hyderabad wordt een meisje van vijftien binnengebracht. Ze heeft weeën en ligt te kronkelen van pijn. De dienstdoende gynaecoloog vertelt me vermoeid dat ze 'een klassiek voorbeeld is van wat er fout kan gaan als je te jong een kind krijgt. Ze heeft een hoge bloeddruk en omdat haar lichaam nog niet volgroeid is, is de doorgang in het bekken te klein, waardoor de baby zal komen vast te zitten. We zullen een keizersnede moeten uitvoeren.'

Volgens een volkstelling die onlangs door de Indiase overheid is uitgevoerd krijgen 300.000 meisjes in India voor hun vijftiende een kind, en sommigen zelfs twee.[2] Dr. Shailaja neemt me mee naar de afdeling Neonatologie, en wijst naar de ondervoede, onderontwikkelde kinderen die daar liggen. De arts zegt: 'Moet je zien wat er met zulke kindbruidjes gebeurt.' Ze vraagt het meisje of ze haar tong wil uitsteken. 'Kijk maar, ze heeft bloedarmoede. Dat hebben de meesten. En kijk die baby nou, die weegt nog geen vier pond. Die mag van geluk spreken als hij het redt. Baby's van kindmoeders maken 50 procent meer kans te sterven dan kinderen van oudere moeders.' Gelukkig staart de jonge moeder de Engelssprekende arts niet-begrijpend aan.

Het ziekenhuis is een weerspiegeling van de paradox die India tegenwoordig is, van het moderne en het middeleeuwse die naast elkaar bestaan. Dr. Shailaja komt uit een middenklassenfamilie van mensen met een goede opleiding in Bangalore, en straalt zelfvertrouwen, competentie en duidelijk ongeduld uit als ze de rijen hulpeloze vrouwen overziet. Ze heeft alle instrumenten van de moderne geneeskunde tot haar beschikking, maar wordt gedwarsboomd door mensen die koppig vasthouden aan een barbaarse traditie. Ze is ook een meelevende vrouw, en dus schieten de tranen haar in de ogen als we over de afdeling Gynaecologie lopen.

Hier ondergaan vrouwen die soms nog maar drieëntwintig zijn een hysterectomie (verwijdering van de baarmoeder). Hun lichaam is vaak al volkomen geruïneerd door meerdere zwangerschappen. 'Als ze weer naar huis gaan,' zegt Shailaja, 'kunnen ze niet meer zwanger raken en zijn ze te zwak om op het land te werken. De kans is groot dat ze door hun echtgenoot aan de kant worden gezet.' De ellendige werkelijkheid in India is dat een meisje al op haar zesde getrouwd kan zijn, op haar twaalfde moeder kan worden en begin twintig al een geheel verwoest lichaam kan hebben. En dat alles heeft ook nog eens gevolgen voor haar opleiding.

Een kindbruid wordt van de basisschool gehaald en krijgt geen kans op een middelbareschoolopleiding. Ik ontmoet twee zussen, Anjali en Vinisha van elf en dertien, in hun huis in Jaipur. Hun moeder en zussen zijn hun ledematen aan het masseren met een mengsel van yoghurt en koenjit. Hun handen en voeten zijn al overdekt met krullerige patronen van henna. Buiten is de luidruchtige aankomst van de bruidegoms te horen; ze arriveren te paard en worden begeleid door een fanfare. De spanning neemt toe in de slaapkamer van de meisjes. 'Natuurlijk ben ik zenuwachtig, zou u dat niet zijn?' zegt Vinisha, de oudste van de twee. Ze is prikkelbaar en angstig over wat er te gebeuren staat. 'We hebben onze echtgenoten zelfs nog niet gezien, laat staan gesproken.'

Ze zegt dat ze van hun huis houdt, van haar zussen en van school, en nu zal ze dat allemaal kwijtraken. 'Straks bij mijn schoonouders thuis heb ik geen kans meer om naar school te gaan. Dan moet ik alleen koken, het huishouden doen en mijn man plezieren. Dan moet ik mijn hoofd met een sluier bedekken en alles doen wat mijn schoonmoeder zegt.' Een jonge bruid raakt niet alleen de sociale en intellectuele prikkels kwijt die ze op school krijgt, maar zonder leesvaardigheid is ze ook afgesloten van openbare aankondigingen en campagnes die zaken promoten als gezondheidszorg, goede voeding en geboortebeperking. Kindhuwelijken maken alle problemen die India op sociaal en economisch gebied heeft nog eens zo erg.

Er is tegenwoordig in India nog een angstaanjagender reden voor ouders om voorstander van een kindhuwelijk te zijn. In 2014 publiceerde een Indiaas persagentschap een verhaal over een boer en zijn vrouw uit de noordelijke staat Haryana, die hun dochter van vijftien van school hadden gehaald om haar uit te huwelijken aan een man van veertig. Daar is niets ongewoons aan. Maar de reden die de moeder, Basnati Rani, opgaf, was behoorlijk verontrustend: 'In een samenleving die voortdurend onveiliger wordt, en waar verkrachtingen en aanrandingen steeds gewoner worden, is het een verstandig besluit om mijn dochter uit te huwelijken. Wie trouwt er nog met haar als ze misbruikt of verkracht is? Nu kan haar man in elk geval op haar passen.'[3]

Verbijsterend genoeg vond dit huwelijk plaats in het noordelijke Haryana, een van de meest progressieve staten wat de strijd tegen kindhuwelijken betreft. De plaatselijke overheid heeft een programma opgezet, 'Mijn dochter, mijn rijkdom', waarbij ouders 2500 roepie (33 euro) ontvangen als hun dochter op achttienjarige leeftijd nog niet getrouwd is. Maar voor de ouders van Paru Rani was dat geen stimulans genoeg; de vrees voor verkrachting was groter.

Haryana heeft zijn eigen portie gekregen van deze gruwelijke misdaad. In 2015 werd een achtentwintigjarige geestelijk gestoorde vrouw uit Nepal het slachtoffer van een groepsverkrachting, waarna ze dood werd achtergelaten op een veld. Bij de autopsie bleek dat ze bewusteloos was geslagen met een steen en dat er tijdens de verkrachting stenen, lemmets en stokken bij haar naar binnen waren geduwd. Acht mannen werden gearresteerd. Een maand later verhing een tienermeisje uit Haryana zich aan de plafondventilator in haar slaapkamer. Men zei dat ze er ondersteboven van was dat de politie de aanklacht wegens groepsverkrachting die ze had ingediend had veranderd in verkrachting. Ze wilde alle vier de mannen die haar hadden verkracht bij naam noemen, maar van de politie mocht ze slechts één van haar verkrachters in haar getuigenverklaring laten opnemen.

In het verslag van BBC News Online over de verkrachting en moord op de vrouw in Haryana wordt een korte schets gegeven van een aantal verkrachtingen die in India de laatste jaren de krantenkoppen hebben gehaald:

16 december 2012: een studente wordt verkracht in een bus in Delhi, wat leidt tot protesten en woede in het hele land.

30 april 2013: een meisje van vijf sterft twee weken nadat ze is verkracht in Madhya Pradesh.

4 juni 2013: een Amerikaanse van dertig wordt in Himachal Pradesh het slachtoffer van een groepsverkrachting.

17 september 2013: vijf jongens worden in Assam vastgezet op verdenking van een groepsverkrachting van een meisje van tien.

15 januari 2014: een Deense vrouw zou het slachtoffer van een groepsverkrachting zijn geworden toen ze de weg kwijt was in de buurt van haar hotel.

23 januari 2014: dertien mannen worden opgepakt in West-Bengalen in verband met de groepsverkrachting van een vrouw, naar het schijnt op bevel van dorpsoudsten die het niet eens waren met haar relatie met een man.

4 april 2014: drie mannen worden tot de galg veroordeeld voor de verkrachting van een fotoverslaggeefster in Mumbai het jaar daarvoor.[4]

De eerste van deze reeks, de groepsverkrachting van en moord op de drieëntwintigjarige Jyoti Singh in een bus in Delhi op 16 december 2012, leidde in India tot massale betogingen tegen verkrachting, met een omvang die nog nooit was vertoond. Jyoti Singh was een studente medicijnen die nog een halfjaar te gaan had totdat ze arts zou zijn. Ze had de hele week hard gestudeerd en besloot zichzelf in het weekend op een film te trakteren, samen met een vriend van haar, Awindra Pandey, een softwareontwikkelaar die net als zij uit Uttar Pradesh kwam. Ze gingen naar *Life of Pi* in een populair winkelcentrum in Delhi en daarna bood Awindra aan haar naar huis te brengen in een buitenwijk van Delhi.[5]

Inmiddels was het negen uur 's avonds en het was donker. Ze probeerden een riksjarijder over te halen hen mee te nemen, maar iedereen zei dat het te ver was. Ze probeerden te liften, maar dat lukte evenmin. Ze stonden bij een bushalte te wachten toen daar een bus halt hield die volgens de chauffeur hun kant op ging. Ze stapten in. Wat ze niet wisten was dat het een schoolbus was die geen vergunning had om passagiers op te pikken in Delhi en dat alle zes de mannen in de bus zwaar aan het drinken waren geweest. Wat er vervolgens gebeurde is met geen pen te beschrijven.

De mannen sloten de deuren van de bus en begonnen het stel uit te schelden. Ze vroegen Jyoti waarom ze zo laat nog op pad was met een man die niet haar echtgenoot was. Awindra kwam tussenbeide en zei dat dat hun niets aanging. Hij werd van zijn kleren ontdaan, in elkaar geslagen tot hij bewusteloos was, en achter in de bus gegooid. Ze kwamen tot de conclusie dat Jyoti een lesje verdiende. Terwijl de bus anderhalf uur door Delhi rondreed, mishandelden en verkrachtten de zes mannen haar. Zij probeerde zich te verzetten en beet haar aanvallers. Met een roestige, L-vormige ijzeren staaf die als krik werd gebruikt staken ze haar in haar vagina. Ze liep zware verwondingen op aan haar geslachtsdelen, buikstreek en ingewanden. Een van de aanvallers stak zijn hand in haar lichaam en trok er een deel van haar ingewanden uit.

Een van de schurken zei: 'Ze is dood, ze is dood. We moeten haar lozen.' De bus ging naar de kant en ze gooiden Jyoti en Awindra, die allebei naakt waren, in de berm. Toen de chauffeur zag dat Jyoti nog bewoog, probeerde hij de bus in z'n achteruit te zetten om haar plat te rijden. Awindra sleepte haar uit de baan van de bus en die reed vervolgens weg. De wanhoop nabij probeerde Awindra riksjarijders en automobilisten over te halen hen te helpen. Niemand deed dat. Uiteindelijk stopte een fietser om hen te helpen. Hij keek naar Jyoti, en achteraf zei hij: 'Ze zag eruit zoals een koe eruitziet als ze net heeft gekalfd. Overal zat bloed.' Hij belde de politie, die kostbare tijd verdeed door vragen te stellen over wat er was gebeurd terwijl Jyoti langs de kant van de weg helse pijn lag te lijden, steeds meer bloed kwijtraakte en het bewustzijn verloor. Uiteindelijk belden ze een ambulance.

De barbaarse aanval was volgens de daders Jyoti's eigen schuld. 'Als je verkracht wordt, moet je niet terugvechten. Ze had haar mond moeten houden en de verkrachting gewoon moeten ondergaan. Dan hadden ze haar onderweg afgezet nadat ze haar hadden gepakt en hadden ze alleen de jongen geslagen.' Een van de aanvallers, Mukesh Singh, legde deze verbijsterende verklaring af in een interview dat is opgenomen toen hij in afwachting van zijn rechtszaak in de gevangenis zat.[6]

Op een kruk in zijn cel, met een keurig bijgeknipte snor en in een pas gestreken geruit katoenen overhemd, zit hij vol zelfvertrouwen en zonder een greintje berouw te praten. Hij beweert dat hij tijdens de hele verkrachting aan het rijden was, wat wordt bestreden door zijn medeverdachten, die zeggen dat hij aan de groepsverkrachting heeft deelgenomen.

Mukesh Singh weerspiegelt de opvattingen van veel te veel mannen in het India van nu wanneer hij in het hele interview volhoudt dat het meisje de schuldige is. 'Een meisje is veel meer aansprakelijk voor een verkrachting dan een jongen,' zegt hij. 'Een fatsoenlijk meisje zou om negen uur 's avonds niet zomaar op straat mogen rondzwerven. Schoonmaken en huishouden is voor meisjes, niet 's avonds rondhangen in disco's en bars en allemaal verkeerde dingen doen en verkeerde kleren dragen.' Die verkeerde kleren zijn prikkelend; de mannen zijn het slachtoffer van liederlijke verleiding.

De artsen waren verbijsterd dat Jyoti de aanval had overleefd. De eerste chirurg die haar verwondingen onderzocht zei: 'Ik doe dit werk al twintig jaar, en zo'n geval heb ik nog nooit gezien. We weten niet welke delen we aan elkaar moeten zetten. We begrijpen niet hoe ze nog in leven kan zijn.' Het werd in India een geruchtmakende zaak. De regering kwam tussenbeide en Jyoti werd overgebracht naar het Mount Elizabeth-ziekenhuis in Singapore, waar men zich toelegt op orgaantransplantaties. In het vliegtuig op weg daarheen kreeg ze een hartstilstand, en dertien dagen na de verkrachting, op 29 december, overleed ze. Haar moeder, Asha Devi, zat aan haar bed. 'Jyoti draaide zich naar me om en zei: "Het spijt me dat ik jullie zoveel ellende heb bezorgd,"' vertelde Asha Devi later. 'Het geluid van haar ademhaling hield op en de lijnen op de monitor verflauwden.'

Tot aan de aanval was het leven van Jyoti Singh een soort Indiaas sprookje geweest. Haar naam betekent 'licht' en haar ouders waren blij met haar geboorte. 'Toen zij werd geboren, kregen wij het geschenk van het licht. Mensen vieren het niet zo als een meisje wordt geboren. Wij wel. We deelden snoepjes uit en iedereen zei: "Jullie vieren feest alsof het een jongen is!"'

Haar vader, Badrinath Singh, wilde als kind onderwijzer worden, maar zijn ouders waren te arm om hem op zijn elfde nog langer op school te laten. Hij zwoer dat hij ervoor zou zorgen dat al zijn kinderen, de twee jongens en zijn dochter, een opleiding kregen. 'Het kwam niet in ons hoofd op om te discrimineren,' zegt hij. 'Hoe kan ik gelukkig zijn als mijn zoon wel gelukkig is, maar mijn dochter niet? Ik kon het een kleine meid die zo graag naar school ging gewoon niet weigeren.' Jyoti wilde arts worden. Singh verkocht stukken van het land dat zijn familie bezat en draaide dubbele diensten als bagagemedewerker op het vliegveld van Delhi om haar droom te laten uitkomen.

Een studiebegeleider kan zich nog goed Jyoti's feministische overtuigingen en vastbeslotenheid herinneren. Het staat hem bij dat ze eens zei: 'De verschillen tussen een meisje en een jongen worden mensen vanaf hun geboorte bijgebracht. Een meisje kan in werkelijkheid net zo goed alles.' Ze werkte van acht uur 's avonds tot vier uur 's nachts bij een callcenter om mee te betalen aan haar studiekosten en sliep maar drie, vier uur per nacht voordat ze 's ochtends vroeg haar studie hervatte. Ze droomde ervan ooit een ziekenhuis te bouwen in het dorp waar ze was geboren. Ze verheugde zich erop om haar examens af te ronden en dan haar ouders te kunnen helpen. Haar moeder weet nog dat ze zei: 'Nu hoeven jullie je geen zorgen meer te maken, papa en mama. Jullie kleine meid is arts. Alles komt in orde.'

De reacties op de dood van Jyoti laten India op z'n best en op z'n slechtst zien. De politie reageerde snel. Aan de hand van opnamen van bewakingscamera's konden ze de bus identificeren, en ze pakten de zes verkrachters en moordenaars op met behulp van de schetsen die Awindra Pandey had gemaakt en de verklaringen die Jyoti op haar sterfbed had gegeven. De vijf mannen en een minderjarige, een jongen van zeventien, werden binnen vierentwintig uur na de wandaad gearresteerd.

Al snel verspreidden de gruwelijke details van de misdaad zich door de sociale media, en in het hele land vonden demonstraties plaats. De eerste protesten in Delhi voltrokken zich voor de woning van Sheila Dikshit, de chief minister van Delhi, die al eerder jonge vrouwen tot woede had gedreven door te beweren dat een journaliste die in 2008 was vermoord zich wel erg 'avontuurlijk' had gedragen door zich 's avonds op straat te wagen in de stad.[7] De secretaris van de All India Progressive Women's Association, Kavita Krishnan, liet tijdens de demonstratie weten dat 'vrouwen alle recht hebben om avontuurlijk te zijn. We zullen avontuurlijk zijn. We zullen roekeloos zijn. We zullen onbezonnen zijn. En waag het niet om ons te vertellen wat we horen te dragen. Waag het niet om ons te vertellen op welke tijdstippen overdag of 's nachts wij buiten mogen zijn of hoeveel begeleiders we nodig hebben.'

Verkrachting is een doodgewoon verschijnsel in India. Uit cijfers van de politie valt af te leiden dat er elke twintig minuten een plaatsvindt, maar de zaak-Jyoti Singh trok alom de aandacht.[8] Het was niet gewoon het zoveelste verhaal over verkrachting en moord in India. Dit leek meer op een Grieks drama. Haar familie was zo dapper om aan de normen te tornen. Haar ouders beschouwden haar als de gelijke van haar broers. En zij beloonde hen door op school prachtige cijfers te halen, voordat ze doorging naar de universiteit, iets wat nog nooit was vertoond in hun dorp. Maar in de ogen van haar misogyne, beestachtige verkrachters was ze te ver gegaan. Ze had de traditie aan haar laars gelapt en had daar met haar leven voor moeten betalen.

De gewelddadige aanval, haar arme afkomst, haar progressieve ouders, haar feminisme, haar ambities, het feit dat ze 'avontuurlijk' genoeg was om op een avond naar de film te gaan met een vriend – dat alles raakte een snaar bij de jonge vrouwen van het hedendaagse India. In de dagen daarop verzamelden tienduizenden vrouwen zich bij de India Gate en voor het gebouw van het Indiase parlement in Delhi. Ze riepen: 'Wij zullen verkrachting nooit tolereren', en: 'Vrijheid', en ze hielden spandoeken op met NU IS HET GENOEG. STOP VERKRACHTERS ACHTER DE TRALIES EN GEEN VROUWEN ACHTER DE TRALIES VAN HET PATRIARCHAAT.

De politie trad met geweld op. De media werden geweerd van het gebied waar de demonstraties plaatsvonden, maar dat neemt niet weg dat op de paar beschikbare foto's te zien is dat de politie vlammenwerpers, een waterkanon, traangas en lathi's – knuppels – gebruikte om de demonstrerende jonge vrouwen en de mannen die zich bij de protesten hadden aangesloten aan te vallen. Drang-hekken werden omvergegooid en auto's werden in brand gestoken. Premier Manmohan Singh legde een verklaring af waarin hij op-riep tot kalmte door een uitspraak van Gandhi te citeren dat geweld niets oplevert, en hij beloofde dat er verandering zou komen in de manier waarop verkrachtingszaken worden behandeld in het land.

Leden van het Indiase parlement, de Lok Sabha, spraken over de schande van India, riepen op tot het ophangen van verkrachters en het invoeren van dringende maatregelen om de veiligheid van vrouwen te garanderen. Men beloofde betere straatverlichting en geregelde politiecontroles op het openbaar vervoer. Er werd een justitieel onderzoek aangekondigd en de commissie-Verma werd ingesteld. Tachtigduizend zaken werden bekeken, en de commissie rondde haar rapport af met een beschuldiging aan het adres van de overheid en de politie wegens een gebrek aan daadkracht in het merendeel van de verkrachtingszaken. In een poging af te komen van Delhi's reputatie als 'verkrachtingshoofdstad van India' werden er in de stad zes rechtbanken opgezet speciaal voor korte gedingen in verkrachtingszaken.

Vier maanden na de aanval werd een van de beklaagden, Ram Singh, verhangen in zijn cel aangetroffen. Nu resteerden nog de minderjarige en de vier volwassen mannen in de beklaagdenbank. In augustus 2013 werd de minderjarige veroordeeld tot de maximaal mogelijke straf: drie jaar jeugddetentie. Een maand later werden de vier volwassen verdachten schuldig bevonden aan de verkrachting van en moord op Jyoti Singh en de poging tot moord op Awindra Pandey. Toen hij hen tot de doodstraf veroordeelde, noemde rechter Yogesh Khana de zaak 'een schok voor het collectieve geweten van India'. Drie jaar later is nog geen van hen opgehangen; ze blijven in beroep gaan tegen hun veroordeling.

Een jaar na de aanval kwam bij een enquête aan het licht dat 90 procent van de geënquêteerde vrouwen zich op straat in Delhi niet veiliger voelde;[9] uit cijfers van de politie bleek dat de misdaden jegens vrouwen waren toegenomen. Het leek erop dat alles weer z'n gewone gangetje ging in Delhi en dat de woede en de beloften die na de verkrachting van en de moord op Jyoti waren gedaan in vergetelheid waren geraakt.

Intussen had regisseur Leslee Udwin een documentaire gemaakt over de beestachtige verkrachting van Jyoti Singh, die in maart 2015 tegelijkertijd in het Verenigd Koninkrijk en in India zou worden uitgezonden.[10] De voorpubliciteit rond de documentaire verontrustte Indiase politici zeer, aangezien daaruit bleek dat de voorwereldse opvattingen omtrent vrouwen in India niet zijn voorbehouden aan onontwikkelde drinkebroers als de verdachten, maar ook worden aangetroffen onder gestudeerden. De Indiase minister van Parlementaire Zaken Venkaiah Naidu beweerde dat de film onderdeel was van een samenzwering 'om India in een kwaad daglicht te stellen', en de uitzending werd verboden. Maar de film werd wel vertoond bij de BBC in het Verenigd Koninkrijk, en de akelige hoogtepunten als het vraaggesprek met de verdachte Mukesh Singh en met de twee verdedigers belandden op de sociale media en leidden tot grote woede onder de vrouwen van India.

Een van betrokken verdedigers, M.L. Sharma, zegt in gebroken Engels: 'In onze samenleving staan we onze meisjes nooit toe om het huis te verlaten na halfzeven, halfacht, of halfnegen 's avonds met een onbekend persoon. Zij [Jyoti Singh en Awindra Pandey] hebben onze Indiase cultuur verlaten. Ze waren beïnvloed door de filmcultuur waarin ze alles kunnen doen wat ze willen. Het gaat hier om een man en een vrouw als vrienden. Sorry. Dat heeft in onze samenleving geen plaats. Een vrouw [...] brengt meteen seks in zijn ogen. In India hebben we de beste cultuur. In onze cultuur is geen plaats voor een vrouw.'

Een andere verdediger van de zes, A.P. Singh, voert dit onacceptabele argument nog verder. Over Jyoti's beslissing om met een vriend naar de bioscoop te gaan zegt hij dat een meisje wel mag uitgaan, 'maar dan met familieleden als een oom, vader, moeder, grootvader, grootmoeder etc., etc. Ze hoort niet 's avonds op stap te gaan met haar vriendje. Als mijn dochter of zus zich voor het huwelijk zou overgeven aan bepaalde activiteiten, zichzelf te schande zou maken en ervoor zou zorgen dat ze gezichtsverlies zou lijden door zulke dingen te doen, zou ik dat soort zus of dochter meteen meenemen naar mijn boerderij, haar waar de hele familie bij is overgieten met benzine en haar in brand steken.'

Zoals een van de beklaagden, Mukesh Singh, beweerde: 'Een meisje is veel meer aansprakelijk voor een verkrachting dan een jongen', zo kwamen de twee onderlegde advocaten, die beiden lid zijn van de Indiase Orde van Advocaten, nog maar weer eens aanzetten met de overtuiging dat verkrachting altijd de schuld van het meisje is. Vrouwen die woedend en verbijsterd waren vanwege de ingesleten cultuur waarin verkrachting een alledaags verschijnsel is, reageerden furieus op de sociale media. Journalist Nandini Krishnan schreef in haar blog: 'Ik weet het niet, hoor, maar misschien doen ze het niet steeds weer omdat ze niet beseffen dat het verkeerd is, maar omdat ze verslaafd zijn aan het gevoel van macht dat het hun geeft als ze ermee bezig zijn, en omdat – ik noem maar wat – ze er keer op keer op keer mee wegkomen.'

Uit cijfers van de politie blijkt zeker dat ze ermee wegkomen. Slechts één van de 706 verkrachtingszaken die in 2012 aanhangig werden gemaakt eindigde in een veroordeling. Een gevangenispsychiater beschrijft verkrachters als 'normale menselijke wezens met antisociale trekken [...] Dus als ze maar even kans zien een vrouw te verkrachten, doen ze dat ook. Er zitten mensen achter de tralies die tweehonderd verkrachtingen hebben gepleegd. Dat is het aantal dat ze zich kunnen herinneren; maar het kunnen er meer zijn. Ze zeggen dat het "het recht van een man" is. Ze beschouwen de ander niet als een menselijk wezen. De negatieve waarden die in onze cultuur over vrouwen bestaan, spelen een heel belangrijke rol bij dit soort daad.'[11]

Hoe komt het toch dat er in de Indiase samenleving zo denigrerend over vrouwen wordt gedacht? Vier van de 'top-tien' onder de hindoeïstische goden zijn immers godinnen (Lakshmi, Durga, Kali en Sarasvati) die zowel door mannen als door vrouwen enthousiast worden aanbeden. Er is zowel een vrouwelijke president als een vrouwelijke premier geweest. Er lijkt echter een gevaarlijke kloof te bestaan tussen de vrouwen die de top hebben bereikt en de miljoenen vrouwen voor wie India de ellendigste plek ter wereld is om te wonen. Indiase sociologen en feministes die naar het antwoord op deze vraag hebben gezocht, leggen de schuld bij de plattelandstradities waar nog veel families zich aan houden en die zeer veel invloed hebben op de overgrote meerderheid van de Indiase bevolking vandaag de dag, zowel op degenen die in dorpen blijven wonen als op degenen die net in de stad zijn aangekomen, zoals de mannen die schuldig werden bevonden in de zaak-Jyoti Singh.

Jongens kunnen het land helpen bewerken; meisjes zijn zwak en nutteloos. Het loont om in jongens te investeren, en als een gezin weinig geld heeft, zullen alleen de jongens naar school worden gestuurd. Het is dus ook geen verrassing dat in India 82 procent van de mannen kan lezen en schrijven, en slechts 65 procent van de vrouwen.[12] Van jongs af aan merken jongens dat zij meer eten krijgen dan hun zussen, hun moeder altijd als eerste hun te eten geeft, en dat de geboorte van hun broertjes met gejuich wordt begroet. 'Veel mensen groeien bij ons op met het idee dat een meisje minder belangrijk is,' zegt een prominente politica, 'en omdat ze minder belangrijk is, kun je met haar doen wat je wilt.'[13]

In het interview met Mukesh Singh borduurt hij voort op die filosofie van 'je kunt met haar doen wat je wilt'. Hij heeft het over eerdere slachtoffers van verkrachting bij wie de ogen werden uitgestoken of die werden verbrand. Het gruwelijkste wat hij zegt is dat de doodstraf waartoe hij en de drie andere volwassen verdachten in de zaak-Jyoti Singh zijn veroordeeld er alleen maar toe leidt dat vrouwen nog meer risico lopen. 'De doodstraf zal het er voor meisjes nog gevaarlijker op maken,' zegt hij. 'Als iemand een meisje verkracht, zal hij haar niet achterlaten, zoals wij hebben gedaan. Dan vermoorden ze haar. Vroeger verkrachtten ze iemand en dan zeiden ze: "Laat haar maar liggen, ze vertelt het toch niet door." Maar als ze nu verkrachten, en zeker de criminele types, vermoorden ze het meisje gewoon. Dood.'

De dood als ultieme oplossing wordt in India met ruime hand aan vrouwen toebedeeld: aan slachtoffers van verkrachting om zeker te weten dat ze niet kunnen getuigen; in de vorm van *sati*, de ceremonie waarbij een weduwe op de brandstapel van haar overleden echtgenoot wordt verbrand, en die in 1988 werd verboden, maar die nog steeds voorkomt; 'bruidsschatdoden', oftewel de moord op bruiden die hun huwelijkse overeenkomsten niet nakomen, zijn al eeuwen een normaal verschijnsel, en nu loopt het meisje zelfs al risico voordat ze de kans heeft gekregen uit de baarmoeder te komen.

India verliest per jaar miljoenen meisjes. Ze zijn het slachtoffer van feticide, de moord op foetussen, en van infanticide, de moord op meisjes van tussen de nul en de vier jaar oud. Dit heeft een dramatisch effect op de getalsverhouding tussen de geslachten in India. Sinds 1991 daalt elk jaar het aantal meisjes dat wordt geboren ten opzichte van het aantal jongens. Bij de volkstelling van

2011 bleek de verhouding 914 vrouwen te zijn tegenover duizend mannen, de scheefste verhouding die landelijk is gemeten.[14] In sommige delen van het land zijn nog geen achthonderd meisjes op elke duizend jongens. De verbeterde medische apparatuur heeft in combinatie met de vooroordelen van een patriarchale samenleving tot catastrofale resultaten geleid.

Mobiele klinieken voor geslachtsbepaling rijden ongehinderd zo'n beetje elk dorp en elke buurt in. De test kost maar een paar honderd roepie. Zodra een vrouw eenmaal weet dat ze in verwachting is van een meisje, kan ze zich bijvoorbeeld melden bij de plaatselijke praktizijn. 'Van de bast van een mangoboom en een marwaboom maak ik een pasta-achtige substantie,' legt een praktizijn uit die in Rajasthan werkt. 'Daarna roer ik er andere ingrediënten doorheen, waaronder een plaatselijk gemaakte wijn, ik voeg er wat zwarte magie aan toe en zeg tegen de vrouw dat ze het 's ochtends vroeg op een nuchtere maag moet innemen.'[15]

Dorpsvroedvrouwen hebben het over het inbrengen van stokjes en glas in de vagina, om de foetus te doden. Geen wonder dat er jaarlijks duizenden vrouwen aan dat soort praktijken overlijden. Als moeder en kind tegen alle verwachtingen in toch overleven, worden de traditionelere methoden van kindermoord aangewend. Eeuwenlang hebben mensen meisjesbaby's bij de geboorte laten verdrinken, of ze simpelweg laten overlijden aan verwaarlozing, uithongering of een teveel aan zout. Ook hier schiet de moderne wetenschappelijke vooruitgang te hulp. Steeds vaker wordt onkruidverdelger gebruikt om baby's van een paar dagen oud te doden.

Eind jaren tachtig beschikte men in klinieken in de meeste plaatsen in India al over een echoscopieapparaat om ouders op de hoogte te kunnen stellen van het geslacht van de foetus, waarna zij ervoor konden kiezen ter plekke een abortus te ondergaan. Abortus is sinds 1971 in een groot aantal gevallen legaal in India. Het is toegestaan bij verkrachting, als de gezondheid van moeder en foetus in gevaar is, en als de voorbehoedmiddelen die de ouders hebben gebruikt hun werk niet hebben gedaan. Dat wordt verder geheel overgelaten aan de betrokken arts. Inmiddels is het aantal meisjes dat in de baarmoeder wordt gedood hoger dan het aantal dat gedood wordt met traditionelere methoden van infanticide.

In 1991 begon het aantal geboren meisjes vergeleken bij het aantal jongens te dalen. In 1994 werd de Wet op de preconceptieve en prenatale diagnostische technieken aangenomen, waardoor het een misdrijf werd als een arts het geslacht van een foetus aanvoerde als reden voor abortus.[16] Maar in India maakt men zich zo druk over de bevolkingsgroei dat er nooit effectief op abortus is gecontroleerd; klinieken die echoscopieën uitvoeren worden zelden nagetrokken door functionarissen van gezondheidsdiensten, en het doden gaat onverminderd voort. In de meeste staten van India zijn er nog geen vervolgingen geweest in het kader van deze wet. In twee staten is sprake van kleine boetes van tussen de 300 en 4000 roepie, en slechts van één geval waarin een gevangenisstraf van twee jaar werd opgelegd.[17] Het is ook niet verwonderlijk dat de wet niet wordt toegepast, als je in aanmerking neemt dat politie, artsen en ouders allemaal dezelfde instelling hebben.

Sriti Yadav formuleert het in het vrouwentijdschrift *Feminspire* als volgt: 'Dus het komt erop neer dat het opvoeden van een meisje het equivalent is van een investering in een kwakkelende onderneming, en dat het opvoeden van een jongen je de zekerheid biedt dat je de loterij wint. Welk weldenkend mens zou dan nog een vrouwelijk kind ter wereld brengen?' En een meisje is altijd een risico. Net als in veel van de culturen die we hebben bekeken, geldt hier dat de enige waarde van een meisje in haar maagdelijkheid schuilt. Yadav wijst erop dat 'een kleine rebellie tegen het strikt afgebakende pad er al voor zorgt dat het meisje geen fatsoenlijke jongen meer waard is; dus dat betekent geen huwelijk, en een ongetrouwd meisje is een vloek voor haar hele familie. Wanneer een meisje aan zulke strikte sociale voorwaarden moet voldoen, wordt ze een blok aan het been; de meeste ouders schrikken er dan ook voor terug zo'n verantwoordelijkheid op zich te nemen. De oplossing is: geen vrouwelijk kind in de familie.'[18]

Het zijn niet alleen de ongeletterde boerenfamilies die hun meisjesbaby's doden. Onder de staten met de scheefste geslachtsverhoudingen zijn ook Haryana en Punjab, die op grond van het hoofdelijk inkomen tot de welvarendste deelstaten van India behoren. Amrita Guha, een Indiase wetenschapper uit Calcutta, legt de schuld bij een combinatie van rijkdom die toegang verschaft tot moderne medische hulpmiddelen en een aanhoudend cultureel conservatisme. 'Naar mijn mening heeft een betrekkelijke welvaart zonder enige vorm van de bijbehorende progressieve opvattingen over vrouwen geleid tot een verergering van de trend in de richting van de moord op vrouwelijke foetussen' onder de middenklassen in India.[19]

Maar waarom willen zelfs meer welvarende ouders liever een jongen? In de meeste gevallen snijdt een vrouw alle betrekkingen met haar familie door zodra ze huwt. Haar ouders geven niet graag geld uit aan haar levensonderhoud en opleiding, aangezien haar leven later toch toebehoort aan haar echtgenoot en schoonouders. De identiteit van het meisje raakt los van haar eigen familie, en haar belangrijkste verplichting aan haar nieuwe familie is het doorgeven van de familienaam door een zoon te baren. Als een familie ambities heeft binnen de nieuwe consumentenmarkt India, willen ze geen kinderrijk gezin. Dan hebben ze liever een jongen.

Amita woont in een middenklassebuurt in Delhi. Ze doet me denken aan de hoofdpersoon in de met vele prijzen onderscheiden Indiase film *The Lunchbox*, waarin Nimrat Kaur de plichtsgetrouwe, eenzame echtgenote speelt die dagelijks droevig en vol weemoed de lunch voor haar man bereidt en in metalen bakjes schept. Amita staat elke dag bij zonsopgang op om in haar piepkleine keuken op twee gaspitten te gaan koken. De ventilator zoemt boven haar hoofd terwijl ze zorgvuldig de parantha's uitrolt en de hoeveelheid chili in de kip-biryani controleert. Ze maakt vier lunchdozen klaar: een voor haar man, een voor elk van haar twee dochters, allebei van in de twintig, en een voor haar zoon van negentien, die alle drie studeren.

Ze vertelt dat ze nog steeds treurt om de dochters die ze heeft verloren. Tussen de geboorte van haar twee dochters en die van haar zoon was ze nog tweemaal zwanger. Uit de echo bleek dat het meisjes waren en telkens werd ze door de familie van haar man gedwongen zich te laten aborteren. Ze barst in tranen uit bij de herinnering aan de eerste abortus. 'De foetus was bijna zes maanden oud. Ik mis haar.' Toen uit een volgende echo bleek dat ze weer in verwachting was van een meisje, dwong de familie haar opnieuw tot een abortus, zegt ze. 'Ik zei dat meisjes evenveel recht hebben om te bestaan als jongens, maar mijn schoonmoeder zei dat ik stom was.'

Toen het verbod op geslachtsselectie in abortusklinieken werd aangenomen, duurde het nog elf jaar, tot 2006, voordat de eerste veroordeling volgde. De arts verdween voor twee jaar achter de tralies. 'Onze grootste zorg is dat de bestaande strategieën niet werken,' zegt de in Delhi gevestigde gynaecoloog dr. Puneet Bedi, een bevlogen campagnevoerder tegen abortus uit overwegingen van geslachtsselectie.[20] Het probleem is dat een arts wordt aangemoedigd door geldelijk gewin, dat de vrouw wordt gedwongen door de familie en door sociale druk, en dat de daad zich afspeelt achter gesloten deuren. Het is nauwelijks verwonderlijk dat medici niet erg geneigd zijn orde op zaken te stellen, en er vinden volstrekt willekeurig en maar sporadisch controles plaats door de inspectie gezondheidzorg.

En dan zijn er de sociale gevolgen van feticide, die nog een verklaring kunnen bieden voor de zaak-Jyoti Singh. Doordat er in bepaalde gebieden van India maar heel weinig vrouwen zijn en wel hoge aantallen werkloze, ongehuwde mannen, hoeven we niet verder te zoeken naar een reden achter de toegenomen verkrachtingen, stelt Amrita Guha. 'Aangezien mannen vrouwen beschouwen als de kwetsbare groep, en aangezien die groep allengs kleiner wordt, waardoor het uitzicht op een huwelijk slinkt, zal het voorkomen van groepsverkrachtingen alleen maar toenemen.' Een bekend spreekwoord in het noorden van India luidt: 'De heer van een vrouw is een man; de heer van een man is zijn levensonderhoud.' Als een man een vrouw noch een baan heeft, is hij een verschoppeling en is de kans groot dat hij een gefrustreerd, kwaad en gevaarlijk mens wordt. Maar als hij geld heeft en geen partner kan vinden binnen zijn eigen gemeenschap, kan hij er een kopen.

De betrekkelijk welvarende staat Haryana heeft de meest scheve geslachtsverhouding van heel India. Er worden 861 meisjes geboren op elke duizend jongens.[21] De jongemannen in Jind, een welvarend boerendistrict in Haryana, raken in paniek. In 2009 heeft hun leider, Pawan Kumar, de Unmarried Youth Organization opgericht. Tijdens de verkiezingen van 2014 in India lanceerde hij de *bahu-dilao-vote lo* (bruiden voor stemmen)-slogan, en eisten ze dat hun politici bruiden voor hen zouden regelen in ruil voor hun stem. De kandidaat voor de Congrespartij maakte onmiddellijk korte metten met hun voorstel: 'Waarom denken mensen niet aan bruiden als ze hun heil zoeken bij de moord op vrouwelijke foetussen? Geen mens zal zo'n ongebruikelijk, absurd voorstel accepteren.'[22]

Nu hun politici hen in de steek laten, nemen de jongemannen van Haryana contact op met mensenhandelaars om die bruiden te zoeken. 'Ze zijn gedwongen bruiden te kopen,' zegt Sunil Jaglau, een dorpshoofd in Haryana. 'Dat is hier een enorme handel geworden. Agenten en tussenpersonen doen goede zaken.' De bruiden komen uit de allerarmste streken van India: Orissa, Bengalen, Assam en Bihar – het soort gebieden in India waarover je geregeld hoort dat boeren er zelfmoord plegen omdat ze de dure meststoffen niet kunnen betalen en de last van hun grote gezinnen en hun schulden niet kunnen dragen. Zulke families zijn maar al te blij om één of twee dochters te kunnen verkopen. De prijs voor meisjes tussen de tien en de achttien varieert van 500 tot 1000 roepie (6,50 tot 13 euro) per stuk.

Tegen de tijd dat ze duizenden kilometers door heel India hebben gereisd, worden ze in Haryana verkocht voor tussen de 4000 en de 30.000 roepie (56 tot 390 euro), dus het is een lucratieve handel voor de mensenhandelaars. Deze getraumatiseerde meisjes, die in een staat aankomen waarvan ze de taal niet spreken en waar elk cultureel referentiekader voor hen ontbreekt, worden *paro's* (een vrouw die voor een paar centen is gekocht) genoemd. Plaatselijke vrouwen die al in een grote familie wonen, nemen deze meisjes liever niet op. Ze verschijnen zonder bruidsschat en familie, dus gewoonlijk wordt hun een traditioneel, wettig huwelijk onthouden, waardoor hun huwelijkse staat onduidelijk blijft. Ze raken volkomen vervreemd, mogen geen contact onderhouden met hun familie thuis, en krijgen het zwaarste werk. Er gaan veel geruchten over mishandeling en ergere zaken in de dorpen van Haryana, waaronder het verhaal over de vrouw die naar men zegt onthoofd werd omdat ze weigerde naar bed te gaan met de broers van haar eigenaar.

Men zegt dat er tienduizenden paro's wonen in de dorpen van Haryana. Volgens Randeep Singh Surjewala, minister van de staatsregering, wordt er opgetreden als er klachten binnenkomen over de behandeling van deze vrouwen en wordt tevens de campagne tegen feticide opgevoerd. 'We proberen mensen sociaal op te voeden en het probleem van de geslachtsverhouding aan te pakken. We willen ervoor zorgen dat ons volk de meisjes in onze gemeenschap waardeert en koestert.' In de hoofdstraten van Haryana hangen spandoeken waarop staat: RED ONZE MEISJES. Die zijn in elk geval in de plaats gekomen van de spandoeken voor abortusklinieken die er eerder hingen, met de tekst: NU BETALEN, LATER BESPAREN.

In 1961 werden bruidsschatten verboden in India, maar net als veel andere wetten die bedoeld zijn om vrouwen te beschermen, werd ook dit verbod wijd en zijd genegeerd. Van oudsher bestaat zo'n bruidsschat gewoonlijk uit kleding, sieraden, een bescheiden som geld of een stuk land. De moderne consumentenmarkt India heeft bruidegoms voortgebracht met hoge eisen, zoals een kleurentelevisie, een muziekinstallatie, keukenapparatuur, een motorfiets of een auto. De vader van meerdere dochters kan makkelijk financieel ten onder gaan aan dit sociale euvel. Uit wanhoop zal hij vragen of hij in termijnen kan betalen, en soms nog tot een hele tijd na het sluiten van het huwelijk. Als de gevraagde stukken niet op tijd arriveren, loopt de nieuwe bruid in die periode het risico door de familie geslagen, in huis opgesloten of vermoord te worden.

Uit cijfers van India's Nationaal Bureau voor de Statistiek blijkt dat er in 2012 8233 doden zijn gevallen die verband hielden met een bruidsschat.[23] De methode die de voorkeur heeft, is verbranding. De familie van de bruidegom zorgt ervoor dat de echtgenote een brandbare sari van nylon draagt, en het 'ongeluk' zal steevast plaatsvinden in de keuken. De vrouwenafdelingen van brandwondenziekenhuizen in India zijn altijd voor een groot deel bezet door de slachtoffers van wat artsen 'keukenmoordaanslagen' noemen. Vanwege de onrustbarende toename van dit soort gruwelijke sterfgevallen in de jaren tachtig, werden de wetten rond bruidsschatten zodanig aangepast dat elk sterfgeval door verbranding binnen de eerste zeven jaar van een huwelijk wordt behandeld als moord in verband met de bruidsschat.

De wetten zijn er wel, maar de rechtbanken in India zijn berucht om hun weinig meelevende houding in zaken betreffende geweld tegen vrouwen. In 2014 stelden rechters van het Hooggerechtshof dat de wetten omtrent bruidsschatmoorden 'als wapen worden gebruikt door ontevreden echtgenotes. De eenvoudigste manier om te treiteren is ervoor zorgen dat de echtgenoot en zijn familie worden gearresteerd op grond van deze wet.' Onlangs heeft de politie de instructie gekregen in dit soort zaken een stuk veeleisender te worden, waardoor het voor de betreffende vrouw, die intussen misschien op sterven ligt in een ziekenhuis, moeilijker wordt om haar stem te laten horen. In 2012 werden er bijna 200.000 verdachten gearresteerd wegens een bruidsschatmoord; slechts 15 procent werd veroordeeld.

In India wordt elk uur een vrouw vermoord vanwege een bruidsschat,[24] en elke twaalf seconden wordt de foetus van een meisje geaborteerd.[25] In een land dat zich erop kan laten voorstaan dat het de op negen na rijkste economie ter wereld heeft, heeft de moord op vrouwen epidemische proporties aangenomen. Het secretariaat van de Groep van 20, waar India toe behoort, heeft dat land de gevaarlijkste plek ter wereld genoemd om als meisje te worden geboren, een plek waar meisjes tweemaal zoveel kans lopen om voor hun vijfde te sterven als jongens.[26]

India heeft 76 miljoen euro uitgegeven om een ruimtevaartuig in een baan rond Mars te brengen, terwijl meisjes nog steeds te veel risico's lopen en te weinig onderwijs krijgen. Net als in veel andere landen heeft het beschermen van meisjes in India geen prioriteit. Shemeer Padinzjharedil geeft leiding aan de ngo die misdaden tegen vrouwen documenteert. Zij zegt: 'Het is een wonder dat een vrouw in India overleeft. Voordat ze geboren is, loopt ze het risico te worden afgedreven vanwege onze obsessie voor zoons. Als kind kan ze te maken krijgen met geweld, verkrachting en een vroeg huwelijk, en als ze trouwt, kan ze vermoord worden vanwege de bruidsschat. En als ze dat allemaal overleeft, wordt ze als weduwe nog benadeeld en krijgt ze geen rechten wat erfenis en eigendom betreft.[27]

De bekendste schrijfster van India, Anita Desai, is bekritiseerd omdat ze de vrouwen van India als hulpeloze wezens beschrijft die geen zeggenschap hebben over hun leven. 'Maar net als iedere schrijver probeer ik zelfs in fictie de waarheid te pakken te krijgen, de waarheid te schrijven,' zegt ze.[28] In haar roman *Voices in the City* zegt een van de hoofdpersonen, Monisha uit Calcutta:

> Ik denk aan al die generaties Bengaalse vrouwen die verstopt zitten achter de getraliede ramen van schemerige kamers, die eeuwen spenderen met het wassen van kleren, deeg kneden en het mompelen van verzen uit de *Bhagavad Gita*, in het gedempte licht van beroete lampen.
>
> Levens die worden doorgebracht in afwachting van niets, met zorgen voor mannen die op zichzelf gericht, onverschillig, hongerig, veeleisend en vitterig zijn, in afwachting van de dood, en dan onbegrepen sterven.[29]

Uit wanhoop dat ze ooit zal kunnen ontsnappen aan het door mannen gedomineerde, beperkende milieu waarin ze leeft, maakt Monisha een eind aan haar leven. Desai heeft ervoor gekozen in Amerika te wonen, en deinst ervoor terug commentaar te leveren op het hedendaagse India, waarvan ze zegt: 'India is een merkwaardig oord dat zijn verleden, religies en geschiedenis koestert. Hoe modern India ook wordt, het is en blijft een oud land.'[30] Dat neemt niet weg dat ze uit woede over de toename van gewelddadige verkrachtingen recentelijk heeft gezegd: 'Mannen accepteren vrouwen

nog steeds niet als mensen die ook gewoon hun leven moeten leiden. Het duurt misschien nog generaties voordat er werkelijk verandering komt.'[31]

Is er enig teken dat er iets verandert? Sinds het aantreden van
premier Narendra Modi in 2014 heeft deze een imago van vrouw-
vriendelijkheid gecultiveerd. Hij heeft zich uitgesproken tegen
seksueel geweld en de moord op vrouwelijke foetussen, en hij heeft
ouders ervan beschuldigd dat ze hun zoons niet goed opvoeden. De
vrouwen van India hadden misschien reden optimistisch te zijn,
totdat de werkelijke gevoelens van de premier op dat terrein in juni
2015 aan het licht kwamen. Tijdens een staatsbezoek aan de universiteit van Dhaka maakte hij een uitzonderlijk tactloze en onthul-
lende opmerking over de premier van Bangladesh en vrouwen in
het algemeen: 'Het doet me deugd te vernemen dat de premier van
Bangladesh zich heeft uitgesproken voor een zerotolerancebeleid
inzake terrorisme, ondanks het feit dat ze een vrouw is.'[32]

Modi's bekrompen opmerking leidde tot een storm van woede
bij Indiase vrouwen, die tot uiting kwam onder de hashtag #De-
spiteBeingAWoman: 'Ondanks het feit dat ik een vrouw ben, heb
ik uitgeknobbeld hoe ik een auto moet bedienen en ermee kan rijden!' En: 'Ondanks het feit dat ik een vrouw ben, kan ik ademha-
len, eten, poepen en bestaan. Vast een hele prestatie!' Net zoals de
vrouwen van India na de verkrachting van Jyoti Singh vol verontwaardiging en woede in opstand kwamen. Maar als de leider van de
grootste democratie ter wereld dat soort opvattingen ventileert, kan
het nog wel eens even duren voordat India zijn weinig benijdenswaardige reputatie kwijtraakt als 'ellendigste plek ter wereld om als
vrouw te worden geboren.'

11

Verkrachting als oorlogswapen

Ik probeerde te slapen, maar er was vrijwel geen ruimte om te liggen. We waren met z'n honderden daar, en de stank die afsloeg van de emmers die we als wc gebruikten was overweldigend. Ze kwamen in de nacht, met toortsen. Mijn dochters van twaalf en veertien lagen naast me. Een van de soldaten, een lange man met een baard, bescheen mijn dochter van veertien, Esma, en zei: 'Die neem ik.' 'Nee, nee, alstublieft, neem mij,' zei ik. Esma begon hysterisch te gillen. Ik bleef kalm, en hij zal wel hebben gedacht dat het minder gedoe gaf als hij mij nam.

Ze hielden me veertien dagen vast. In het begin was het alleen de man met de baard, ene Dusko. Ik rook de alcohol in zijn adem als hij me verkrachtte. Na een paar dagen gaf hij me aan iedereen die me maar wilde. Soms waren het er twee per dag, en soms tien. In het begin verzette ik me met mijn nagels en mijn tanden, maar dan sloegen ze me, en dan liet ik ze maar hun gang gaan. Ik bloedde en was er slecht aan toe, daarom brachten ze me terug naar de zaal. Ik vroeg de vrouwen daar waar mijn dochters waren. Zij zeiden: 'Die zijn ze komen halen.' Ik heb ze nooit meer gezien.

Ik luister naar Ivanka's verhaal in Posušje, in het oosten van Kroatië, in een treinwagon die nu in gebruik is om gezinnen onderdak te bieden die op de vlucht zijn geslagen voor de gevechten. Het is oktober 1993, op het hoogtepunt van de oorlog in Bosnië. Ivanka schenkt met trillende hand de koffie in die ze op de Turkse manier heeft bereid. Ze is tweeënveertig, maar met haar grijze haar ziet ze eruit als een vrouw van in de zestig. Ze is iedereen kwijt: haar moeder, haar man, haar twee dochters en haar zoon van tien. Toen de deskundigen aan het eind van de oorlog de aantallen bij elkaar optelden, kwamen ze tot de conclusie dat er zo'n 50.000 vrouwen en meisjes in dit conflict tussen 1992 en 1995 zijn verkracht. Ivanka is er daar slechts één van.[1]

Er komen andere vrouwen bij de deur van de treinwagon staan luisteren naar haar verhaal. Ivanka geneert zich en raakt overstuur, dus staat ze op om de deur dicht te trekken. Ik ben haar dankbaar dat ze met me praat. Ik heb al een aantal vrouwen benaderd die volgens degenen die in het vluchtelingenkamp werken zijn verkracht, maar Ivanka is de eerste die ook echt dat woord gebruikt. Sommige vrouwen schudden hun hoofd en zeggen dat ze niet kunnen praten over wat er is gebeurd. 'Daar is het te schandelijk voor.' Anderen zeggen 'het' wanneer ze de aanval op hun lichaam beschrijven die hun leven heeft verwoest. Ik voel me schuldig dat ik doorvraag en schakel op een ander onderwerp over. Ivanka is de enige die me het hele verhaal wil vertellen.

In mei 1992 arriveerden Servische soldaten in haar dorp in de buurt van Doboj in het noorden van Bosnië. Ze waren uit op een 'etnische zuivering' van de streek, om van de hele moslimbevolking af te komen en intussen oorlogsbuit te maken. 'De Chetniks kwamen mijn huis in, namen mee wat ze wilden hebben en sloegen de rest kapot. Dat deden ze met alle huizen die van moslims waren. Ze voerden mijn man en zoon af, stopten mijn dochters en mij in een vrachtwagen en brachten ons naar een plaatselijke school, waar we in het gymlokaal werden opgesloten. Het was er overvol. Als de soldaten binnenkwamen om ons stukken brood toe te werpen of ons weg te halen, trapten ze onder het rondlopen op ons.'

Ivanka kwam in oktober 1995 vrij uit een van de beruchte zogenoemde 'verkrachtingskampen' van de oorlog in Bosnië, toen de troepen van de moslimregering Doboj heroverden. Van de omstreeks tweeduizend vrouwen die ooit in de zaal hadden geslapen, waren er nog maar een paar honderd over toen de bussen kwamen om hen in veiligheid te brengen. Ze heeft geen idee wat er met haar dochters is gebeurd. Veel van de jonge slachtoffers van verkrachting (sommigen waren nog maar tien jaar) zijn verkracht tot de dood erop volgde. Hun onderontwikkelde lijfjes waren niet opgewassen tegen het voortdurende misbruik.

Ivanka wil wanhopig graag de mannen uit haar familie terugvinden: haar man, broer en zoon. Als ze haar man vindt, hoopt en bidt ze dat hij er niet achter komt dat ze is verkracht. Als hij daar wel achter komt, zal hij haar waarschijnlijk afwijzen. Ze dankt God dat ze niet meer vruchtbaar is, want een aantal van de slachtoffers van verkrachting in het vluchtelingenkamp is zwanger. 'Die zeggen dat ze de baby's gaan vermoorden zodra die worden geboren,' zegt Ivanka. 'Ze kunnen toch ook niet houden van de kinderen van Servische verkrachters en moordenaars?' Ze heeft gehoord dat het Internationale Rode Kruis ergens lijsten van gevangenen aan het opstellen is, maar ze heeft geen idee hoe ze daar toegang toe moet krijgen. Als ze niet bevriend was geraakt met de vrouwen met wie ze haar wagon deelt, zegt ze, had ze al maanden geleden zelfmoord gepleegd. Ik hou haar hand vast en probeer haar gerust te stellen, en ik zeg dat de oorlog vast binnenkort voorbij is, maar wat weet ik nou helemaal?

Kinderen die de massamoorden hebben overleefd zijn buiten aan het spelen. Een hartverscheurend meisje met blond haar en blauwe ogen zit op het trapje van de wagon een beetje voor zich uit te staren. 'Sinds de dingen die gebeurd zijn, praat ze niet meer. Ze heeft hen haar vader zien vermoorden,' legt Ivanka uit. Een kleine jongen die Eman heet, is van twijgjes en stukjes karton huizen aan het bouwen. 'Dit is mijn huis,' zegt hij, wijzend naar een klein bouwsel. 'Kijk, daar heeft mijn vader de auto staan.'

De verveling wordt in het vluchtelingenkamp alleen onderbroken als de medewerkers van de liefdadigheidsinstanties die in hun noden voorzien dagelijks voedsel komen afleveren, en als er af en toe pakketten met kleding worden bezorgd uit de rijkere landen van Europa. De vrouwen snuffelen tussen de afgedankte jassen, jurken, pakken en schoenen die zijn ingezameld door welmenende vrouwen in Londen, Parijs en Berlijn. Ivanka beklaagt zich: 'Waarom sturen ze zoveel kleren voor mannen? Weten ze dan niet dat we die hier niet hebben?' Evan van zes komt ook even in de dozen neuzen. 'Waarom sturen ze geen speelgoed? Kleren zijn stomvervelend,' zegt hij.

Ik voel me schuldig. Ik ben een van die welmenende vrouwen die geprobeerd hebben hun steentje bij te dragen. Net als veel anderen keek ik vol afgrijzen toe terwijl zo'n 90.000 Servische manschappen werden gemobiliseerd, die vervolgens Bosnië-Herzegovina binnenvielen, nadat de bewoners in maart 1992 voor onafhankelijkheid hadden gestemd. Terwijl de oorlog voortduurde en tot de grootste humanitaire crisis leidde sinds de Tweede Wereldoorlog, zamelde ik geld in voor de vluchtelingen. In 1993 organiseerde ik een liefdadigheidsbal, 'Bop for Bosnia', in Studio One van de BBC. De toenmalige schaduwminister van Binnenlandse Zaken Tony Blair en enkele honderden anderen gaven acte de présence. We zamelden genoeg geld in om konvooien met voedsel en kleding naar de vluchtelingen te sturen die de oorlog in Bosnië waren ontvlucht. Verdorie, dacht ik toen ik die teleurgestelde jongen zag. Waarom heb ik nou toch niet aan speelgoed gedacht?[2]

Als journalist heb ik de oorlog vanaf het begin verslagen, en ik kon nauwelijks geloven dat het slechts iets meer dan twee uur vliegen van Londen kostte om in een moeras te belanden van chaos, vernietiging en dood. Ik ben er nog nooit zo dichtbij geweest om het leven te laten tijdens mijn werk als toen ik meereed met een konvooi dat hulpgoederen door Kroatië naar de belegerde moslimstad Jablanica in Bosnië zou brengen. Ik zat in de voorste vrachtwagen op weg door een kloof, toen de bestuurder daarvan een stomme fout maakte. Hij zette de wagen stil op een verlichte brug om de kaart te lezen, waardoor hij een aanval over het konvooi afriep. We werden vanuit Servische posities in de omliggende bergen bestookt met artillerievuur. Na de eerste schok greep ik mijn camera en ik begon te filmen. Het was niet de eerste keer dat ik erachter kwam wat een steun de camera in zulke situaties biedt – die schept afstand, omdat je, als je door een camera naar gebeurtenissen kijkt, het gevoel krijgt dat je een film ziet, waardoor je er beter tegen kunt. We hadden geluk. Slechts één van de vrachtwagens werd rechtstreeks geraakt, en van de twee inzittenden kwam de een weg met een wond aan een oog en de ander met scherven in zijn been. We sukkelden Jablanica binnen en kregen een dankbaar onthaal van de hongerige moslimbevolking en een woedende berisping van de commandant van de Spaanse vn-vredestroepen die vlak bij de stad gestationeerd waren. Hij was de week ervoor op dezelfde weg twee manschappen kwijtgeraakt en beschuldigde ons er terecht van dat we roekeloos waren geweest. Ik kan me Sarajevo herinneren van vlak na een bombardement door Servische troepen die in Pale zaten, in de heuvels boven de moslimstad. Ik zal nooit de aanblik vergeten van een flatgebouw waar een complete buitenmuur aan ontbrak: het weggeslagen beton onthulde onopgemaakte bedden, halfopgegeten maaltijden, en spelletjes die overal verspreid lagen. Een dagelijks leven dat ruw verstoord was, en persoonlijke bezittingen die open en bloot te kijk lagen. De voormalige bewoners zaten weggedoken in versterkte kelders, waar ze een groot deel van de resterende oorlog zouden doorbrengen. Ik weet nog dat ik in het dorp Srebrenica aan het filmen was, een paar weken voordat de bevolking daar het slachtoffer werd van de gruwelijkste massamoord van die hele oorlog. Duizenden moslims hadden er hun toevlucht gezocht vanuit de omgeving, nadat de vn het dorp tot 'veilig gebied' hadden verklaard. Toen ik filmopnamen aan het maken was van gezinnen die in een aula van een school bivakkeerden waar het benauwd en smerig was, kwam er een vrouw op me af die schreeuwde: 'Waarom nemen jullie je camera's alleen mee om de buitenwereld te vermaken? Waarom doen jullie niet iets?'

De stem van die vrouw achtervolgt me nog steeds, zowel omdat ze een wrange samenvatting gaf van het werk van een tv-journalist, als om wat er nadien ongetwijfeld met haar is gebeurd. Een bataljon Nederlandse soldaten van de vn-vredesmacht stond toe te kijken terwijl het Servische leger onder aanvoering van generaal Ratko Mladić in juli 1995 het dorp binnentrok en achtduizend mannen en jongens meenam, die later werden afgeslacht. Met een blik op de duizenden doodsbange moslimmannen stelde Mladić zijn mannen 'een feest van bloed' in het vooruitzicht. Wat de vrouwen aangaat zei hij tegen hen: 'Mooi. Hou de goeie maar hier. Veel plezier met ze!'[3]

Een Nederlandse hospik getuigde later bij het Joegoslaviëtribunaal: 'De soldaat lag op het meisje, zonder zijn broek. Ze lag op de grond, op een soort matras. Er zat bloed op de matras; zelf zat ze onder het bloed. Ze had blauwe plekken op haar benen. Er liep zelfs bloed langs haar benen omlaag. Ze verkeerde in shock. Ze ging volkomen door het lint.'[4] Een andere getuigenis was van een drieënveertigjarige verkrachte vrouw die verklaarde: 'Hij dwong me me uit te kleden. Ik moest huilen en ik smeekte hem het niet te doen. Hij leek me een jaar of twintig. Ik zei tegen hem: "Ik ben een oude vrouw; ik kon je moeder wel zijn." Hij zei: "Ik ben een maand te velde geweest, ik heb geen vrouw, ik wil het en ik kan het."'[5]

Wat was het effect van die verkrachtingen op die tienduizenden vrouwen? De Amerikaanse feministe Andrea Dworkin heeft geschreven dat iemands 'gevecht voor waardigheid en zelfbeschikking wortelt in het gevecht om de zeggenschap over je eigen lichaam, met name zeggenschap over de fysieke toegang tot dat lichaam'.[6] Bosnische slachtoffers van verkrachting hebben het er vaak over dat ze zich bezoedeld, smerig en vernederd voelen. De tweeëntwintigjarige Sadeta, die in haar dorp Rizvanovici verkracht werd door Servische soldaten, werpt een gruwelijk licht op verkrachting als oorlogswapen: 'Doodmaken is niet boeiend genoeg meer voor hen. Het is veel leuker om ons te kwellen, vooral als ze een vrouw zwanger maken. Ze willen ons vernederen [...] en dat hebben ze gedaan ook. En niet alleen in mijn geval; alle vrouwen en meisjes zullen zich de rest van hun leven op wat voor manier ook vernederd, bezoedeld, smerig voelen [...] ik voel me ook smerig. En ik heb het gevoel dat iedereen dat kan zien die me op straat passeert.'[7]

We moeten ons ook rekenschap geven van de achtergrond van

de moslimvrouwen in Bosnië, willen we hun lijden ten volle begrijpen. Voordat Joegoslavië na de Tweede Wereldoorlog een communistische staat werd, hielden moslims zich aan de patriarchale tradities van een strikt islamitische samenleving. Een moslimvrouw ging gesluierd, haar domein was het huis, en het was haar taak om kinderen groot te brengen. Het communistische regime deed zijn best die tradities uit te roeien, maar na de dood van president Tito in 1980 herleefde de ouderwetse manier van leven. 'Zo'n terugkeer naar de oude tradities werd beschouwd als een voorwaarde voor een nationale wedergeboorte,' legt Azra Zalihic-Kaurin uit in haar essay over dit onderwerp.[8] Onder andere was seks voor het huwelijk verboden, en verkrachting stond gelijk aan de dood. Verkracht worden is voor iedere vrouw dramatisch, maar voor een moslimvrouw is het beslist nog erger. Zij krijgt maar al te vaak de schuld. In Pakistan en Afghanistan staat slachtoffers van verkrachting vrijwel altijd de dood te wachten. Bosnische moslimvrouwen die verkracht waren, werden vaak niet geloofd, of ze werden uitgestoten. Veel jonge slachtoffers waren bang dat ze nooit een bestaan als echtgenote en moeder zouden leiden. 'Niemand gelooft dat we gedwongen werden,' zei de achttienjarige Sevlata in een opvanghuis in Tuzla, 'en ze denken dat we opnieuw met [de Serviërs] zullen gaan. We kunnen ons het huwelijk niet als iets normaals voorstellen. We weten dat de man altijd achterdochtig zal zijn.'

Verkrachting in de context van een oorlog is nooit 'zomaar' seksueel geweld. Het is een daad uit haat en een manier om macht uit te oefenen. De meeste vrouwen die dapper genoeg waren om tijdens en na deze oorlog over hun ervaringen te praten, vertellen dat de verkrachting gepaard ging met wreed fysiek geweld: 'Hij wurgde me bijna.' 'Toen ze me verkracht hadden, staken ze een gebroken fles in me.' In een oorlog hebben verkrachters de neiging hun slachtoffers te depersonaliseren; verkrachting is eenvoudigweg een van de vele geweldsdaden en een recht in een oorlogssituatie. Veel slachtoffers herkenden tot hun verbijstering hun aanranders als voormalige buren. Een tiener die getuigde tijdens het proces tegen de voor verkrachting en foltering veroordeelde Zoran Vuković zei dat hij lachte terwijl hij haar verkrachtte: 'Ik had het idee dat hij dat deed omdat hij me kende, om me nog meer verschrikkelijks aan te doen.'[9]

'Moord, plundering en verkrachting' zijn altijd de bijproducten van oorlog geweest, of *collateral damage*, om de moderne term te gebruiken die tijdens de Golfoorlog van 1991 in zwang raakte. Bij de 'verkrachting van Nanking' in 1937 werden tienduizenden Chinese vrouwen verkracht en vermoord door soldaten van het Japanse keizerlijke leger.[10] Duitse vrouwen werden verkracht door kwade, wraakzuchtige Sovjetsoldaten die in 1944 door Duitsland naar het westen trokken. Na de val van Berlijn in 1945 werden er in en om die stad honderdduizenden vrouwen verkracht.[11] De twintigste eeuw heeft overigens niet het monopolie op deze barbaarse praktijk. De legers van Dzjengis Khan en de Romeinse veroveraars gedroegen zich al even misdadig. Het verschil is dat verkrachting in de oorlog in Bosnië een oorlogswapen was dat met een specifiek door de commandant bedacht doel werd ingezet. Die maakte deel uit van het programma van etnische zuiveringen en genocide.

Toen Slobodan Milošević in 1992 opdracht gaf tot de invasie van Bosnië en Herzegovina, maakten moslims 43 procent van de bevolking uit, Serviërs 33 procent, en Kroaten 17 procent. De Serviërs wilden 43 procent van het gebied hebben, en de moslims en Kroaten moesten worden verwijderd. Volgens de Kroatische journalist en schrijfster Seada Vranić maakte de verkrachting van niet-Servische vrouwen deel uit van het 'Groot-Servische expansionistische beleid'. 'Achter dat alles ging maar één gedachte schuil: om de bevolking met een andere nationaliteit uit een bepaald gebied te verdrijven. Dus bedachten ze een monsterlijk plan: ze gingen de huizen van niet-Serviërs in en verkrachtten de vrouwen. Verkrachting is een heel effectief middel om dat doel te bereiken: als drie of vier vrouwen in een dorp aankwamen (met verhalen over soldaten die alle niet-Serviërs verkrachtten), sloegen alle dorpelingen op de vlucht.'[12]

Veel vrouwen werden publiekelijk verkracht, om de uittocht aan te moedigen. Verkrachting is vernederend voor de mannen in de familie; een gemeenschap wordt erdoor uiteengerukt. Bij het verzamelen van bewijsmateriaal hoorde Vranić van slachtoffers en ooggetuigen hoe mannen werden tegengehouden en vaak aan bomen werden vastgebonden, waarna vrouwen werden verkracht waar hun man en kinderen bij waren, hun borsten werden afgesneden en hun baarmoeder opengescheurd. Vranić schreef haar boek *Pred Zidom Sutnje* (in het Engels verschenen als: *Breaking the Wall of Silence*) in grote haast tijdens de oorlog, in een poging de internationale gemeenschap te waarschuwen voor wat er gaande was. Geen wonder dat ze zegt: 'Ik was verpletterd door al die getuigenissen. Ik stond op het punt fysiek en psychisch in te storten.'[13]

In 1993 stelden onderzoekers van de Europese Gemeenschap, onder wie Simone Veil, dat verkrachting 'werd begaan met de opzettelijke bedoeling gemeenschappen te demoraliseren en angst aan te jagen, hen uit hun geboortestreek te verjagen en te laten zien hoe machtig de invallende strijdkrachten waren.'[14] In processen die vervolgens werden gevoerd in verband met oorlogsmisdaden hebben soldaten toegegeven dat ze opdracht kregen vrouwen te verkrachten om zo het moreel van het Servische leger te verhogen. Ze kregen te horen dat het schenden van het vrouwenlichaam deel uitmaakte van het veroveringsproces. De vierentwintigjarige Hatiza, een slachtoffer van verkrachting dat het beruchte interneringskamp Trnopolje in het noorden van Bosnië heeft overleefd, zegt: 'Ze deden het om ons te vernederen. Ze lieten zien wat een macht ze hadden. Ze staken hun geweer in onze mond. Ze scheurden ons de kleren van het lijf. Ze lieten de "Turkse vrouwen" zien dat zij superieur waren.'[15] Een overlevende die zegt dat ze zolang ze vastzat elke avond werd verkracht, vroeg een van haar verkrachters waarom hij het deed. Zijn antwoord luidde: 'Omdat jullie moslims zijn en er te veel van jullie zijn.'[16]

Veel overlevenden vertellen dat degenen die hen misbruikten vaak opschepten dat ze Servische baby's aan het maken waren. Ze waren niet geïnteresseerd in vrouwen die al zwanger waren toen ze gevangen werden genomen. Er werd gepraat over 'inferieure moslimbaarmoeders' die werden veroverd door Servisch sperma, en dat het resultaat zuiver Servisch zou zijn, vanwege de inferioriteit van moslims. Haat jegens 'de Turk' was een weerkerend thema. Tijdens de etnische zuiveringen van de streek rond Foča in het oosten van Bosnië zat de tweeëntwintigjarige Azra opgesloten in de gevangenis, waar ze werd verkracht door haar Servische buurman Dragan, die de plaatselijke politieman was. 'Ze zeiden dat we nu in oorlog waren en dat er geen wetten meer golden. Ze schreeuwden dingen als: "Neuk je Turkse moeder", of: "Dood aan al het Turkse zaad."'[17]

Serven zijn berucht om hun ijzersterke geheugen. Hun preoccupatie met de Turk vloeit voort uit hun geschiedenis als deel van het Ottomaanse Rijk, toen veel christenen zich tot de islam bekeerden om een voorkeursbehandeling en meer kans op een baan te krijgen onder de Turkse overheersing. Zij werden de moslims van Bosnië. En net zoals in de jaren dertig van de vorige eeuw in Duitsland de haat jegens de Joden werd aangewakkerd vanwege hun veronderstelde rijkdom en intelligentie, zo werden de Bosnische moslims gehaat vanwege hun uit verondersteld eigenbelang geboren collaboratie met de Turken. Islamofobie kwam hier in Europa al lang voor voordat die door rechtse partijen in landen van de EU in de eenentwintigste eeuw werd aangewakkerd.

Een van mijn gênantste herinneringen als journalist is de avond die ik heb doorgebracht als dinergast op uitnodiging van generaal Ratko Mladić, die op dit moment terechtstaat in Den Haag op verdenking van massamoord en het aanzetten van zijn manschappen tot seksueel geweld. In een interview dat ik die middag met hem had gehad, sprak hij over de 'barbaren aan de poort'. 'Waarom steunen de andere Europese regeringen ons niet?' had hij gevraagd. 'Beseffen ze dan niet dat mijn leger vecht om te voorkomen dat de Turken opnieuw de poorten van Wenen bedreigen?', waarmee hij verwees naar het beleg van Wenen in 1683. Ik knikte meelevend en stemde erin toe om met de duivel te dineren in de persoon van generaal Ratko Mladić, toen hij me uitnodigde om die avond in zijn hoofdkwartier te blijven.

Ik ben er altijd van overtuigd geweest dat het doel de middelen heiligt, en voordat ik de volgende ochtend vertrok, had ik hem overgehaald me een vrijbrief te geven om de volgende dag door de

Servische linies heen te komen en in het belegerde dorp Srebrenica te kunnen filmen. Maar voor mijn vertrek liet de opperbevelhebber van de Servische strijdkrachten er geen twijfel over bestaan dat hij met zijn oorlog een genocide beoogde. Naar schatting 40.000 burgers zijn in die oorlog omgekomen, en tweemaal zoveel strijders. De meerderheid van de doden onder de burgerbevolking was moslim. De vrouwen die het overleefden waren vaak de onwillige draagsters van een toekomstige generatie Serviërs voor wie in de ogen van mannen als Ratko Mladić de oorlog was gevoerd.[18]

In het verkrachtingskamp in de school van Doboj werd Ifeta naar een klaslokaal meegenomen, waar ze door drie mannen werd verkracht. 'En terwijl ze bezig waren, zeiden ze dat ik een baby van hen zou krijgen, en dat het voor een moslimvrouw een eer was om een Servisch kind ter wereld te brengen.'[19] Ze hadden gynaecologen meegenomen die de vrouwen onderzochten. En degenen die zwanger waren, werden apart genomen en kregen speciale privileges; zij kregen maaltijden en stonden er beter voor omdat ze werden beschermd. Als een vrouw in de zevende maand was en zij er niets meer aan kon veranderen, werd ze vrijgelaten. Dan brachten ze deze vrouwen meestal naar Servië [...] De vrouwen die niet zwanger raakten werden geslagen, vooral de jongere; ze moesten bekennen wat voor voorbehoedmiddelen ze gebruikten.'[20]

Er is weinig bekend over wat er is gebeurd met de vrouwen die werden meegenomen naar Servië. Misschien hebben ze als draagsters van Servische kinderen daarna ook nog steeds een voorkeursbehandeling gekregen. Tijdens de Tweede Wereldoorlog zetten de nazi's het Lebensborn-programma op om zuiver arische kinderen voort te brengen ter compensatie van de Duitse oorlogsslachtoffers. Misschien dat de Servische leiders er dezelfde gedachtegang op na hielden toen ze opdracht gaven tot deze verkrachtingen en vervolgens de daaruit voortvloeiende zwangerschappen in bescherming namen om een 'Groot-Servië' opnieuw te bevolken. We zullen misschien nooit te weten komen of er sprake was van een weloverwogen fokprogramma. In Den Haag gingen de ondervragingen van verdachten vooral over de omstandigheden waaronder deze seksuele vergrijpen plaatsvonden, en niet over wat er met de overlevenden daarvan gebeurde. We kunnen het de hoofdarchitect van deze op genocide gerichte oorlog, Slobodan Milošević, niet meer vragen. Hij stierf tijdens zijn proces in 2006 aan een hartaanval in zijn cel in Den Haag.

En dan was er nog een plan voor zwangere moslimvrouwen. Andere 'zwangeren' vertellen dat ze als ze eenmaal in de laatste fase van hun zwangerschap verkeerden naar de grens werden overgebracht en dan gedwongen werden naar een van het steeds kleinere aantal gebieden te lopen die nog in handen waren van Bosnische moslims. Als deze vrouwen met hun gezwollen buik de grens over strompelden, was de boodschap duidelijk: de volgende generatie die in deze omstreden gebieden ter wereld kwam zou Servisch zijn. De dertigjarige Jasmina was een van hen. Toen zij naar Tuzla terugkeerde, vertelde ze, 'schaamde ik me vreselijk. Ik droeg een wijde jurk, uit angst dat ik een familielid of een bekende zou tegenkomen. Maar ze bleken allemaal dood te zijn. Het enige wat ik aan familie overhad, was de vijand in mijn buik.'

Een andere vrouw die het had overleefd, Saneda, was een van de elf zwangere vrouwen die naar Sarajevo werden meegenomen. 'Ik wist dat het mijn kind niet was. Ik wist wat ik had doorgemaakt. Het was geen uit liefde of in een fatsoenlijk huwelijk geboren kind. Als iemand na de bevalling geprobeerd had het me te laten zien, had ik die lui en de baby gewurgd. [...] Als ik de kans had gekregen het kind te doden toen het nog in me zat, had ik dat gedaan.'[21] De Duitse journaliste Alexandra Stiglmayer sprak met de artsen van Saneda, die vertelden dat ze haar hadden verdoofd om te voorkomen dat ze het kind zou vermoorden. Na de bevalling werd het kind naar Engeland gebracht en geadopteerd.[22] Zwangere vrouwen die kans zagen in modernere vrouwenklinieken terecht te komen in stadjes in Bosnië en Herzegovina of Kroatië, hadden meer opties.

In januari 1993 deed een team van vijf mensen in opdracht van de VN een onderzoek, waarbij ze artsen ondervroegen en medische dossiers natrokken in ziekenhuizen in Zagreb, Sarajevo, Zenića en Belgrado, waaruit naar voren kwam dat van de 119 slachtoffers van verkrachting er achtentachtig waren geaborteerd. In Zenića waren zestien vrouwen van tussen de zeventien en de tweeëntwintig jaar oud meer dan twintig weken zwanger en konden daarom geen abortus krijgen.[23] Artsen geven toe dat ze de wet uit het voormalige Joegoslavië die alleen in het eerste trimester abortus toestond nogal ruim hebben geïnterpreteerd. Vrouwen die in katholieke delen van Kroatië terecht waren gekomen, hadden het moeilijker. De waarschuwing aan het adres van vrouwen door paus Johannes Paulus dat zij 'de vijand in zichzelf moesten verwelkomen' oogstte verbijstering onder artsen en therapeuten als Mubera Zralovi, die vrouwen in de Kroatische hoofdstad Zagreb terzijde stond. 'Snapt de paus het dan echt niet? Die foetus die in het binnenste van een vrouw aan het groeien is, is een levende herinnering aan de gruwelen die ze heeft doorstaan, als een wond die almaar groter wordt.'[24]

Het aantal verkrachtingen tijdens de oorlog in Bosnië wordt geschat op misschien wel 50.000,[25] maar dat zal nooit kunnen worden bevestigd. Sommige vrouwen zullen in stilte een oplossing voor het probleem hebben gevonden, met hulp van plaatselijke artsen en vroedvrouwen, en zullen zich te erg hebben geschaamd om het iemand te vertellen. Er zijn ook Servische en Kroatische vrouwen verkracht, maar Bosnische vrouwen maken de overgrote meerderheid uit van de geregistreerde verkrachtingen. Zij waren immers het weloverwogen doelwit in een genocide. In dit opzicht onderscheidde de oorlog in Bosnië zich, net als de rechtsgang die op het conflict volgde.

Toen het Joegoslaviëtribunaal in 1993 werd geïnstalleerd, was het het eerste internationale strafhof dat veroordelingen introduceerde voor verkrachting als een vorm van marteling en voor seksuele slavernij als een misdaad tegen de menselijkheid. De eerste veroordelingen vielen in 2001, in de zogenoemde 'verkrachtingskampzaak' tegen drie Serviërs. Dragoljub Kunarac kreeg een gevangenisstraf van achtentwintig jaar, Radomir Kovač van twintig jaar en Zoran Vuković van twaalf jaar, voor misdaden als 'verkrachting, marteling, onderwerping en misdaden jegens de persoonlijke waardigheid' begaan in de streek rond Foča in Bosnië, tussen 1992 en 1993.

Er heerste diepe stilte in de rechtszaal toen rechter Florence Mumba haar krachtige, aangrijpende slotbetoog hield:

De drie verdachten volgden niet zomaar bevelen op, als die er al waren, om moslimvrouwen te verkrachten. Uit het bewijsmateriaal blijkt dat ze uit vrije wil handelden. Eén van de vrouwen en meisjes die voor dit doel werden vastgehouden, was een kind van twaalf. Nadat ze was verkocht door een van de verdachten, is er niets meer van haar vernomen. De vrouwen en meisjes werden ofwel uitgeleend, ofwel verhuurd aan andere soldaten, met als enig doel dat ze zouden worden afgetuigd en misbruikt. Sommige vrouwen en meisjes werden maanden aan één stuk vastgehouden. De drie verdachten zijn geen gewone soldaten wier fatsoensnormen doodeenvoudig wat losser waren geworden vanwege de beproevingen die de oorlog met zich meebrengt. Dit zijn mannen die, voor zover wij weten, geen strafblad hebben. En toch functioneerden ze uitstekend in de duistere sfeer waarin diegenen die als vijand werden beschouwd volkomen werden ontmenselijkt.[26]

Rechter Mumba gaf de drie mannen in de beklaagdenbank de opdracht te gaan staan, waarna ze het vonnis uitsprak.

In 2011 had het Joegoslaviëtribunaal inmiddels achtenzeventig mannen aangeklaagd voor seksueel geweld; in februari 2014 waren er dertig veroordeeld.[27] Dat is maar een fractie van het aantal mannen dat verantwoordelijk is voor omstreeks 50.000 verkrachtingen, maar het is in elk geval een begin, en beter dan hoe het ervoor staat wat het land betreft dat op dit moment de recordhouder seksueel geweld in oorlogssituaties is.

In de Democratische Republiek Congo (DRC) worden naar schatting per uur achtenveertig vrouwen verkracht.[28] Als we dan het aantal verkrachtingen uitrekenen dat wellicht in de DRC heeft plaatsgevonden sinds het begin van de oorlog in 1996, komen we op een totaal van 7.989.120 verkrachtingen. Tussen juli 2011 en december 2013 heeft de Mensenrechtencommissie van de VN 187 veroordelingen wegens seksueel geweld geregistreerd. De strafmaat loopt van tien maanden tot twintig jaar gevangenisstraf.[29]

Ik ga geen poging ondernemen om de wirwar van milities, door het buitenland gesteunde legers en overheidstroepen uit te leggen die ertoe hebben geleid dat het conflict in de DRC inmiddels is aangemerkt als 'de Eerste Wereldoorlog van Afrika'.[30] Laat ik volstaan met te zeggen dat het een aan alle zijden door land omgeven land is dat na de genocide die zich in buurland Rwanda had voltrokken gebruikt is om er een oorlog bij volmacht te voeren. De overheidstroepen zijn gesteund door Angola, Namibië en Zimbabwe, terwijl de rebellen steun kregen vanuit Oeganda en Rwanda. In 2009 stapten de Rwandese troepen over en steunden ze voortaan de regering. Er zijn tientallen etnische groepen en privémilities die allemaal azen op de reusachtige voorraden diamanten, goud, coltan en tinerts in het land, waardoor het conflict nog eens extra wordt aangewakkerd. Wat het aantal en de aard van de legers ook mag zijn en door wie ze ook worden gesteund, ze maken zich allemaal schuldig aan verkrachting.

Tot nu toe zijn er bijna 7 miljoen mensen in deze oorlog gedood. In 2011 werd Joseph Kabila opnieuw tot president gekozen, en hij beloofde de orde te herstellen, maar zijn regering heeft nog steeds te lijden van rebellerende milities in het oosten van het land. De DRC is al heel wat keren het onderwerp geweest van rapporten over de zogenoemde verkrachtingsepidemie. De schrijvers van een rapport in opdracht van Human Rights Watch (HRW), met de titel 'Soldiers Who Rape, Commanders Who Condone', zeggen dat volgens de slachtoffers van verkrachting de oorlog op hun lichaam wordt uitgevochten, en ze trekken de conclusie dat Oost-Congo door de schaal waarop seksueel geweld wordt gepleegd de gevaarlijkste plek ter wereld is om vrouw te zijn.[31]

Negenenzeventig procent van de vrouwen die werden geïnterviewd in het kader van een onderzoek dat werd uitgevoerd in de oostelijke provincie Zuid-Kivu zei dat ze het slachtoffer waren geweest van groepsverkrachting.[32] Tussen de verkrachtingen door werden de vrouwen naar eigen zeggen 'schoongemaakt' met een in lappen gewikkeld geweer dat in hun vagina werd gestoken. Zeventig procent van de slachtoffers van verkrachting zei dat ze tijdens of na de verkrachting waren gemarteld, en veel slachtoffers werden vermoord. Anderen vertelden dat familieleden gedwongen werden geslachtsgemeenschap met elkaar te hebben. Na een onderzoek in 2008 stond in een stuk in *The Economist* dat vrouwen werden vermoord door kogels die werden afgevuurd uit een geweerloop die in hun vagina was geduwd.[33]

Wie het overleeft, heeft het zwaar; er zijn fysieke en psychische gevolgen, en de kans is groot dat een familie een vrouw of meisje na het misbruik verstoot. Veel slachtoffers zijn nog maar kinderen, die door hun zwangerschap gedwongen zijn van school te gaan. Anderen staan voor de zware taak om zonder steun van familie een kind groot te brengen dat het resultaat is van verkrachting. Misschien wel 60 procent van de strijders zou hiv-positief zijn,[34] en de slachtoffers van verkrachting lopen een hoog risico dat ze zijn besmet. Soms is zo'n verkrachting dermate gewelddadig dat fistels het gevolg zijn, waarbij de wand tussen vagina, rectum en/of blaas wordt verwoest, wat tot chronische incontinentie leidt, waarmee de kans op uitstoting uit hun gemeenschap nog groter wordt.

Wat maakt nu dat juist de DRC zo'n gewelddadige, moordzuchtige nachtmerrie is voor een vrouw? Ik spreek Faith op kantoor bij de niet-gouvernementele organisatie Freedom from Torture in Londen. Zij is een slachtoffer van verkrachting dat het geluk had banden te hebben met een ngo in Kinshasa, die haar hielp het land te ontvluchten. Ze is in de loop van verscheidene jaren herhaaldelijk verkracht en is uitzonderlijk dankbaar en blij dat ze nu in het Verenigd Koninkrijk zit. Het was een gigantische opluchting voor me dat zelfs onze immigratiedienst, die zo ontzettend op zijn hoede is voor asielaanvragers, haar verhaal geloofde en haar toestemming heeft gegeven zich hier te vestigen. Ze is modieus gekleed, heeft keurig in een bop gekapt haar en brengt haar verhaal helder onder woorden. Bij het doornemen van de hele lijst mishandelingen die ze heeft ondergaan valt me op hoe vaak ze zegt: 'Vrouwen tellen niet mee in Congo.' Draait het daarom? In de tientallen rapporten over hoe Congo aan zijn weinig benijdenswaardige reputatie is gekomen worden talloze theorieën aangedragen, maar deze eenvoudige verklaring van Faith klinkt geloofwaardig en zou wel eens de grondslag kunnen vormen voor alle andere theorieën. Onderzoekers van Human Rights Watch zijn tot de conclusie gekomen dat verkrachting 'als oorlogswapen door alle partijen wordt gebruikt om burgers opzettelijk te terroriseren, macht over hen uit te oefenen en hen te straffen voor veronderstelde collaboratie met de vijand'.[35] Net als in Bosnië worden vrouwen misbruikt om de gemeenschap te straffen en het moreel van de mannen te ondermijnen. In het rapport van HRW wordt de schuld gelegd bij het ontbreken van een fatsoenlijke bevelslijn, waardoor soldaten volslagen ontsporen, en er wordt een voorval aangehaald waarin duizenden soldaten in augustus 2008 naar Kabare werden gestuurd.[36]

Er was niets geregeld qua voedsel of onderdak voor de manschappen, die ook al weken geen soldij hadden ontvangen. Geen wonder dat 'deze periode werd gekenmerkt door wijdverspreide plunderingen en agressie tegen burgers'. Ieder meisje of vrouw die werd aangetroffen met voedsel bij zich, werd in die omstandigheden uiteraard een doelwit. Een meisje van zeventien vertelde HRW: 'Ik was naar het veld geweest om aardappelen te halen. Ik was op de terugweg naar huis. Toen zag ik soldaten op me af komen. Ze vroegen wat ik op het veld had gedaan. Ze zeiden dat ik kon kiezen: hun het voedsel geven of hun vrouw worden. Ik zei dat ze het voedsel moesten nemen. Dat weigerden ze, ze [verkrachtten] me, en toen namen ze het eten toch mee.'[37]

In haar paper 'Rape as a Weapon of War in the DRC' voert Carly Brown aan dat de status van vrouwen in dat land hen erg kwetsbaar maakt en dat 'het onderwerpen van vrouwen voor mannen een heldere route schept voor het uitbuiten en misbruiken van vrouwen [...] Vrouwen worden als voorwerpen beschouwd die gedwongen zijn de ontsporingen te ondergaan die het gevolg zijn van de frustraties van mannen.'[38] Een andere academicus, Jonathan Gottschall, voert dat hele idee nog een stukje verder in een paper met de titel 'Explaining Wartime Rape': 'Verkrachting kan worden beschouwd als het uitvloeisel van een niet per se welbewuste, maar niettemin systematische samenzwering van mannen om vrouwen te domineren en te onderdrukken. Mannen vechten dan misschien in verschillende kampen en om verschillende redenen, maar in zekere zin zijn ze allemaal strijders uit naam van hun gender: om vrouwen te onderdrukken.'[39]

Asielzoekster Faith, die nooit de middelbare school heeft afgemaakt, heeft uit eigen ervaring geleerd wat academici in hun bloemrijke taal concluderen, en ze zou wel eens uit naam van veel meer vrouwen kunnen spreken dan alleen die uit Congo, als ze zegt dat vrouwen niet meetellen voor mannen. Over de mannen die haar verkrachtten zegt ze: 'Voor hen is verkrachten een pleziertje. Voor hen is het normaal. Ze kunnen het zo vaak doen als ze willen, omdat niets en niemand hen zal tegenhouden.' Faith kwam in de problemen omdat ze probeerde er iets tegen te ondernemen. Ze woonde met haar jongere broer op straat in Kinshasa toen ze op haar vijftiende werd opgepikt door de liefdadigheidsorganisatie L'association de Secours pour les Enfants de la Rue, en ze besloot bij hen te blijven en voor hen te werken. Het was een van de weinige goed functionerende ngo's in het land, en dus begonnen de slachtoffers van verkrachting toe te stromen die waren ontsnapt aan de gevechten in het oosten van het land, en Faith begon te beseffen hoe omvangrijk het probleem was. Tegen die tijd was ze twintig, gehuwd en moeder van twee kinderen. Inmiddels was ze vicevoorzitter van de organisatie geworden. Ze hoorde dat de vrouwen hadden aangeklopt bij soldaten van rivaliserende legers, bij de politie en zelfs bij familieleden, maar dat niemand wilde helpen.

'Ze vertelden dat er zelfs jonge kinderen werden verkracht, en toen besloot ik een bijeenkomst te organiseren in een kerkzaal. Ik leverde kritiek op de president omdat hij niets deed. Er waren spionnen bij de bijeenkomst die de politie belden, en die namen me mee naar het bureau. Ik werd een maand lang vastgehouden in een container.' Ze zat met twintig andere gevangenen opgesloten in die container, zonder genoeg eten en water, met in de hoek een emmer die als wc diende. De politie kwam elke dag langs om hen af te tuigen. 'Mannen en vrouwen zaten bij elkaar. Ik ben verkracht door een medegevangene. Alle vrouwen werden verkracht.' Maar ze had haar lesje nog niet geleerd. Nadat ze had vastgezeten, werd ze in het ziekenhuis opgenomen omdat ze aan ernstige ondervoeding en uitdroging leed. Toen ze was hersteld, organiseerde Faith opnieuw een bijeenkomst om de aandacht te vestigen op de ellendige positie van kinderen die vastzaten in conflictgebieden. Ditmaal werd ze voor twee maanden naar de gevangenis gestuurd: 'Ze sloegen me in elkaar met stokken en met hun zware schoenen. Ik ben driemaal verkracht door gevangenbewaarders.' Toen ze thuiskwam, leverde haar man kritiek op haar omdat ze zich inliet met activiteiten tegen de regering, en hij probeerde te voorkomen dat ze het huis verliet. 'Maar ik ging gewoon weer aan de slag bij de liefdadigheidsorganisatie, omdat de mensen daar me vertrouwden en ik hen niet wilde teleurstellen. Ik wist dat ik mensen moest helpen.'

Haar derde en laatste protest was nog het meest ambitieus. 'Er kwamen voortdurend vrouwen naar ons toe die over verkrachtingen vertelden. Vrouwen worden niet gerespecteerd, en verkrachting is het bijproduct van dat gebrek aan respect, maar toch doet de regering niets. Dus trokken we door de straten met spandoeken en slogans van: "We krijgen genoeg van je, Kabila, want je beschermt ons niet."' Tot haar verrassing mochten de demonstranten gewoon weer uiteengaan en zij ging terug naar huis, maar dat duurde niet lang. 'Om vijf uur 's ochtends stonden ze voor de deur. Ik hoorde dat er hard werd aangeklopt, en ze zeiden dat ze op zoek waren naar de persoon die de president had belasterd. Ik kwam aan de deur en zij zeiden: "We zijn op zoek naar jou."' Ze zetten Faith op zo'n manier in de politieauto dat ze kon zien wat er daarna gebeurde:

Ze sloegen mijn kinderen en een van hen verkrachtte mijn nichtje van twaalf. 'Dit doen we waar jij bij bent,' zeiden ze, 'om je te laten zien dat onze regering niet met zich laat spotten.' Mijn nichtje gilde. Ik gilde. Ze dreigden me ter plekke te vermoorden. Mijn kinderen stonden toe te kijken en de buren stroomden toe, maar niemand durfde iets te doen. Het is met geen pen te beschrijven wat een pijn ik voelde toen ze dat meisje verkrachtten. Ik was machteloos. Ik kon niets doen. Als ik had geweten dat dat de uitkomst zou zijn van de dingen die ik had gedaan, was ik meteen met mijn campagne gestopt.

Ze namen me mee naar een gevangenis bij de grens met Angola, en ik ben zo vaak verkracht door de gevangenbewaarders dat ik de tel ben kwijtgeraakt. Ze zeiden dat ze dat deden om me te straffen omdat ik de president had beledigd en dat ik waarschijnlijk niet levend uit de gevangenis zou komen. Het werd een dagelijkse routine: ik werd uitgescholden, geslagen, verkracht, uitgescholden, geslagen, verkracht. Ik dacht dat ik zou doodgaan.

Na drie maanden zag de ngo waarvoor ze had gewerkt kans de gevangenbewaarders om te kopen; die lieten haar vrij, en Faith vluchtte naar het Verenigd Koninkrijk.

'In mijn land worden vrouwen niet gerespecteerd en beschermd door ambtenaren. In de DRC tellen vrouwen niet mee voor mannen,' zegt Faith al voor de derde keer tijdens ons interview. Vrouwen worden voortdurend verkracht, en dragen als slachtoffer ook nog eens de rest van haar leven een stigma. 'Mannen maken zich zorgen dat ze misschien wel hiv-positief is of een andere geslachtsziekte heeft.' Hoe gaat het nu met haar nichtje, vraag ik. 'Als de gemeenschap erachter komt,' zegt ze, 'komt ze niet meer aan de man. Dan wordt ze een verschoppeling. Maar als de familie kans ziet het stil te houden – wie weet?' Faith heeft tijdens dit hele verhaal over haar gruwelijke ervaringen haar emoties in bedwang kunnen houden, maar nu begint ze te huilen.

In november 2012 vielen een paar honderd Congolese soldaten het stadje Minova binnen, in het noorden van de DRC. Ze hadden een nederlaag geleden, en waren dronken en kwaad. Met goedkeuring van hun officieren verhaalden ze hun woede en vernedering op de vrouwen van deze stad aan de oevers van het Kivu-meer. Hun bevelhebbers zouden tegen hen hebben gezegd dat ze vrouwen moesten grijpen. De massale verkrachtingen die daarop volgden van ruim honderd vrouwen en meisjes werden door de vn beschreven als een afgrijselijke, schandalige misdaad,[40] en men riep op tot vervolging van de betrokken manschappen en degenen die de leiding hadden gehad. In het daaropvolgende proces, dat bekend zou komen te staan als het Minova-proces, beweerden de advocaten dat de aanklagers bevelen ontvingen van de regering, en het proces ontaardde in een schijnvertoning. Agenten van de overheid voerden de druk vanuit de internationale gemeenschap om snel tot actie over te gaan als excuus aan om dermate snel door het bewijsmateriaal heen te gaan dat dat niet overeind zou blijven in de rechtszaal. Niet één officier werd vervolgd, en van de negenendertig aangeklaagde manschappen werden slechts twee gewone soldaten veroordeeld wegens verkrachting.[41]

Intussen gaan de vrouwen in Minova eronder gebukt dat ze het erop hebben gewaagd voor het gerecht hun verkrachters aan te klagen. Volgens Masika Katsuva, die een opvanghuis beheert voor de slachtoffers van verkrachting uit Minova, zeggen vijftig van de zesenvijftig vrouwen die met kappen over hun hoofd ter bescherming van hun identiteit voor de rechtbank durfden te verschijnen, dat ze zijn bedreigd.* 'Ze blijven ons aanvallen, we krijgen geen bescherming, geen steun,' zegt ze.[42] Masika is zelf tweemaal verkracht, één keer door twaalf man. Ze zegt dat ze een brief met doodsbedreigingen heeft ontvangen en dat ze hele nachten verstopt in het oerwoud doorbrengt. 'We hebben alles gegeven bij dat proces. We vertrouwden op hen,' zegt ze. 'Hoe hebben ze ons zo ernstig in de steek kunnen laten?'[43]

Het meest verbijsterend is nog dat het proces rond de verkrachtingen in Minova, met een beperkt aantal slachtoffers als je het afmeet aan de maatstaven van de drc, wereldwijd de aandacht trok dankzij een onwaarschijnlijk koppel beroemdheden: Angelina Jolie en de toenmalige Britse minister van Buitenlandse Zaken William Hague. Samen reisden ze af naar de drc en ze gaven een emotioneel stukje theater weg voor tientallen fotografen bij hun bezoek

---

* Masika is helaas geheel onverwacht op 2 februari 2016 overleden.

aan het Heal Africa-ziekenhuis in Goma, waar jaarlijks duizenden slachtoffers van verkrachting worden verzorgd. Het is aan hun aanwezigheid en hun veroordeling van seksueel geweld in de DRC te danken dat de rechtszaak zoveel aandacht kreeg. En dit dynamische duo deed zelfs nog meer. Een jaar later kwamen ze in Londen bijeen voor een topconferentie om seksueel geweld in conflictgebieden te bestrijden. Onder luid applaus verklaarde Hague: 'We zijn het aan toekomstige generaties verplicht een eind te maken aan een van de grootste onrechtvaardigheden van onze tijd.'[44] De zeventienhonderd gedelegeerden begroetten zijn woorden dolenthousiast. Niemand van de vrouwen uit Minova werd uitgenodigd voor de topconferentie en geen van hen heeft de 19.000 euro ontvangen die werd aanbevolen als smartengeld voor deze vrouwen.[45]

De topconferentie van drie dagen kostte 6,6 miljoen euro. Op de een of andere manier dringt het zinnetje 'Vrouwen tellen niet mee' zich op.

12

Verenigd Koninkrijk

ONGELIJKE BELONING

Mijn werk begint 's ochtends om halfacht. Ik was de patiënten – vooral oude mensen –, ik til ze omhoog om het incon-
tinentieverband af te doen en ze een goede wasbeurt te geven
van onderen. Ik vind het fijn om mensen te helpen, anders
zou ik dit werk niet doen. Probleem is dat er tegenwoordig
geen tijd meer is voor een kopje thee en een praatje. Het is
alleen maar werken, werken, werken. En dan krijgen we ook
nog vaak lastige familieleden over ons heen. We doen wat we
kunnen, maar je voelt je ondergewaardeerd en onderbetaald.
In de twintig jaar dat ik nu werk heb ik nog nooit vrij gehad
met Kerstmis. Maar staken – nee, dat zou ik nooit doen. Ik
kan ze toch niet aan hun lot overlaten? Mijn rug en nek doen
pijn van het zware tillen. Mijn lichaam is op. Maar ik weet dat
ik nergens anders meer aan de bak kom.

Ik ontmoet Alison, een vriendelijke, knappe brunette van negen-
enveertig jaar, in een pub net buiten Dudley in de West-Midlands.
Terwijl we praten drinkt ze een pint bier. Ze heeft twee collega's
meegebracht: Jackie van zesenvijftig en Val van zesenzestig jaar.
Alle drie werken ze als verzorgende bij een plaatselijk revalida-
tiecentrum. De patiënten zijn mensen die net ontslagen zijn uit
het ziekenhuis en ouderen die niet meer thuis kunnen wonen en
wachten op een langetermijnoplossing.

Een verzorgende heeft het niet breed. Het is een van de slechtst-betaalde banen in het Verenigd Koninkrijk, met een uurloon van 9 pond.* Het werk is slopend. De vrouwen namen deze baan aan van-wege de werktijden. Wie 's ochtends vroeg begint, kan 's middags thuis zijn voordat de kinderen uit school komen. Na gemeentelijke bezuinigingen wordt het werk tegenwoordig met nog minder han-den gedaan, maar over hard werken klagen de vrouwen niet. Het is de ongelijke beloning die ze tegen de borst stuit.

In 1997 beloofde het nieuwe Labour-parlement van Tony Blair meer gelijkheid op de arbeidsmarkt. Op basis van een evaluatie van de lonen van onder meer verzorgenden en vuilnismannen zou er een eerlijker loonstructuur komen. Aan het eind van datzelfde jaar zou de evaluatie rond zijn. De gemeente Dudley publiceerde de re-sultaten in 2012. Verontwaardigd en boos overhandigt Alison me het verslag. De verschillende functies worden vergeleken op basis van twaalf kwalificaties.

'Kijk hier!' zegt ze. Onder de categorie 'Verantwoordelijkheid voor mensen' scoort de verzorgende evenveel punten als een vuil-nisman. Ze vertelt:

Een vuilnisman hoeft hooguit 'goedemorgen' te zeggen tegen een passant op straat. Wij zijn verantwoordelijk voor de gezond-heid en het welzijn van kwetsbare mensen. Dat is nou net wat we doen. Hoe kunnen ze nou zeggen dat dat hetzelfde is? En kijk naar de punten voor 'Fysieke inspanning'. De vuilnisman krijgt er vijf, wij maar twee. Ik ben eens gaan letten op hoe zij wer-ken. Tegenwoordig hoeven ze alleen nog maar containers naar de vuilniswagen te rollen. Het kantelsysteem van de wagen doet de rest. Wij moeten het afval zelf verzamelen in zakken, die we vervolgens – al zijn ze nauwelijks nog te tillen als ze vol zijn – naar buiten brengen, weer of geen weer. Ook patiënten optillen is lichamelijk zwaar werk. Toch krijgen we deze lage score.

---

* Een Britse pond is momenteel 1,17 euro.

En dan is er de categorie 'Geestelijke inspanning'. De verzorgende scoort hier twee punten, de vuilnisman drie. 'Waar slaat dat op!' zegt Jackie. 'Wij werken met oude mensen die vaak bang zijn, of in de war. We moeten hun familie geruststellen. Regelmatig hebben we te maken met stervende mensen. Die evaluatie stelde niets voor. Ik herinner me die flip van de gemeente nog wel die met zijn klembord langskwam voor het onderzoek. Hij stelde een paar vragen en weg was hij alweer. Hij nam niet eens de moeite om te kijken hoe wij werken. Weet je wat het is? Mannen schuiven elkaar de beste dealtjes toe.'

De achterdocht van de vrouwen is terecht. Toen de inspecteurs in 1997 de lonen van mannen en vrouwen vergeleken, stuitten ze op een schandalige combinatie van werkgeversbescherming en werknemersdiscriminatie bij gemeentelijke diensten in de West-Midlands. Paul Savage is een voormalig winkelbediende die campagne voert voor gelijke beloning en een paar honderd vrouwen in Dudley adviseert. Hij vertelt me: 'Ze kwamen erachter dat vuilnismannen, grafdelvers en straatvegers met een jaarinkomen van 15.000 pond in werkelijkheid 30.000 pond opstreken doordat ze bonussen ontvingen alleen al voor hun aanwezigheid, de zogenoemde opkomstvergoedingen. Mannen hielpen elkaar niet zozeer aan baantjes, maar aan bonussen – alleen voor mannenberoepen.' Voor vrouwen met een vergelijkbaar loon was van bonussen geen enkele sprake.

In het kader van de nieuwe rechtvaardigheid beloofde de Labour-regering vrouwen een compensatie van de enorme ongelijkheden in salaris. In veel gevallen onderhandelden vakbonden met gemeenten achter gesloten deuren, en opnieuw werd vrouwen tekortgedaan. 'Ik heb twintig jaar voor de gemeente gewerkt en in het begin boden ze me 9000 pond,' zegt Jackie. 'Maar ik rook onraad, want ik hoorde van anderen dat ze veel meer betaald kregen voor hetzelfde werk. Het leek volkomen willekeurig, alsof ze het gewoon probeerden, dus ik weigerde. Toen boden ze me 11.200 en ik weigerde opnieuw. Uiteindelijk ging ik akkoord met 16.000 pond. Aan mijn vakbond UNISON heb ik niets gehad. De vertegenwoordiger van de vakbond bleef maar zeggen dat ik akkoord moest gaan omdat ik de baan anders misschien helemaal niet zou krijgen – wegens grote tekorten bij de gemeente.'

Val (66) vindt het gênant. 'Ik heb vijfentwintig jaar voor de gemeente gewerkt en ben destijds wel akkoord gegaan met 9000 pond. Later hoorde ik dat het 25.000 pond had moeten zijn. Maar ja, hoe gaat dat? Kerstmis was in aantocht, ik wilde cadeaus kopen voor de kleinkinderen en het klonk als een hoop geld.' Het pijnlijkst voor de vrouwen met wie ik in de pub zit, is dat naderhand bekend werd dat advocaten, die in de arm waren genomen om het recht op compensatie af te dwingen en pas uitbetaald hoefden te worden als ze de zaak gewonnen hadden, meer dan 100.000 pond kregen. Wat zou Val hebben gedaan als zij de 100.000 pond had gekregen waar ze recht op had? Zonder aarzelen zegt ze: 'Ik zou een bungalowtje voor mezelf hebben gekocht en ik was met pensioen gegaan. Kijk naar mij. Ik ben zesenzestig en ik werk nog steeds. Ik ben soms zo verschrikkelijk moe dat ik huilend naar bed ga. Ik ben ziek van moeheid.'

De vrouwen hebben het gevoel dat ze in de steek zijn gelaten door zowel de mannelijke werkgevers als de vakbonden die hen hadden moeten vertegenwoordigen. 'Tussen de middag spreken we de vuilnismannen in de pub. Ze krijgen acht uur betaald voor een vijfurige werkdag. De mannen hebben het altijd beter voor elkaar dan wij,' zegt Alison bitter. Wat de compensatieregeling betreft: 'Ze hadden ons moeten waarschuwen het aanbod niet te accepteren. Ik herinner me een bijeenkomst met onze lokale vertegenwoordiger van de vakbond waarbij hij tegen me schreeuwde: "Was dan niet akkoord gegaan!" Ik zei dat hij niet zo hoefde te schreeuwen, want waar was hij toen we zijn advies nodig hadden? Ze willen het gewoon niet weten. Ik heb gehoord dat een andere bond, UNITE, nu een vrouwelijke vertegenwoordiger heeft, dus ik stap over.'

Er staat zelfs een vrouw aan het hoofd van de Britse vakcentrale Trades Union Congress (TUC)...

*

Dit is de laatste zin die mijn moeder schreef. Ik weet niet hoe ze verder had willen gaan. De vrouw die de TUC leidt is natuurlijk Frances O'Grady, de eerste vrouwelijke secretaris-generaal en een voorvechter van gelijke beloning. Maar wat wilde mijn moeder over haar vertellen? Dat is een van de oneindig vele vragen die ik nooit meer aan haar zal kunnen stellen.

Gelukkig had mijn moeder samenvattingen gemaakt van alle hoofdstukken van dit boek. Ze heeft ze allemaal kunnen afmaken, op dit hoofdstuk na. Waarover het had zullen gaan:

Hoe kan het dat het Verenigd Koninkrijk, het land van Emmeline Pankhurst en Margaret Thatcher, momenteel nummer 28 staat op de wereldranglijst als het gaat om gelijke beloning – achter Bulgarije en Burundi? Voor elk pond dat een man verdient, verdient een vrouw gemiddeld 85 pence. We kennen allemaal het hartverwarmende verhaal van de vrouwelijke werknemers van Dagenham die in de jaren zestig tegen ongelijke beloning streden. Het is nog steeds gaande. Waarom verdient een mannelijke magazijnmedewerker bij supermarktketen Asda meer dan een vrouwelijke kassamedewerker, die moet kunnen rekenen en klantenservice moet bieden? Waarom verdienen vrouwen in bestuurs- en managementfuncties nog altijd 21 procent minder dan mannen? Waarom worden er zo weinig vrouwen aangenomen op dit niveau? België, Duitsland, Frankrijk, Italië en Spanje kennen verplichte vrouwenquota; in Nederland moeten vennootschappen streven naar minimaal 30 procent vrouwelijke bestuurders en commissarissen. Waarom loopt het Verenigd Koninkrijk zo ver achter? Geïnstitutionaliseerde vrouwenhaat, zegt de voor gendergelijkheid strijdende Fawcett Society. Denkend aan mijn eigen carrière en de gevoelens van spijt die ik heb over mijn gezinsleven, vraag ik me af of vrouwen de competitie wel kunnen en moeten aangaan.

Voor me liggen bergen aantekeningen, telefoonnummers, op papiertjes gekrabbelde ideeën en artikelen. Het is moeilijk om dit hoofdstuk af te maken. Wanneer ik mijn moeders aantekeningen doorlees, komen er steeds vragen naar boven die ik haar graag had willen voorleggen. Ik word er voortdurend aan herinnerd dat ze er niet meer is en dat doet pijn. Juist dit hoofdstuk, waarin ze het over spijt over haar gezinsleven wilde hebben, is onaf, en dat maakt het extra lastig. Hoe moet ik als dochter haar gevoelens als mijn moeder onder woorden brengen? Mam, ik wou dat ik je kon vertellen wat een geweldige moeder je was en hoe trots je zoon George en ik op je zijn. Je hoeft geen spijt te hebben. Zoals de vorige hoofdstukken laten zien, heb je dingen voor elkaar gekregen waar veel mensen zich niet toe in staat achten. Je had een geweldige carrière, waarin je iets hebt betekend voor duizenden mensen, én je bracht twee kinderen groot. Ik zal zo goed als ik kan uitleggen waarom mijn moeders spijtgevoelens over haar gezinsleven ongegrond zijn, maar laten we eerst even kijken naar de vragen die ze in dit hoofdstuk had willen beantwoorden.

Volgens onderzoek van de TUC verdienen fulltime werkende vrouwen per jaar gemiddeld nog altijd 5000 pond minder dan mannen. Bij sommige banen is de kloof zelfs nog drie keer zo groot.

De grootste loonverschillen tussen mannen en vrouwen komen voor in de gezondheidszorg, blijkt uit het onderzoek. Hier is de loonkloof gemiddeld 27 procent, wat neerkomt op een verschil in uurloon van 18,50 tot 25,50 pond.[1] Volgens de TUC vertonen de salarissen van de best verdienende medici de grootste verschillen. Een man aan de top verdient in de gezondheidszorg bijna 50 pond per uur; een vrouw komt op een uurloon van nog geen 25 pond.

De op een na grootste loonkloof valt in de productiesector. Uit onderzoek van de TUC blijkt dat vrouwen er gemiddeld 22 procent minder verdienen dan mannen. Daarna volgen de vrouwelijke managers, directeuren en hoge ambtenaren: 22 procent minder. Terwijl het uurloon voor mannen uitkomt op 28,60 pond, ontvangen vrouwen slechts 21 pond.

Volgens de vakbond verdienen vrouwen minder dan mannen in tweeënertig van de vijfendertig meest voorkomende beroepen, zoals opgesteld door het Office for National Statistics (ONS). Er zijn drie banen waarin vrouwen meer verdienen dan mannen – chauffeur in de transportsector, elektricien en land- en tuinbouwmedewerker –, maar mannen zijn hier oververtegenwoordigd. In deze sectoren werken in het Verenigd Koninkrijk slechts 50.000 vrouwen op 1,5

miljoen mannen. In het bedrijfsleven is de loonkloof 19,9 procent
– veel groter dan bij overheidsorganisaties: 13,6 procent. Het onderzoek wijst uit dat het verschil onevenredig groter wordt bij parttimebanen. In verhouding verdienen parttime werkende vrouwen
maar liefst 35 procent minder dan fulltime werkende mannen.[2]

Enkele voorbeelden van sectoren met de grootste loonkloof tussen mannen en vrouwen in dezelfde functie:

Gezondheidszorg

Uurloon	mannen	£ 26,54
	vrouwen	£ 18,32
Loonkloof		31%
		£ 8,22 per uur
		£ 16.029 per jaar

Cultuur, media en sport

Uurloon	mannen	£ 18,62
	vrouwen	£ 13,50
Loonkloof		27,5%
		£ 5,12 per uur
		£ 9984 per jaar

Managers en directeuren bedrijven

Uurloon	mannen	£ 27,51
	vrouwen	£ 21,78
Loonkloof		20,8%
		£ 5,73 per uur
		£ 11.174 per jaar

Technische beroepen

Uurloon	mannen	£ 12,03
	vrouwen	£ 10,00
Loonkloof		16,9%
		£ 2,03 per uur
		£ 3959 per jaar[3]

Waarom is er in deze sectoren zo'n groot verschil in beloning tussen mannen en vrouwen die dezelfde functie uitoefenen? Volgens de wet hebben mannen en vrouwen sinds de invoering van de Equal Pay Act in 1970 recht op hetzelfde loon voor hetzelfde werk. Sinds 2010 is de wet opgenomen in de Equality Act. Het recht op gelijke behandeling betekent dat er geen verschil zou mogen zijn in contractuele afspraken tussen mannen en vrouwen die hetzelfde werk doen, voor dezelfde werkgever.

De Fawcett Society noemt vier hoofdoorzaken van de loonkloof.

Discriminatie

Het is bij wet verboden, maar veel vrouwen krijgen een lager salaris dan mannen voor hetzelfde werk. Dit is het geval wanneer een man en een vrouw dezelfde functie uitoefenen, maar verschillend beloond worden, of wanneer het om werk van dezelfde aard gaat dat onderbetaald wordt zodra het uitgevoerd wordt door vrouwen.

Recent onderzoek wijst uit dat oneerlijke behandeling van vrouwen nog altijd gangbaar is, vooral rond het moederschap. De Britse Equality and Human Rights Commission ontdekte dat jaarlijks 54.000 vrouwen gedwongen worden hun baan op te geven vanwege de slechte behandeling na het krijgen van een baby.[4]

Ongelijke verdeling zorgtaken

Vrouwen blijven een grotere rol spelen in het zorgen voor kinderen en voor zieke en oude familieleden. Om die reden hebben veel vrouwen een parttimebaan – vaak een functie met een lager salaris en minder doorgroeimogelijkheden. De loonkloof neemt nog eens aanzienlijk toe wanneer vrouwen een jaar of veertig zijn. Als ze terugkomen na voor de kinderen gezorgd te hebben, blijken hun mannelijke leeftijdgenoten een niet meer in te halen voorsprong te hebben op de carrièreladder.

Verdeelde arbeidsmarkt

Vrouwen komen vaker terecht in werk dat slecht betaald wordt en waarvoor weinig opleiding vereist is. Daardoor ontstaat segregatie op de arbeidsmarkt. In de slechtbetaalde sectoren zorg en recreatie en toerisme is 80 procent van de werknemers vrouw. Sectoren waarin veel vrouwen werken worden vaak minder gewaardeerd en slechter betaald. Zestig procent van de mensen die minder verdienen dan het leefloon is vrouw.

Mannen in de hoogste functies

Mannen blijven in de meerderheid als het gaat om de hoogste lonen en functies. Zo zijn er bijvoorbeeld bij de honderd belangrijkste beursgenoteerde bedrijven slechts zes vrouwelijke voorzitters van raden van commissarissen.

De wet zou vrouwen moeten beschermen tegen ongelijke beloning, en mogelijk komt er verbetering op dit punt. Nieuwe regelgeving gaat grote bedrijven verplichten te publiceren over de loonkloof tussen mannen en vrouwen.

Volgens de TUC is een steviger aanpak noodzakelijk om te voorkomen dat miljoenen werknemers puur en alleen vanwege hun sekse verder achterblijven in loon en doorgroeimogelijkheden. In de veertig jaar dat er een wettelijke plicht tot gelijke betaling bestaat, is de loonkloof slechts gehalveerd.

De vakcentrale zegt dat er in de hogere functies meer parttimebanen moeten komen, zodat vrouwen hun carrière kunnen voortzetten nadat ze kinderen hebben gekregen. Te veel vrouwen worden gedwongen om een lagere functie aan te nemen en af te zien van een carrière wanneer ze werkuren willen maken die aansluiten bij de opvang- en schooltijden van hun kinderen. De TUC wil dat de overheid de beschikbaarheid van parttime hogere functies vergroot door werkgevers te stimuleren hun vacatures waar mogelijk flexibel in te vullen. Ministeries kunnen het goede voorbeeld geven door dit meteen van toepassing te verklaren op vacatures in de publieke sector.

Volgens de TUC en de Fawcett Society zou de overheid moeten regelen dat werknemers vanaf de eerste werkdag van een nieuwe baan flexibele werktijden kunnen aanvragen, door de wachttermijn van een halfjaar te schrappen. Beide organisaties zijn van mening dat ondoorzichtige beloningssystemen ten grondslag liggen aan de loonkloof. Bedrijven kunnen vrouwelijke medewerkers een lager salaris geven dan mannelijke zonder dat iemand het in de gaten heeft. De TUC riep op tot meer transparantie: de overheid zou bedrijven kunnen verplichten jaarlijks loonkloofcijfers te publiceren en regelmatig looncontroles te houden om eventuele beloningsverschillen op te sporen en weg te werken.

Dr. Eva Neitzert, waarnemend bestuursvoorzitter van de Fawcett Society zegt:

> Het is een schande dat er anno 2014 in het Verenigd Koninkrijk vrouwen zijn die in feite twee maanden per jaar voor niets werken in vergelijking met mannen, en het is zeer zorgwekkend dat de loonkloof afgelopen jaar voor het eerst in vijf jaar weer is toegenomen.
>
> Het Verenigd Koninkrijk glijdt snel weg in de internationale ranglijsten van gelijke behandeling van mannen en vrouwen. We moeten nu actie ondernemen. Er is dringend behoefte aan maatregelen om lage lonen aan te pakken; de meerderheid van degenen die minder dan het leefloon krijgen is vrouw.
>
> Ons onderzoek toont aan dat verhoging van het minimumloon naar het leefloon de kloof tussen mannen en vrouwen zou verminderen met 0,8 procent. Vergelijk dit met het historisch lage tempo van 6,2 procent over de afgelopen zestien jaar.
>
> We moeten er ook voor zorgen dat kinderen krijgen niet het einde betekent van de loopbaanontwikkeling van vrouwen door hogere functies open te stellen voor deeltijdbanen en flexibel werken. De publieke sector kan het goede voorbeeld geven door nieuwe vacatures standaard op flexibele basis uit te geven – tenzij aangetoond kan worden dat dit bedrijfsmatig onmogelijk is.

In juni 2015 beloofde premier David Cameron plechtig binnen één generatie een einde te maken aan de loonkloof. In oktober van hetzelfde jaar kondigde hij samen met minister Nicky Morgan van Onderwijs en Emancipatie nieuwe maatregelen aan om loonverschillen weg te werken. De overheid lijkt de aanbevelingen van de TUC tot meer transparantie bij bedrijven over te nemen. De nieuwe maatregelen omvatten: de plicht voor grote bedrijven om hun bonussen voor mannen en vrouwen te publiceren; een uitbreiding van de plannen voor loonkloofrapportage door het bedrijfsleven en vrijwilligersorganisaties naar de publieke sector; en samenwerking met bedrijven om een einde te maken aan de puur mannelijke samenstelling van raden van bestuur en van commissarissen van de 350 belangrijkste beursgenoteerde bedrijven in het Verenigd Koninkrijk.

Het zijn veelbelovende woorden van de overheid. De premier zei: 'Zonder gelijke betaling kan er geen sprake zijn van werkelijke kansen. Een loonkloof past niet in onze huidige samenleving. We zullen onze afspraken nakomen om hem aan te pakken.'

Nicky Morgan zegt:

> Als overheid zien we graag dat iedere inwoner van ons land het beste uit zichzelf haalt. Gelijke behandeling van mannen en vrouwen helpt om dit te bereiken, dus het aanpakken van de loonkloof heeft de hoogste prioriteit. Daarom committeren we ons in ons manifest aan de eis dat bedrijven met meer dan 250 werknemers jaarlijks het verschil publiceren tussen het gemiddelde salaris van hun mannelijke en van hun vrouwelijke werknemers.
>
> Niet alleen is het goed om de loonkloof te dichten, het is ook essentieel voor de productiviteit van ons land. De impact op onze economie zal aanzienlijk zijn wanneer vrouwen kunnen bereiken wat ze willen.

Ze heeft beloofd ervoor te zullen zorgen dat kinderen op school leren wat hun rechten zijn. Het is belangrijk dat de kloof tussen mannen en vrouwen al op jonge leeftijd aangepakt wordt, vindt ze. Kinderen moeten opgroeien in het besef dat ze kunnen worden wat ze willen, of ze nou een jongen of een meisje zijn. Meisjes die goed zijn in door mannen gedomineerde vakken, zoals natuurwetenschappen en technologie, moeten door scholen aangemoedigd worden om daarin verder te gaan.

Ook heeft de regering regelingen ingevoerd voor gedeeld ouderschapsverlof en -vergoeding. Het valt te bezien of de belofte die David Cameron deed om de loonkloof binnen één generatie te beëindigen [door zijn opvolgers] zal worden gerealiseerd. Er is nog een lange weg te gaan.

Zou het kunnen dat vrouwen minder verdienen dan mannen omdat ze minder vertrouwen hebben in zichzelf? Misschien zijn vrouwen als gevolg van een eeuwenlang patriarchaat zelf ook gaan geloven dat hun werk minder waard is dan dat van mannen, en onderhandelen ze daarom niet op dezelfde manier over hun salaris. Natuurlijk hoeft Hollywood-ster Jennifer Lawrence zich minder zorgen over geld te maken dan de meeste vrouwen in deze wereld, maar de reden dat zij een lager honorarium ontving dan haar mannelijke tegenspelers [in de film *American Hustle*] lijkt me niet anders dan die van veel andere vrouwen die zich niet in staat achten om voor zichzelf te onderhandelen. In een essay legde ze uit hoe het kwam dat ze geen gelijk salaris eiste: 'Ik ben een slechte onderhandelaar, ik zette niet door. [...] Als ik eerlijk ben moet ik toegeven dat mijn beslissing om zonder discussie akkoord te gaan met het voorstel ook ingegeven werd door het verlangen om aardig gevonden te worden.'[5]

Lawrence vraagt zich verder af of vrouwen nog altijd minder verdienen dan mannen omdat ze een salarisverhoging vaak aan mannen moeten vragen. Een vrouw wil niet moeilijk doen; ze wil een man niet beledigen of afschrikken. Ik denk dat het verlangen om aardig gevonden te worden een typisch vrouwelijke eigenschap is. Al vanaf heel jong leren meisjes het anderen naar de zin te maken. Zo ontwikkelen ze onvoldoende eigenwaarde om voor zichzelf op te komen en meer geld te vragen.

In haar boek *Everyday Sexism* zegt feministe en oprichter van het Everyday Sexism Project Laura Bates dat het argument dat haar zorgtaken een vrouw in de weg staan om meer geld te verdienen in de eerste plaats al uitgaat van de seksistische aanname dat vrouwen zorgers zijn.

Ze schrijft: 'het [...] probleem van het idee dat vrouwen "zich op-offeren" voor het gezin is de notie dat kinderen krijgen onherroepelijk invloed heeft op de carrière van een vrouw en niet op die van een man. Deze werkelijkheid, versterkt door inflexibele werkuren en gebrek aan gedeeld ouderschapsverlof, wordt vaker beschouwd als een onwrikbaar gegeven dat vrouwen maar moeten accepteren dan als een oud vooroordeel dat je kunt en moet bestrijden.'

Het is niet eenvoudig om te strijden tegen de heersende overtuiging dat de vrouw verantwoordelijk is voor de zorgtaken binnen het gezin. Er is geen enkele valide reden te bedenken waarom een vader zijn loopbaan niet kan onderbreken om voor kinderen te zorgen. Omdat algemeen wordt aangenomen dat een vrouw stopt, of parttime gaat werken wanneer ze een baby krijgt, blijft dit de norm. Zelden wordt de vraag gesteld of het terecht is dat mannen alle privileges krijgen en vrouwen de offers brengen.

Zolang we als samenleving blijven vinden dat moeders de beste verzorgers van kinderen zijn, ontkennen we dat vrouwen dezelfde mogelijkheden hebben als mannen. Zolang meisjes poppen en speelgoedkeukentjes krijgen om mee te spelen en jongens ruimteschepen en treintjes, groeien kinderen op met een voorbestemde rolverdeling die bepalend blijft voor hun persoonlijke ontwikkeling, hun carrière en hun keuzes omtrent kinderen.

Het is de zogenoemde 'valstrik van het moederschap' waardoor vrouwen minder verdienen dan mannen: wanneer ze na een onderbreking van hun loopbaan terugkeren op de arbeidsmarkt, komen ze erachter dat ze geen competitie meer zijn voor mannen die alle tijd aan hun carrière en salaris hebben besteed. Helen Lewis, adjunct-hoofdredacteur van de *New Statesman*, schrijft: 'De "valstrik van het moederschap" legt een ongemakkelijk geheim van het kapitalisme bloot: het leunt op een enorme hoeveelheid onbetaald werk, veelal verricht door vrouwen, waarmee het zichzelf in stand houdt. Het onbetaalde werk gaat ten koste van carrièrekansen en een ononderbroken salarisontwikkeling. Tussen mannen en vrouwen van in de twintig is er namelijk geen loonkloof meer. Deze ontstaat pas wanneer vrouwen moeder zijn geworden, en de salarisontwikkeling van een vrouw herstelt er nooit meer helemaal van.'[6]

Op de een of andere manier belandde mijn moeder niet in de valstrik van het moederschap. Ze bracht twee kinderen groot zonder concessies te doen aan haar werk. Ik weet dat ze haar twijfels had, want daarover had ze willen schrijven in dit hoofdstuk: 'Terugkijkend op mijn eigen carrière en mijn gevoelens van spijt over mijn gezinsleven, vraag ik me af of vrouwen de competitie wel moeten aangaan.'

Als dochter van iemand die zich in haar carrière niet heeft laten belemmeren door haar vrouw-zijn, maar er juist gebruik van heeft gemaakt, wil ik 'ja' antwoorden op de vraag 'of vrouwen de competitie wel moeten aangaan'.

Mama vond het spijtig dat ze niet meer tijd met ons had doorgebracht. Ze was inderdaad vaak op reis voor haar werk toen wij nog kinderen waren, maar ze slaagde er ook in om tussen haar opdrachten door lange periodes thuis te zijn. Het is niet zo dat ik, terugkijkend op mijn jeugd, wou dat we meer samen waren geweest. Ze heeft me vaak gevraagd of ik liever een moeder had gewild die thuis was en me kwam ophalen van school. Ik zei altijd 'nee'. Ik was trots op wat ze deed. Ik ben ervan overtuigd dat ze, doordat ze intellectueel uitdagend werk deed zonder zich te laten beperken door haar moederschap, een betere moeder was – niet gefrustreerd of humeurig wanneer ze voor ons zorgde. Als huismoeder zou ze gek zijn geworden van verveling – en daar zouden wij zeker last van hebben gehad. Was ze een betere moeder geweest als ze haar carrière had opgeofferd om bij ons te zijn? Nee. Zij en haar leven waren juist een verrijking voor ons, en ik wou dat ik alsnog elk spoor van schuldgevoel bij haar weg kon halen. Maar misschien hebben werkende vrouwen altijd last van schuldgevoel, hoe vaak hun kinderen ook zeggen dat het niet nodig is.

Toen ik mams aantekeningen doornam om dit hoofdstuk te kunnen afmaken, kwam ik een citaat tegen van Kathleen McGinn, hoogleraar bedrijfskunde aan Harvard: 'Het is goed voor je om een moeder te hebben die werkt.' Ik besloot Kathleen McGinn te googelen om te kijken naar haar onderzoek in het kader van mijn moeders zorgen over haar gezinsleven. McGinn zegt: 'Vrouwen van wie de moeder buitenshuis werkte, hebben vaker zelf een baan, vaker een leidinggevende functie en verdienen een hoger salaris dan vrouwen van wie de moeder fulltime thuis was.'

Werkende vrouwen zijn niet alleen een belangrijk rolmodel voor hun dochters, maar ook voor hun zoons, gaat McGinn verder: 'Mannen die grootgebracht zijn met een werkende moeder dragen vaker bij aan huishoudelijke taken en spenderen meer tijd aan de zorg voor gezinsleden.'

Volgens McGinn 'bestaat er veel schuldgevoel onder ouders die allebei buitenshuis werken [...] Maar dit onderzoek laat zien dat je niet alleen de financiële positie van je gezin verstevigt – naast je eigen professionele en emotionele ontwikkeling –, maar ook je kinderen helpt.'[7] Dit kwam terug in een stuk dat journaliste Anne Perkins voor *The Guardian* schreef over de herdenkingsdienst voor mijn moeder. Ze zei dat mijn broer en ik levende voorbeelden zijn van het feit dat mam erin slaagde om iets te doen waarvan veel vrouwen denken dat het niet kan. Ze had een buitengewone carrière en ze had ons. Perkins schreef:

[Sue en ik] zijn van dezelfde generatie en ik heb haar carrière zien groeien van gewoon succesvol, bij *News at Ten*, tot iets van buitengewone proportie, onverschrokken en intimiderend. Ze was hinderlijk, vermoeiend, benijdenswaardig, bewonderenswaardig. Dochters, luister, alsjeblieft. Ze heeft zich nooit iets gelegen laten liggen aan de schijnbare beperkingen die zovelen van ons op hun weg zien. Ze was moedig en vastberaden, en ze had een scherpe blik. Ze leek geen twijfel te kennen en mopperde nooit over iets wat niet kon.[8]

Ik geloof dat mijn moeder een uitzonderlijke persoonlijkheid was, met een onuitputtelijke energie. Wanneer ze op reis was, zaten wij als kinderen thuis met een oppas, maar toch was ze er voor ons –

aan de andere kant van de telefoonlijn. Ook al was ze net uit een vliegtuig gestuiterd, of ontsnapt uit een krottenwijk in een of andere verre uithoek, op zo'n moment zette ze alles opzij om de geweldige, lieve en zorgzame moeder te zijn die ze was. Ook hadden we het geluk dat we met haar mee mochten naar plaatsen waar kinderen van onze leeftijd niet eens van durfden te dromen en hebben we dankzij haar werk heel veel boeiende mensen ontmoet. Er zat een schril contrast tussen de verschrikkingen die ze in het buitenland zag en ons relatief comfortabele leven thuis in Noord-Londen. We waren ons ervan bewust dat wij geluk hadden en dat we dankbaar mochten zijn voor het bevoorrechte leven dat we leidden.

Als getrouwde vrouw van in de dertig, die op het punt staat om zelf kinderen te krijgen, ben ik ongelooflijk blij dat ik mijn moeders voorbeeld van het moederschap kan volgen. In plaats van het gevoel te hebben dat ik aandacht tekort ben gekomen, voel ik me door haar wereldreizen en doordat ze onrecht aan de kaak stelde juist gesterkt in het gevoel dat ik alles kan bereiken. Ik denk aan wat mam schreef in haar hoofdstuk over vrouwen in Saoedi-Arabië: 'Ik heb ik weet niet hoe vaak tegen mijn dochter gezegd dat vrouwen gelijk zijn aan mannen en dat zij alles kan bereiken wat ze wil.'

Ik heb nooit het gevoel gehad dat mijn vrouw-zijn een belemmering was, omdat zij heeft laten zien dat het dat niet is. Dus, mam, je hoeft nergens spijt van te hebben. Ik ben alleen maar trots op jou en op wat je hebt bereikt – als journalist en als moeder. Dank je wel. Het antwoord op de vraag die je jezelf stelde is 'ja': vrouwen kunnen de competitie aan en zouden dat ook moeten doen. Jij hebt bewezen dat het mogelijk is om te winnen.

Tot slot

Het is onmogelijk om een slot voor dit boek van Sue Lloyd-Roberts te schrijven. De strijd van degenen die de moed hebben terug te vechten duurt nog steeds voort, en er wordt nog op veel te veel fronten veel te veel slag geleverd. Ik voer de zoekopdracht 'vrouwen-rechten 2016' op internet in, en er komt een artikel uit *The Huffington Post* boven dat opent met: 'In grote delen van de wereld hebben koeien meer rechten dan vrouwen.'

Er is teruggang en vooruitgang. Steeds meer vrouwen en mannen vinden tegenwoordig zowel de moed als de bijkomende steun vanuit juridische en politieke hoek om terug te vechten. Maar de campagne die tientallen jaren is gevoerd door een van de meest vasthoudende strijders, die gewapend was met een camcorder, een kritisch oog en een meelevend hart, is verdrietig genoeg plotseling ten einde gekomen.

'Ze was ervan overtuigd dat de hele wereld het moest weten,' zegt haar man en collega-journalist Nick Guthrie wanneer we op een grijze winterdag in Londen samen lunchen om te bespreken hoe dit 'Tot slot' bij het aangrijpende boek van Sue geschreven moet worden. Haar ziekte heeft haar de tijd ontnomen die ze anders zou hebben gebruikt om het zelf te schrijven.

Het rustige, pretentieloze restaurant waar Sue en Nick vaak kwamen, doet me in zekere zin aan Sue denken. De netjes gevouwen witlinnen servetten roepen de fris gestreken blouses in herinnering die ze op de televisie droeg, waarbij de keurig rechte lijnen van haar in een bop geknipte bruine haar mooi aansloten.

Er is nu eenmaal een correcte manier om zaken aan te pakken. Dat is op-en-top Sue.

Wat ik me ook nog goed kan herinneren was mijn eerste ontmoeting met Nick. Ik zocht hem begin jaren negentig op in zijn hoedanigheid van redactiechef bij *Breakfast News* van de bbc, met een voorstel voor een verhaal over vrouwen in Afghanistan. 'Als je ons maar iets vertelt wat we nog niet weten over Afghaanse vrouwen,' adviseerde hij me op die barse toon van hem die geen flauwekul duldde, maar wel vergezeld van een bemoedigende grijns.

Dat was precies waar Sue haar hele werkende leven naar heeft gestreefd.

Dit boek getuigt van haar koppige vastbeslotenheid om de aangrijpendste verhalen over het leven van vrouwen te vertellen – verhalen die moesten worden verteld. Dit is een boek over iedere vrouw: haar kronieken vol onrecht en misbruik gaan over verre landen als Egypte en Argentinië, en uiteenlopende culturen als India en Ierland.

Het is allemaal even schokkend. Ontvoerde vrouwen als Patricia werden tijdens de Vuile Oorlog in Argentinië in opdracht van de junta gedrogeerd en uit een vliegtuig gegooid nadat ze waren bevallen, en hun kind werd weggegeven aan een legergezin. De veertienjarige Luljeta uit Kosovo werd 'de hele tijd' verkracht door leden van een internationale vredesmacht. Meisjes en jonge vrouwen doorstaan 'gruwelijke pijn' omdat hun uitwendige geslachtsorganen gedeeltelijk weggesneden of helemaal verwijderd zijn.

En toch inspireert dit boek ook. Neem Maimouna, die Gambia ontvlucht om te ontkomen aan de traditionele rol die haar familie in het dorp speelt tijdens de besnijdenisceremonies. De Franse journaliste Célhia de Lavarène en de Amerikaanse Kathy Bolkovac zetten zich in om te doen wat ze kunnen om een eind te maken aan de vrouwenhandel voor de seksindustrie in Bosnië. Uiteindelijk kunnen zelfs de grootste doorzetters het niet winnen van zoveel diepgewortelde vrouwenhaat en traditionele overtuigingen, naast een van corruptie doortrokken systeem. Maar verschil maken ze wel.

Iedereen weet dat dit een langdurige oorlog is.

'Die woede van Sue om alles wat er verkeerd is, was haar belangrijkste wapen in de strijd voor de onderdrukten,' zegt Ian O'Reilly, een wederzijdse vriend die ruim twintig jaar met Sue heeft samengewerkt als producer en cameraman. Samen staken ze heimelijk grenzen over, meestal incognito, om de verborgen uithoeken van de wereld met een fel licht te kunnen beschijnen.

'Ze wilde de daders niet alleen te kijk zetten, maar ook vernederen,' legt hij uit, terwijl we een halve cirkel dofgroene pluchen stoelen bezet houden in een hotellounge die aanvoelt alsof hij is volgepropt met meubilair en ontdaan is van mensen. 'Oma's salon' noemt Ian deze ruimte. Het hotel zit weggestopt in een zijstraat op een paar straten van het Londense hoofdkantoor van de BBC. De vrienden, collega's en 'gezworenen' Sue en Ian trokken zich soms op deze rustige plek terug voor een kop koffie, een drankje, wat geroddel, en een beetje plannen smeden voor een nieuwe film.

Zo beschrijft Sue haar vorm van journalistiek in het boek *Practising Videojournalism* van Vivien Morgan, haar voormalige collega bij Channel 4 en zelf ook tv-videojournalist. 'Het ging me aan het hart dat er ontzettend veel mensen leden en onder afgrijselijke regimes en in moeilijke omstandigheden moesten leven, en ik wist dat de televisie er misschien voor kon zorgen dat de wereld sneller of anders zou reageren als wij lieten zien hoe het werkelijk was.'

Als je een journalist de vraag voorlegt waarom hij of zij zoveel risico's neemt, op het gevaar af stormt wanneer anderen zich bangelijk terugtrekken, zoveel vragen stelt en voor zoveel opschudding zorgt, zul je vaak hetzelfde nuchtere antwoord krijgen: 'Dat is ons werk.'

Maar er ging nog iets anders schuil in die herkenbare signatuur van Sue. In de loop van de jaren volgde ik haar werk, waarbij ze soms in haar eentje op pad was om filmopnamen te maken, en voortdurend drong zich dan een andere vraag aan me op: 'Hoe doet ze dat toch?'

Hoe kon ze kalm blijven toen ze in 2011 door afzettingen van het leger heen reisde met een valse Syrische identiteitskaart en net deed of ze de doofstomme zus was van haar chauffeur, waarmee ze de eerste westerse journalist werd die de protesten filmde, helemaal aan het begin van een nog nooit vertoonde opstand? Hoe hield ze haar zenuwen onder controle toen ze zich in 1994 uitgaf voor een amateurvogelkenner en in Zuid-China heimelijk een documentaire filmde over gevangenen die werden doodgeschoten voor hun organen? Haar verslag over organen die werden verkocht aan rijke patiënten in Hongkong die een transplantatie nodig hadden, veroorzaakte wereldwijd een schok. Het leverde Sue in China bij verstek een gevangenisstraf van zeven jaar op, en zelfs dat hield haar niet tegen om terug te keren.

Hoe kreeg Sue het voor elkaar om keer op keer naar dezelfde plekken terug te gaan zonder ooit te worden betrapt? Ze gebruikte diverse paspoorten en nationaliteiten om op en neer te reizen naar landen als Birma, Nepal, Roemenië en Zimbabwe, en in de eerste jaren naar Rusland. Herhaaldelijk stelde ze kwesties aan de kaak als verminking van vrouwelijke genitaliën, gedwongen huwelijken, eerwraak en alle vormen van mensenhandel.

'Als ik eraan denk, begint mijn hart nog steeds te bonzen,' zegt Ian over hun heimelijke filmopnamen in een legerhoofdkwartier in Birma in 1997. In die tijd werden er vrijwel geen buitenstaanders toegelaten in deze afgesloten, autoritaire staat, laat staan dat ze mochten doordringen in de duisterste krochten van de macht.

Soms gaf ze zich uit voor amateurhistoricus, dan weer voor onnozele toerist of voor een geïrriteerde vrouwelijke reiziger in door mannen gedomineerde oorden.

'Ze ging naar landen waar vrouwen absoluut niets voorstelden en waar de autoriteiten dus ook niet vermoedden dat zij in staat was hen aan de kaak te stellen,' zegt haar trotse dochter Sarah. 'Ze had altijd foto's van mijn broer George en mij bij zich, en die haalde ze dan tevoorschijn en dan zei ze dat ze maar gewoon een vakantievierende moeder van twee kinderen was.'

Tijdens een reis naar Roemenië deed Sue zich voor als geïnteresseerde koper en regelde ze dagelijks de aankoop van weer een andere baby om maar aan te tonen dat dat kon. 'Tijdens die trip huilde ze vaak,' geeft Ian toe. Haar stalen zenuwen gingen gepaard met een teder hart.

'Ze schaamde zich er niet voor dat ze een journalist met een missie was,' verklaart Tony Jolliffe de gedrevenheid van Sue. Tony is een van de meest creatieve cameralieden van de BBC, en vormde van 2010 tot 2014 een team met Sue. Hun geslaagde act als duo ging van start toen Sue uitzonderlijk genoeg kans zag toegang te krijgen tot Noord-Korea en zij een opmerkelijke film maakten, waarmee ze een prestigieuze Emmy binnenhaalden. Gedenkwaardige scènes zijn onder meer die waarin Sue met een stalen gezicht overheidsdienaren ondervraagt die zich uiterst ongemakkelijk voelen, en die waarin ze lichtvoetig meedanst met opgetogen kinderen op de melodieuze klanken van een door de overheid gepropageerd deuntje. Hun werk mondde uit in een reeks documentaires die de bron zijn van een paar van de aangrijpendste verhalen in dit boek, waaronder een serie over de verminking van vrouwelijke geslachtsdelen in het Midden-Oosten, Afrika en Europa.

Sue vond manieren om haar stem te laten horen en een stem te geven aan mensen die er geen hadden, en dat binnen de redactionele grenzen van een publieke zender als de BBC. Haar verhalen waren sterk dankzij haar arsenaal van ingehouden taalgebruik, een veelbetekenende gezichtsuitdrukking, een snibbig antwoord, een botte vraag en zelfs af en toe een plagerig lachje.

'Ze was er heel goed in om zich ingehouden uit te drukken,' zegt Tony. 'Maar als het erop aankwam, was er geen twijfel mogelijk dat ze het allemaal zwart-wit zag, als de goede lui en de slechteriken. Ze wilde met de goede lui tegen de slechteriken ten strijde trekken.'

Die enkelvoudige focus, die soms ten koste ging van de nuances en bijna altijd tegen deze of gene regel inging, was nogal verontrustend voor collega's bij de BBC die hun basis hadden in de betreffende landen en de woede van de bureaucraten over zich heen kregen zodra haar geheime opnamen en hun geheimen werden gepubliceerd.

En toch was dit soort dappere journalistiek precies de reden waarom een vriend van haar uit haar studietijd in Oxford en de huidige directeur-generaal van de BBC Tony Hall – Lord Hall of Birkenhead – haar in 1992 wegkaapte bij ITN. Hij haalde haar naar de BBC toen hij hoofd was van de nieuwsafdeling. 'Ik wilde graag wat van dat soort journalistiek in onze stal hebben,' zei hij in het programma *Last Word* van Radio 4, kort nadat Sue in oktober 2015 was overleden.

Bij de ontroerende herdenkingsdienst voor Sue die op 1 december 2015 werd gehouden in een afgeladen All Souls naast de BBC in het centrum van Londen, haalde hij herinneringen op aan Sues 'weinig veelbelovende begin' als journalist bij ITN, toen tot haar doordrong dat vrouwen zich moesten beperken 'tot onderwerpen als de koninklijke familie of de Chelsea Flower Show'. Hij haalde een uitspraak van Sue aan: 'Ik weet nog dat ik al heel in het begin dacht dat als je geïnteresseerd was in de dingen die ik wilde doen – journalistiek met een missie, en mensenrechten – drie stevig gebouwde kerels met een forse camera en een grote, harige fallische microfoon niet de meest tactische middelen waren om, ik noem maar wat, een slachtoffer van verkrachting in een oorlogssituatie te interviewen.'

Eind jaren tachtig 'vonden Sue en de technologie elkaar', toen ze besefte dat de net uitgekomen Hi8 videocamera van Sony wel eens haar geheime wapen zou kunnen zijn. Het apparaat was compact genoeg om te verbergen en het was dezelfde ongevaarlijk ogende camera die toeristen begonnen te gebruiken. Bovendien leverde hij aanzienlijk betere opnamen op dan de gruizige beelden van eerdere modellen. Heimelijk opnamen maken werd ineens veel makkelijker dankzij dit apparaat. Verhalen die tot dan toe alleen op papier waren verteld, konden nu op camera worden vastgelegd, en dat in uitzendkwaliteit.

'Ik wist dat ik als VJ [videojournalist] de macht had dingen te veranderen, of in elk geval in beweging te zetten,' legt Sue uit in het hoofdstuk 'Videojournalist Pioneers' in het boek van Vivien Morgan. Sue en Vivien maakten eind jaren tachtig hun eerste trip met een Hi8-camera naar Roemenië, voor en na de revolutie, en nog enige jaren daarna maakten ze samen diverse journalistieke reizen. Toen de Berlijnse Muur in 1989 was gevallen, was er een ware explosie van nieuws en onthullingen in heel Oost-Europa, een volmaakt terrein voor ondernemende videojournalisten uitgerust met nieuwe, verbeterde camera's.

Wat ook verschil maakte, was dat de tapes steeds kleiner werden. 'Op de burelen van het televisienieuws was ik er berucht om dat ik tapes in mijn slipje stopte om ze door de douane te smokkelen, en dat was waar,' geeft Sue toe in Viviens boek.

Bij al haar aandacht voor een onrechtvaardige wereld concentreerde Sue zich vaak op de ellendige positie van vrouwen, al beschouwde ze zichzelf nooit als een vrouwelijke journalist met een missie die uitsluitend betrekking had op kwesties rond gender. De rechten van vrouwen, of het nadrukkelijke ontbreken daarvan, sprongen er eenvoudig uit waar ze ook kwam, al waren het dan plekken waar ook heel veel ander onrecht moest worden bestreden.

'In tegenstelling tot velen van ons zette Sue zichzelf nooit neer als feministe,' bevestigt Vivien, die in de loop van vijfendertig jaar een van Sues beste vrienden werd. 'Ze had altijd het gevoel dat haar verhaal op zijn eigen merites moest worden beoordeeld, en dat zij er als vrouw mee verbonden was deed niet ter zake.'

Waar ze verder ook van overtuigd was, was dat geen enkel land zich moreel gezien verheven zou mogen voelen als het op de schending van mensenrechten aankwam, waaronder de behandeling van vrouwen. In Sues wereld is er geen 'wij en zij'.

'Het verhaal over Ierland bracht haar op het idee om dit boek te schrijven,' zegt Ian O'Reilly over 'De Magdalene-wasserijen', dat het derde hoofdstuk van dit boek is geworden. 'Ze riep uit: "Dit is een lid van de EU en zelfs hier wordt het onder het tapijt geveegd. Ik ben echt geschokt."'

Natuurlijk is het effect van journalistieke arbeid die zoveel jaren en continenten omvat lastig precies te meten. De lijst van alle documentaires die Sue voor de BBC heeft gemaakt is tweeëntwintig pagina's lang. En voordien had ze al ruim tien jaar als verslaggever gewerkt bij ITN. Iets van de verdiensten kun je aflezen aan de talloze tv- en mensenrechtenprijzen die Sue en haar diverse teams hebben gekregen, alle commentaar en gesprekken die ze hebben losgemaakt, en in de allereerste plaats de werkelijke veranderingen die ze hebben bereikt in de richting van het uiteindelijke doel: een eind te maken aan misbruik en straffeloosheid.

De meeste journalisten zijn zo vermetel te hopen dat ze met hun verslaggeving iets kunnen veranderen. Vaak worden we daarin teleurgesteld. In het geval van Sue speelde het feit dat ze zich op bepaalde kwesties concentreerde een belangrijke rol in iets wat niet anders kon zijn dan een langdurig, traag proces om zaken onder de aandacht te brengen en anderen de kracht te geven om hun stem te laten horen en uiteindelijk handelend op te treden. Maar er zijn andere voorbeelden waarbij de verandering in iemands leven en in onwrikbare wetten zich onmiddellijk voltrok en heel inspirerend was.

Dat gold bijvoorbeeld in het geval van Min Min Lama uit Nepal, een tienermeisje dat op haar veertiende werd verkracht en twaalf jaar gevangenisstraf kreeg omdat ze abortus zou hebben laten plegen.

In 1999, als Sue Min Min opzoekt in de gevangenis, schrijft ze: 'Dit kleine, frêle meisje is uitgegroeid tot een symbool voor iedereen die in Nepal campagne voert om de abortuswet te veranderen.' Met haar zestien jaar is Min Min de jongste gevangene, maar niet de enige wie zo'n lot ten deel is gevallen. 'Bijna honderd vrouwen, een vijfde van de vrouwelijke gevangenen in Nepal, zit vast vanwege abortusgerelateerde misdrijven, en velen van hen zijn net als Min Min Lama verkracht door een familielid.'

In Sues woorden ondernam ze een 'trektocht van drie dagen om de vrouw aan te spreken die de abortus op gang had gebracht'. De stiefschoonzus van Min Min en de zus van degene die haar had verkracht, hield vol dat haar broer zoiets nooit kon hebben gedaan. Zij had Min Min met een smoesje een middel laten innemen dat de abortus op gang bracht. Sue slaagde erin voor de camera een bekentenis los te krijgen, wat leidde tot de vrijlating van Min Min.

Bovendien werd de Nepalese wet zodanig aangepast dat abortus is toegestaan in geval van verkrachting en misbruikte minderjarigen.

Een andere documentaire die leidde tot wetswijzigingen, ging over de illegale handel in menselijke organen. In een verslag uit 2001 legden Sue en Ian vast hoe donoren uit Moldavië naar Turkije reisden, waar de operaties plaatsvonden, en dat degenen die deze organen lieten plaatsen voornamelijk uit Israël kwamen. Het joodse geloof schrijft voor dat het lichaam ongeschonden ter aarde moet worden besteld, dus dat betekent dat er maar weinig organen ter beschikking zijn voor transplantatie. Hun documentaire leidde ertoe dat daar een wet werd aangenomen waarin ziektekostenverzekeringen beperkingen opgelegd kregen wat betreft de financiering van orgaantransplantaties in het buitenland.

In andere gevallen zag Sue kans met haar werk het lijden van een heel land uit de schaduw en voor het wereldwijde voetlicht te krijgen. Birma, of Myanmar, zoals het tegenwoordig heet, is in dat opzicht een van de meest opvallende voorbeelden.

Eind jaren negentig bogen Sue en Ian zich over grote westerse ondernemingen die zaken deden met de regerende generaals. Journalisten konden geen visum krijgen, dus organiseerden ze een nepbedrijf in vrijetijdskleding met alles erop en eraan als telefoon- en faxnummers, e-mailadressen en visitekaartjes. Ze slaagden er waarachtig in om een van de weinige zakelijke visa te bemachtigen, en zelfs toestemming te krijgen voor gesprekken met hoge legerofficieren.

Ian vertelt dat Sue vlak voor hun doorslaggevende bezoek aan de ambassade in Londen zei 'dat we er rijk moesten uitzien, aangezien alle deuren opengaan voor rijkelui. Sue kleedde zich chic, ging naar de kapper en leende wat grote, glinsterende sieraden van haar schoonmoeder. En met hulp van mijn maatje Jonathan stelde ik een al even welvarend ogend kostuum samen. Wij waren er klaar voor.'

Uit hun heimelijk gemaakte opnamen bleek dat westerse kleding werd gefabriceerd in Birmese fabrieken die in handen van de militaire junta waren. Het resultaat was dat bedrijven als Burton in het Verenigd Koninkrijk en Dunnes Stores in Ierland hun activiteiten daar staakten.

Met hulp van de al even bevlogen Birmese activiste die Ms. Faith werd genoemd slaagden Sue en Ian er eveneens in om heimelijk een interview met Aung San Suu Kyi op te nemen en het land uit te smokkelen. Indertijd verkeerde de befaamde campagnevoerster voor democratie in de meest strikte fase van haar huisarrest. Haar woorden werden uitgezonden door de BBC en baarden wijd en zijd opzien.

Nu is Birma een opener, minder onderdrukt land, na een lange, zware, haperende overgangsperiode. De National League for Democracy van Aung San Suu Kyi behaalde eind 2015 de absolute meerderheid in de eerste nationale verkiezingen die werden gehouden nadat er in 2011 een eind was gekomen aan een halve eeuw militaire overheersing.

Toen het nieuws van Sues verscheiden Birma had bereikt, schreef Suu Kyi dat Sue 'grote moed en betrokkenheid had betoond door verslag uit te brengen vanuit Birma tijdens een van de donkerste perioden uit onze geschiedenis, en een voorbeeld was van wat ik altijd heb gedacht, namelijk dat de beste journalisten ook de aardigste zijn'.

En Sue hoort ook bij de grootste doorbijters. Eind jaren negentig richtte ze haar onwrikbare blik op kwesties rond gedwongen huwelijken en eerwraak in conservatieve islamitische landen als Pakistan en Jordanië.

'Zij kwam veel eerder met die verhalen over eerwraak en gedwongen huwelijken in Pakistan dan wie ook,' zegt schrijfster en activiste Yasmin Alibhai-Brown, die met Sue bevriend was.

Yasmin, die zelf ook een formidabel campagnevoerster is, vertelt over de 'reusachtige toestanden' die het gaf toen Sue opnieuw samen met Ian de camera richtte op gezinnen van Pakistaanse afkomst in Groot-Brittannië.

'Ze streed nog op een ander front, tegen die krachten van geheimhouderij en protectionisme,' vertelt Yasmin me in een bevlogen telefoongesprek. 'Sue is echt door die muren van zwijgzaamheid gebroken.'

Toen die muren begonnen af te brokkelen, vielen sommige van de verbale bakstenen ook op Yasmin, een in Oeganda geboren Britse moslima van Pakistaanse afkomst. 'Leiders binnen de gemeenschap, conservatieve moslims en voorgangers zeiden dingen tegen me als: "Hoe kom je erbij om om te gaan met dat racistische, koloniale mens?"' Ze antwoordde daarop in gesprekken en in haar krantencolumns door erop te hameren dat 'het juist racistisch zou zijn als ze dat niet deed, want dan zou ze beweren dat andere levens er minder toe doen dan blanke levens'.

En daardoor lieten Sue en Tony Jolliffe zich leiden toen ze in 2012 begonnen aan hun indringende serie over vrouwelijke genitale verminking of vgv. 'We beseften allebei dat we met onze films geen eind zouden maken aan deze praktijk, maar we wilden die onder de aandacht brengen,' zegt hij tegen me.

Tony en ik ontmoeten elkaar bij hem in de buurt in Londen, nadat hij om wat tijd heeft gevraagd om na te denken over de nalatenschap van Sue. En net als bij ons allemaal is het een liefdevolle herinnering aan een opmerkelijke persoon, van wie hij nog steeds niet kan geloven dat ze er niet meer is. In die vier jaar dat hij samen met Sue filmopnamen maakte, in zestien vaak moeilijke landen, zegt hij, 'kan ik me niet één dag herinneren dat ze geen opgewekt, prettig gezelschap was'. En dat is een reusachtig compliment in de hogedrukpan die de wereld van de journalistiek is.

Hun vgv-verslagen, die in vijf landen zijn opgenomen, kregen stevige redactionele steun vanuit het bbc-programma *Newsnight*, en dan met name van twee redacteuren, Shaminder Nahal, die inmiddels bij Channel 4 werkt, en Liz Gibbons, die opdracht gaf tot de eerste vgv-documentaire en daarna voor nog een aantal. Dat staat in schril contrast met de toenmalige terughoudendheid in sommige andere media, waaronder zelfs andere afdelingen van de bbc.

'Op sommige plekken had men het gevoel dat vgv een tikje exotisch en weerzinwekkend was,' zegt *Newsnight*-producer James Clayton, die ook bij een aantal van de films betrokken is geweest. Als freelancejournalist had hij al eens geprobeerd een zondagskrant over te halen een stuk over deze praktijk te plaatsen. Hij kreeg te horen dat 'redacteuren hogerop nooit verhalen in de krant zouden plaatsen over vagina's waarin wordt gesneden'.

En Sue was Sue niet geweest als ze, om het zo maar eens te zeggen, het beestje niet doodgewoon bij de naam had genoemd.

Tony vertelt me een anekdote over toen ze in een Frans ziekenhuis opnamen maakten van een operatie om een vrouwelijk geslachtsorgaan te reconstrueren. 'Staat ze erop, Tony?' fluisterde Sue bondig door haar mondkapje.

'Wat?' vroeg hij.

'De clitoris!' zei ze.

'Ja!'

Hij vertelt dat de *Newsnight*-uitzending vanuit Frankrijk, waarin de Franse en de Britse aanpak van vgv tegenover elkaar werden gezet, nogal wat reacties losmaakte, onder andere in de vorm van artikelen in de pers. In Groot-Brittannië werd niemand vervolgd, terwijl ouders daar vaak hun dochters naar andere landen stuurden om te worden besneden, en in Frankrijk werd een hardere lijn gevolgd in de vorm van aanklachten en inspecties, waaronder medisch onderzoek van jonge meisjes bij terugkeer naar Frankrijk.

'Waarom falen we in het Verenigd Koninkrijk op dat punt zo jammerlijk in vergelijking met de Fransen en hun honderd processen?' vraagt Sue zich af in haar eerste hoofdstuk, 'Het wrede mes'. Zoals ze zelf zegt, ligt het antwoord in het feit dat 'wij tolerantie hoog in het vaandel [hebben] en culturele verschillen [accepteren], maar daarmee sta je toe dat mensen achter gesloten deuren worden mishandeld'.

Wat Sue Lloyd-Roberts dreef, was dat ze deuren open wilde gooien, ze desnoods open wilde trappen of zich door het raam naar binnen wilde wurmen. Voormalig redacteur bij *Newsnight* Liz Gibbons kan zich nog goed herinneren dat ze in 2012 tegen Sue zei dat uit statistieken viel af te leiden dat 90 procent van de Egyptische vrouwen enige vorm van vgv had ondergaan.

Ze zegt: 'Ik had bij een andere verslaggever met dat cijfer over vgv in Egypte kunnen aankomen en kunnen zeggen dat ik er wel voor voelde om opdracht te geven een documentaire te maken, en dan zou ik geen sjoege hebben gekregen. Maar Sue kwam vervolgens aanzetten met niet zomaar een fantastische film, maar zelfs met een hele reeks vervolgrapporten waarvan ik oprecht denk dat ze tot een veranderde houding en een wijziging in beleid hebben geleid, in elk geval in het Verenigd Koninkrijk.' Opnieuw had Sue 'van een kwestie een zaak gemaakt om zich voor in te zetten'. Volgens Liz was hun nauwe samenwerking bij deze documentaires 'een van de dingen waar ik het meest trots op ben uit mijn tijd bij *Newsnight*'.

In 2013 begonnen er overal in de Britse media berichten te verschijnen over VGV. In 2014 organiseerde de overheid een 'Girl Summit' om nationale en internationale krachten te bundelen om binnen één generatie een eind te maken aan VGV, alsmede aan gedwongen huwelijken en kindhuwelijken.

Toen ik me verdiepte in Sues rol bij het aandacht vragen voor VGV, had ik met name een inspirerend gesprek met Muna Hassan, een jonge studente en campagnevoerster in Bristol die voorkwam in een van de films van Sue. Muna heeft Somalische ouders en is geboren in Zweden, waarna ze op haar achtste naar Bristol verhuisde. Als tiener raakte ze al betrokken bij de plaatselijke liefdadigheidsorganisatie Integrate Bristol, en niet veel later begon ze zich uit te spreken tegen VGV.

'Sue kwam naar Bristol en liet ons vanuit ons hart spreken,' vertelt Muna als we een momentje kunnen prikken om aan de telefoon te praten, tussen haar afstudeerbezigheden en haar vele campagneactiviteiten door. 'Ze moedigde ons aan en zei: "Als je iets te zeggen hebt, doe dat dan nu."' Ik stel me voor hoe Sue dat op haar no-nonsensemanier zei.

Ondanks de afstand die een telefoongesprek schept, is Muna's enthousiasme voelbaar. Voor haar en haar collega's die voorkomen in het eerste hoofdstuk van dit boek, werden hun stemmen dankzij de BBC-documentaires versterkt, en groeide iets wat op plaatselijk niveau speelde ineens uit tot een nationale en internationale kwestie.

Plotseling veranderde het taalgebruik. Muna legt uit dat Sue het over 'een vorm van misbruik' had, in plaats van over een 'cultureel gebruik'. Wat voorheen beschouwd was als iets 'wat een halve wereld verderop speelde' werd een Britse kwestie, een zaak die zelfs in het parlement moest worden besproken.

En het bleef niet bij VGV. Muna vertelt dat daarmee een beerput werd opengetrokken. De gesprekken over VGV leidden tot een grotere betrokkenheid van de gemeenschap bij een heel scala aan kwesties, waaronder de om zich heen grijpende radicalisering onder moslimjongeren.

'We zullen haar nooit vergeten,' zegt ze zacht aan het eind van ons telefoongesprek. 'Maar we hebben nog een lange strijd te gaan.'

Menigeen zal Sue niet vergeten – vanwege haar films, en omdat haar werk niet eindigde bij die films. Sue werd lid van actiegroepen voor Birma, en ook voor Tibet – nog een van de zaken waar ze zich voor inzette. Ze zamelde onvermoeibaar geld in, en dat op een manier die paste bij een vrouw die zich weliswaar op allerlei ernstige zaken stortte, maar ook fantastisch gezelschap was, met haar voorliefde voor streken uithalen en als het even kon een stevig partijtje dansen.

'We hadden een "Bop for Bosnia" die vrachtwagens vol spullen opleverde, "Rock for Romania" waar geld voor aidswezen werd ingezameld, "Tango for Tibetan Refugees", en de "Bushmen's Ball for Survival",' somt Vivien Morgan op, die net als Sues andere goede vrienden worstelt met het verlies van een reisgenoot.

'We waren een VGV-evenement aan het plannen,' voegt Vivien eraan toe, 'maar dat is niet meer gelukt.'

Sue liet nooit zomaar een verhaal los, en evenmin de mensen die in die verhalen voorkwamen.

Buiten beeld en slechts voor een enkeling zichtbaar waren er talloze vriendelijke gebaren: wat geld uit eigen zak voor arme gezinnen, adviezen aan Tibetaanse asielzoekers, financiële hulp bij het betalen van schoolgeld in Roemenië, een plek in Londen om te eten en te slapen.

Haar dochter Sarah schrijft het elders in dit boek ook: de deuren van hun fijne huis in Noord-Londen gingen open voor 'ministers, journalisten, activisten en slachtoffers van vervolging uit een of ander door oorlog verscheurd land'.

De verbannen Tibetaanse leider, de dalai lama, noemde haar 'London Sue'. Jonge journalisten die nu in haar voetsporen treden, noemen haar een inspiratiebron. Wie in haar tijd ook reisde, heeft het over haar pionierswerk op het gebied van de videojournalistiek, het heimelijk filmopnamen maken als onderzoeksjournalist dat haar handelsmerk is geworden.

En dan is er nog dit boek. Sues man Nick vertelt me dat ze ook plannen had om een roman te schrijven waarin de verhalen van vrouwen een hoofdrol zouden spelen.

Maar toen ineens had ze haar eigen strijd te leveren tegen de myeloïde leukemie – al ging dat natuurlijk op haar geheel eigen wijze. Op 27 juli schreef ze op haar ziekenhuisblog: 'Ik lig hier nu bijna een week, en de chemo is tamelijk zachtaardig geweest. Het lukt me om elke ochtend aan mijn boek te werken, Nick en ik gaan rond het middaguur wandelen in Regent's Park of ergens lunchen, en dan begint de chemo om twee uur en dat duurt ongeveer zes uur.'

Ian O'Reilly herinnert zich dat er 'die laatste weken dat ze nog bij bewustzijn was, een bezeten uitwisseling van e-mails en sms'jes tussen ons was, omdat ze dan weer dit, dan weer dat detail wilde weten uit onze verslagen die ze in het boek wilde opnemen'.

Sue en iedereen die haar goed kende konden alleen maar geloven dat we hierdoorheen zouden komen. Maar uiteindelijk was deze dappere journalist, die er zo lang in was geslaagd zich uit elke situatie te redden, gedwongen dit verhaal onafgemaakt te laten.

'Ik zei tegen haar: "Laten we dit boek nu even een paar dagen laten rusten en ons concentreren op de stamceltransplantatie,"' vertelt Nick. 'Daarna brak de hel los en liep ze een virus op dat oversloeg op haar hersenen en waarvan ze niet meer is hersteld.'

Toen Sue was overleden, namen sommige kranten contact op met Tony Jolliffe om hem te vragen om foto's van Sue in oorlogsgebied. 'Ze was geen oorlogscorrespondent,' liet hij hun weten. Toch stonden ze erop zulke foto's te zien.

Sue wilde dat we een ander soort hedendaagse oorlogen te zien kregen, alle strijd die dag in dag uit wordt geleverd door en vaak tegen vrouwen en meisjes.

Tot het allerlaatst vocht zij aan hun zijde, en uit hun naam.

Lyse Doucet
Chief International Correspondent BBC

Nawoord

Een week nadat mijn moeder was overleden leek mijn huis wel een bloemenwinkel. Ik werd overstelpt door berichten van medeleven: honderden kaarten, brieven, e-mails, Facebook-berichten en dus bloemen. Ik was er beduusd van, maar het was natuurlijk geweldig, want al die post gaf aan hoeveel mensen van mijn moeder hielden en haar bewonderden.

Eén bericht sprong eruit. Het kwam van een goede vriend van de familie. Vooral op momenten dat ik intens verdrietig was, gaven zijn woorden me troost en nieuwe moed.

Lieve Sarah,

Vraag: blijven we worstelen met het grote verdriet dat Sue en haar naasten heeft getroffen nu zij niet meer het volle leven kan leiden dat haar zo gegund was, of vieren we de prachtige persoon die zij was, wetende dat ze doorleeft in de hoofden en harten van mensen over de hele wereld?

Antwoord: nee, we blijven niet hangen in het verdriet en ja, we gaan haar leven vieren. Daar probeer ik me aan vast te houden en dat zal ik blijven doen – voor jou en voor haar.

Met dit boek vieren we het leven van mijn moeder. Ze is veel te jong gestorven, maar liet ons een groots en betekenisvol oeuvre na. Haar verhalen in dit boek herinneren ons aan de sterke, moedige vrouw die opkwam voor onderdrukte vrouwen wereldwijd.

Ze was een van de beste journalisten van haar generatie. Op het hoogtepunt van haar carrière blonk ze ook nog eens uit in een van de moeilijkste taken in het leven: het moederschap. Mijn oudere broer George en ik groeiden op in Noord-Londen in de wijk Muswell Hill. We hadden altijd boeiende mensen over de vloer. Dan kwamen we thuis uit school en zat mama op de bank te kletsen met een Tibetaanse monnik. Of ze was thee aan het zetten voor een Pakistaanse vluchteling. Ons huis was een toevluchtsoord voor mensen die ze via haar werk had ontmoet. Vaak bleven ze een nacht of een weekend logeren. Ik weet nog hoe fijn mama het vond om het gezicht van de Tibetaanse monnik te zien opklaren bij het ballet in het Royal Opera House waar we hem mee naartoe hadden genomen. Zoiets had hij nog nooit gezien.

Ons huis was net een bijenkorf; er was altijd een soort van feest, een en al bedrijvigheid en steeds nieuwe gezichten. We trokken de nodige aandacht in onze straat in Muswell Hill. Mijn moeder gaf graag dineetjes, lunches en borrels. In onze tienertijd zaten mijn broer George en ik aan tafel met ministers, journalisten, activisten en slachtoffers van vervolging uit een of ander door oorlog verscheurd land. De koelkast was altijd gevuld – meestal met mams lasagne en flessen wijn – en rond de grote keukentafel zijn heel wat wereldproblemen opgelost.

George en ik hadden een heerlijke jeugd. We konden doen en laten wat we wilden. Alleen 'geestdodende televisie' kijken, zoals mijn moeder het noemde, vond ze minder geslaagd. Programma's die we keken of boeken die we lazen moesten leerzaam of verrijkend zijn. Uitslapen was er eigenlijk niet bij. Op zaterdag en zondag stampte ze in alle vroegte de trap op en af, onder het zingen van 'Oh, what a beautiful morning'. Niet echt prettig als je een kater hebt. Op dit moment zou ik er alles voor overhebben om haar dat liedje te kunnen horen zingen. Grappig dat je als eerste de dingen gaat missen waar je je aan ergerde. Mijn moeder was elke ochtend als eerste uit bed en bakte dan wafels met spek en stroop. Wie op zo'n moment waarvandaan dan ook de keuken in liep, kon aanschuiven voor het ontbijt. Mama had een tomeloze energie. Ik weet nog hoe vrienden die bij ons logeerden wakker werden en haar naakt door het huis zagen lopen, met de gordijnen open. Wat de buren dachten kon haar niet schelen: 'Laat ze maar lekker staren als ze niets beters te doen hebben.' Niet dat ze exhibitionistisch was, maar ze schaamde zich niet voor haar lichaam. Ze had ook een mooi lijf.

Onze buurt was een hechte gemeenschap en dat hadden we grotendeels aan mijn moeder te danken. Ze organiseerde het legendarische straatfeest ter ere van het gouden jubileum van koningin Elisabeth. Over het midden van de afgesloten weg stond een lange rij prachtig versierde schragentafels. Er was eten en drinken in overvloed. Tot diep in de nacht dansten we op straat. Mijn moeder was in het zwart. Als overtuigd republikein rouwde ze om Oliver Cromwell. Ze had een geweldig gevoel voor humor, kon goed moppen vertellen en zag de absurditeit van dingen in. Ze dreef graag de spot met elke vorm van pracht en praal.

Voor mijn moeder was er geen probleem – groot of klein – dat niet kon worden opgelost door een lange wandeling. Door regen en wind wandelden George en ik door de bergen. We hadden het geluk dat mijn moeder ons vaak meenam op haar wereldreizen. Tegen de tijd dat ik uit huis ging, hadden George en ik in India de dalai lama ontmoet, in Nepal in lemen hutten gelogeerd, gekampeerd in de Kalahariwoestijn in Botswana bij Bosjesmannen en in de binnenlanden van Australië bij Aborigines. We gingen van de beklimming van de Snowdon in Noord-Wales over op trektochten naar het Mount Everest Base Camp (vanaf de Tibetaanse kant, natuurlijk), naar de Kilimanjaro in Tanzania en over de Singalila Ridge in Noord-India.

Toen we nog klein waren, brachten we onze vakanties altijd door bij onze oudtante Frances in Snowdonia. De eerste keer dat mama me meenam de Snowdon op was ik acht jaar oud. Richel voor richel ging het, er waren heel wat Kitkats voor nodig om mij naar de top te krijgen. Mijn moeders wortels liggen in Noord-Wales en ons voorouderlijk huis was enorm belangrijk voor haar. Zozeer zelfs dat ze George en mij na haar dood nog een berg op stuurde, om haar as te kunnen verstrooien in de Pennantvallei in Snowdonia.

Mijn voorouders kregen een adellijke titel voor het bouwen van Fort Belan in Noord-Wales. Gwendoline Wynn, mijn overgrootmoeder, was de laatste 'Lady' van de familie. Ze trouwde met een arts en verloor de titel. Er is nog wel een foto van mijn moeder als debutante op het Queen Charlotte-bal, in die tijd een hoogtepunt voor de Londense elite. Ze werd ernaartoe gestuurd om een huwelijkskandidaat te zoeken – wat ze gelukkig niet deed. Ze ging studeren aan de universiteit en maakte zelf carrière. Mama waardeerde de geschiedenis van de familie, maar de vanzelfsprekendheid van privileges, kapitaal en aanzien stuitte haar tegen de borst. Ze was republikein en socialist. Ze accepteerde de koninklijke onderscheiding CBE voor haar werk, maar ze was ongevoelig voor autoriteit en eerbied. Niemand vertelde haar wat te doen.

Van snobisme moest mijn moeder al helemaal niets hebben, voor haar was iedereen gelijk. Ze had een sterk rechtvaardigheidsgevoel. George en ik hebben van haar geleerd om vriendelijk te zijn tegen iedereen, niemand buiten te sluiten en altijd op te komen voor de underdog. Zelf heeft ze haar leven lang gestreden voor de rechten van mensen die minder geluk hadden dan zij. Dit boek is een eerbetoon aan underdogs wereldwijd die weigeren om zich de mond te laten snoeren of zich bij hun lot neer te leggen. Het is voor degenen die de moed hebben om terug te vechten.

Mijn moeder was een overtuigd feministe. Als klein meisje kreeg ik al te horen dat ik me nooit moest verlaten op een man. Inmiddels heb ik een geweldige man op wie ik kan bouwen en met wie ik in 2014 ben getrouwd. Mijn moeder organiseerde de bruiloft en deed dat met veel plezier. Maar toen ik haar het ontwerp van de uitnodiging stuurde, waarop stond 'Luke Mulhall en Sarah Morris nodigen u uit...' zei ze: 'Sarah, als jouw naam niet als eerste genoemd wordt, kom ik niet. Met deze volgorde heeft hij al gewonnen.' Dat was niet eens bij me opgekomen, maar ik heb de namen verwisseld en natuurlijk kwam mama naar de bruiloft. Ze was dol op mijn man, maar ze verafschuwde het patriarchaat en heeft daar ook hard tegen gevochten.

Eind juli 2015 ging mama naar het ziekenhuis voor een stamcel-transplantatie ter behandeling van leukemie, om er niet meer uit te komen. De dag voor de opname gingen we naar Camden om vrouwendingen te doen zoals manicure en pedicure, in een poging om ons af te leiden van wat de volgende dag te gebeuren stond. In de uitverkoop bij Reiss kocht mama een felrode jurk die haar prachtig stond. Ze zou hem dragen tijdens de boekpresentatie. Ze wilde dat het boek zou verschijnen voor het 'Women of the World'-festival, maart 2016 in het Southbank Centre.

We aten in een goed restaurant, praatten over reizen en waar we het liefst naartoe zouden gaan. Ze noemde het gekscherend 'het laatste avondmaal'. Ik kon niet vermoeden dat het de laatste keer was dat we samen uit eten gingen.

Drie maanden later moesten we de uitvaart regelen. Ik kreeg de lastige opdracht om te beslissen wat ze zou dragen in haar kist. Het werd de rode jurk van Reiss. Want dit boek betekende alles voor haar. Ze heeft keihard gewerkt om het af te krijgen voordat ze naar het ziekenhuis ging. Dat is voor 99 procent gelukt. Samen met haar fantastische redacteur Abigail Bergstrom hebben mijn broer en ik het verder afgemaakt. Ik ben trots op mijn moeder; op wat ze geschreven heeft, op haar sterke wil om dit boek te maken en op het doorzettingsvermogen waarmee ze in het laatste jaar van haar leven bleef werken. Ik hoop dat ze dit leest, waar ze ook is, in haar rode boekpresentatiejurk, ik hoop dat ze trots is op zichzelf en blij met het eindresultaat.

Sarah F. Morris

Noten

1 Het wrede mes | Vrouwenbesnijdenis

1 'UK regrets the Gambia's withdrawal from Commonwealth', BBC News, 3 oktober 2013: http://www.bbc.co.uk/news/uk-24376127

2 Elizabeth Cady Stanton, *The Woman's Bible* (Dover Publications, 2002).

3 Charles Darwin, 'Journal', geciteerd in *Charles Darwin: Destroyer of Myths* van Andrew Norman (Pen & Sword Books, 2013), p. 61.

4 Gustave Le Bon, 'The Crowd', geciteerd in *The Darwin Effect* van Jerry Bergman (Master Books, 2014), p. 235.

5 Mernissi (1987: 42).

6 Natalie Angier, *Woman: An Intimate Geography* (Londen, Virago, 2014), p. 58.

7 http://www.who.int/mediacentre/factsheets/fs241/en/

8 United Nations Children's Fund, Female Genital Mutilation/Cutting: A statistical overview and exploration of the dynamics of change (New York: UNICEF, 2013); http://www.childinfo.org/files/FGCM_Lo_res.pdf

9 http://www.medindia.net/news/Egyptian-Clerics-Say-Female-Circumcision-UnIslamic-23055-1.htm

10 Nawal El Saadawi, 'Nawal el Saadawi: "I am going to carry on this fight for ever"', *Independent*, 22 juli 2014; http://www.independent.co.uk/news/people/profiles/nawal-el-saadawi-i-am-going-to-carry-on-this-fight-for-ever-2371378.html

11 Nawal el Saadawi, *The Hidden Face of Eve* (Londen, Zed Books, 2007), p. 40.

12 http://www.who.int/mediacentre/factsheets/fs241/en/

13 Leyla Hussein, 'Efua Dorkenoo obituary', *The Guardian*, 22 oktober 2014: http://www.theguardian.com/society/2014/oct/22/efua-dorkenoo

14 http://www.trustforlondon.org.uk/wp-content/uploads/2015/07/FGM-statistics-final-report-21-07-15-released-text.pdf

15 Paul Peachey, 'FGM trial: CPS accused of "show trial" as UK's first female genital mutilation case collapses', *The Independent*, 4 februari 2015: http://www.independent.co.uk/news/uk/home-news/fgm-trial-cps-accused-of-show-trial-as-uks-first-female-genital-mutilation-case-collapses-10024487.html

16 Idem.

17 https://www.gov.uk/government/speeches/girl-summit-2014-david-camerons-speech

18 Naana Otoo-Oyortey, 'Nawal el Saada-

wi: "I am going to carry on this fight for ever"', *The Independent*, 22 juli 2014; http://www.independent.co.uk/news/people/profiles/nawal-el-saadawi-i-am-going-to-carry-on-this-fight-for-ever-2371378.html

19 http://www.legislation.gov.uk/ukpga/2003/31/pdfs/ukpga_20030031_en.pdf

2 Argentinië | De Grootmoeders van de Plaza de Mayo

1 'Argentina's grim past', BBC News, 14 juni 2005: http://news.bbc.co.uk/1/hi/world/americas/4173895.stm

2 Jonathan Mann, 'Macabre new details emerge about Argentina's "dirty war"', CNN (23 maart 1996): http://edition.cnn.com/WORLD/9603/argentina.war/index.html

3 Paul Vallely, *Pope Francis / Untying the Knots: The Struggle for the Soul of Catholicism* (Bloomsbury, 2015).

4 'World IN BRIEF: ARGENTINA: Bishops Apologize for Civil War Crimes', *Los Angeles Times*, 18 april 1996.

3 Ierland | De Magdalene-wasserijen

1 St.-Hieronymus ca. 342-420.

2 Edward Andrew Reno, 'The Authoritative Text: Raymond of Penyafort's Editing of the "Decretals of Gregory IX" (1234)', Columbia University Academic Commons, 2011: http://academiccommons.columbia.edu/catalog/ac%3A132233

3 Anne Isba, *Gladstone and Women* (Hambledon Continuum, 2006).

4 Anne Isba, *Dickens's Women* (Continuum, 2011).

5 James M. Smith, *Ireland's Magdalen Laundries and the Nation's Architecture of Containment* (Manchester University Press, 2008), p. xv.

6 Patricia Burke Brogan, *Memoir with Grykes and Turloughs* (Wordsonthestreet, 2014).

7 http://www.sistersofcharity.com

8 Patricia Burke Brogan, *Memoir with Grykes and Turloughs* (Wordsonthestreet, 2014).

9 Het betreft hier de bisschop die in 1992 een kind bleek te hebben dat was voortgekomen uit een relatie met een gescheiden Amerikaanse. Bisschop van Kerry Eamonn Casey nam daarop ontslag en verliet Ierland.

10 Geciteerd in de documentaire *Mothers Against the Odds*, van Anne Daly en Ronan Tynan (Esperanza Productions, 2012).

11 Idem.

12 Paus Paulus VI, *Humanae Vitae*, 25 juli 1968.

13 Geciteerd in de documentaire *Mothers against the Odds* van Anne Daly en Ronan Tynan (Esperanza Productions, 2012).

14 Idem.

15 Idem.

16 Idem.

17 Senator Martin McAleese, 'Report of the Inter-Departmental Committee to establish the facts of State involvement with the Magdalen Laundries', 2013; www.justice.ie/en/JELR/Pages/MagdalenRpt2013, p. iv.

18 Catherine Shoard, 'Philomena Lee on meeting the Pope: "Those nuns would be jealous now"', *The Guardian*, 6 februari 2014.

19 Senator Martin McAleese, 'Report of the Inter-Departmental Committee to establish the facts of State involvement with the Magdalen Laundries', p. vii.

20 'Bruce Arnold: McAleese Report flies in the face of painful evidence of laundry victims', *Irish Independent*, 18 februari 2013.

21 Colm O'Gorman als geciteerd in 'Ireland: Proposed "mother and baby homes" investigation welcome, but a missed opportunity to address Magdalenes', Amnesty International, 9 januari 2015.

22 Simon McGarr, 'McAleese report leaves questions unanswered', *Irish Examiner*, 19 februari 2014.

23 Senator Martin McAleese, 'Report of the Inter-Departmental Committee', p. vii.

24 Joan Burton als geciteerd in 'Demanding justice for women and children abused by Irish nuns', BBC News, 24 september 2015: http://www.bbc.co.uk/news/magazine-29307705

25 'Church in Ireland needs "reality check" after gay marriage vote', BBC News, 24 mei 2015: http://www.bbc.co.uk/news/world-europe-32862824

26 Idem.

27 'Fewer than one in five attends Sunday Mass in Dublin', Irish Times, 30 mei 2011: http://www.irishtimes.com/news/fewer-than-one-in-five-attend-sunday-mass-in-dublin-1.585731

28 M.E. Collins, Ireland, 1868-1966: History in the Making (Ierland, Edco, 1993), p. 431.

29 'An unfortunate amendment on abortion', The Tablet, 17 september 1983: http://archive.thetablet.co.uk/article/17th-september-1983/3/an-unfortunate-amendment-on-abortion

4   Saoedi-Arabië | De grootste vrouwengevangenis ter wereld

1 http://reemasaad.blogspot.co.uk/2009/08/lingerie-campaign.html

2 'Men banned from selling Lingerie in Saudi Arabia', The Telegraph, 5 januari 2012: http://www.telegraph.co.uk/news/worldnews/middleeast/saudiarabia/8993690/Men-banned-from-selling-lingerie-in-Saudi-Arabia.html

3 Shamim Aleem, 'Mothers of Believers', Prophet Muhammad(S) and His Family: A Sociological Perspective (AuthorHouse, 2007).

4 David Commins, The Wahhabi Mission and Saudi Arabia (I.B. Tauris & Co., 2006).

5 Idem.

6 'Saudi police "stopped" fire rescue', BBC News, 15 maart 2002: http://news.BBC.co.uk/1/hi/world/middle_east/1874471.stm

7 'Saudi Sheikh warns women that driving could affect ovaries and pelvis', Riyadh Connect, 28 september 2013.

8 David Leigh, 'US put pressure on Saudi Arabia to let women drive, leaked cables reveal', The Guardian, 27 mei 2011.

9 Joshua Muravchik, Trailblazers of the Arab Spring: Voices of Democracy in the Middle East (Encounter Books, 2013), p. 27.

10 Suad Abu-Dayyeh, 'Saudi Women Activists Jailed for Trying to Help Starving Woman', 9 juli 2013: http://www.huffingtonpost.co.uk/suad-abudayyeh/saudi-women-activists-jai_b_3565568.html

11 Olga Khazan, '"Negative Physiological Impacts"? Why Saudi Women aren't allowed to drive', The Atlantic, 7 oktober 2013.

12 Cassandra Jardine, 'There's such ignorance about us', Telegraph, 12 december 2005: http://www.telegraph.co.uk/culture/3648711/Theres-such-ignorance-about-us.html

13 'Wajeha al-Huwaider – Woman of Action', A Celebration of Women.org, 1 juni 2013: http://acelebrationofwomen.org/2013/06/wajeha-al-huwaidar-woman-of-action/

14 Rajaa Alsanea, Girls of Riyadh (Fig Tree, 2007) / De meiden van Riaad (Archipel, 2007).

15 'Saudi Arabia: Majorities Support Women's Rights', Gallup.com, 21 december 2007: http://www.gallup.com/poll/103441/saudi-arabia-majorities-support-womens-rights.aspx

16 Ahmed Abdel-Raheem, 'Word to the West: many Saudi women oppose lifting the driving ban', The Guardian, 2 november 2013.

17 'Saudi Arabia: Majorities Support Women's Rights', Gallup.com, 21 december, 2007: http://www.gallup.com/poll/103441/saudi-arabia-majorities-support-womens-rights.aspx

18 https://en.wikipedia.org/wiki/Wo-

men%27s_rights_in_Saudi_Arabia

19 https://en.wikipedia.org/wiki/Women%27s_rights_in_Saudi_Arabia

20 'Saudi Arabia's king appoints women to Shura Council', BBC, 11 januari 2013: http://www.bbc.co.uk/news/world-middle-east-20986428

21 Sabria Jawhar, 'Saudi Women Owe Voting Rights to Arab Spring', The World Post, 26 september 2011.

22 Sherard Cowper-Coles, Ever the Diplomat: Confessions of a Foreign Office Mandarin (HarperCollins, 2014).

23 http://www.raifbadawi.org

24 Ian Black, 'Saudi Arabian security forces quell "day of rage" protests', Guardian, 11 maart 2011.

25 Rania Abouzeid, 'Saudi Arabia's "Day of Rage" Passes Quietly', Time, 11 maart 2011: http://content.time.com/time/world/article/0,8599,2058486,00.html

5   Tahrirplein Egypte | Wat had ze daar te zoeken?

1 Voor een compleet overzicht, zie: 'The dynamics of democracy in the Middle East', The Economist Intelligence Unit, maart 2005, pp. 14-15: http://graphics.eiu.com/files/ad_pdfs/MidEast_special.pdf

2 Ahdaf Soueif, 'Image of unknown woman beaten by Egypt's military echoes around world', The Guardian, 18 december 2011: http://www.theguardian.com/commentisfree/2011/dec/18/egypt-military-beating-female-protester-tahrir-square

3 Idem.

4 Scott Pelley, 'Lara Logan breaks silence on Cairo assault', CBS, 1 mei 2011: http://www.cbsnews.com/news/lara-logan-breaks-silence-on-cairo-assault/

5 Idem.

6 Brian Stelter, 'CBS Reporter recounts a merciless assault', The New York Times, 28 april 2011: http://www.nytimes.com/2011/04/29/business/media/29logan.html

7 Idem.

8 Caroline Davies, 'Tahrir Square women's march marred by rival protest', The Guardian, 8 maart 2011: http://www.theguardian.com/world/2011/mar/08/rival-protesters-clash-women-tahrir

9 '"The Future of Egyptian women is in danger" – Samira Ibrahim speaks out', The Guardian, 13 maart 2012: http://www.theguardian.com/lifeandstyle/2012/mar/13/women-samira-ibrahim-egypt-virginity-tests

10 Mohsen Habiba, 'What made her go there? Samira Ibrahim and Egypt's virginity test trial', Al Jazeera, 16 maart 2012: http://www.aljazeera.com/indepth/opinion/2012/03/201231613312920185O.html

11 Isobel Coleman, '"Blue bra girl" rallies Egypt's women vs. oppression', CNN, 22 december 2011: http://edition.cnn.com/2011/12/22/opinion/coleman-women-egypt-protest/

12 'Egypt's Islamist parties win elections to parliament', BBC, 21 januari 2012: http://www.bbc.co.uk/news/world-middle-east-16665748

13 Mariz Tadros, 'To politically empower women on a global scale we need more than quotas', The Guardian, 8 maart 2012: http://www.theguardian.com/global-development/poverty-matters/2012/mar/08/political-empower-women-egypt

14 http://www.indexmundi.com/egypt/demographics_profile.html

15 Al-Masry Al-Youm, 'Shura Council committee says female protesters should take responsibility, if harassed', Egypt Independent, 11 februari 2013: http://www.egyptindependent.com/news/shura-council-committee-says-female-protesters-should-take-responsibility-if-harassed

16 Elisabeth Jaquette, Muftah, 'The Heroes of Tahrir: Operation Anti-Sexual Harassment', 4 februari 2013: http://muftah.org/heroes-of-tahrir/#.Vw4D-vGNU20M

17 OpAntiSH Facebook, 'Press Release: Mob sexual assaults reported to OpAntiSH during June 30th demonstrations hit catastrophic skies', 3 juli 2013.

18 Dana Hughes, Molly Hunter, 'President Morsi Ousted: First Democratically Elected Leader Under House Arrest', ABC News, 3 juli 2013: http://abcnews.go.com/International/president-morsi-ousted-democratically-elected-leader-house-arrest/story?id=19568447

19 Ahdaf Soueif, 'Egypt's revolution won't be undone: the people still have the will', *The Guardian*, 30 mei 2014: http://www.theguardian.com/commentisfree/2014/may/30/egypt-revolution-wont-be-undone-sisi-young-activists

20 Anthony Bond, Lucy Thornton, 'Shaima al-Sabbagh: Heartbreaking picture shows moments of panic after leading Egyptian female protester dies after being "shot by police"', *Mirror*, 25 januari 2015: http://www.mirror.co.uk/news/world-news/shaima-al-sabbagh-heartbreaking-picture-shows-5039047

7   Daar zijn het jongens voor | VN-soldaten en vrouwenhandel

1 Robert Capps: 'Sex-slave whistle-blowers vindicated', Salon.com, 6 augustus 2002: http://www.salon.com/2002/08/06/dyncorp/

2 STOP, 2015, cijfers zijn te vinden op: http://www.stoptraffickingofpeople.org/

3 'Bosnia sex trade shames UN', *The Scotsman*, 9 februari 2003.

4 Noord-Atlantische Verdragsorganisatie, 'NATO's role in Kosovo': http://www.nato.int/cps/en/natolive/topics_48818.htm

5 'Young West African Girls Face Perils of Prostitution, Trafficking', *Voice of America*, 27 oktober 2009: http://www.voanews.com/content/a-13-young-west-african-girls-face-perils-of-prostitution-and-trafficking-66383792/547929.html

8   Van Kashmir tot Bradford | Gedwongen huwelijken

1 IRIN, 'Forced marriages: In Kashmir, old habits die hard', *Express Tribune*, 25 november 2013: http://tribune.com.pk/story/636425/forced-marriages-in-kashmir-old-habits-die-hard/

2 Christina Julios, *Forced Marriage and 'Honour' Killings in Britain: Private Lives, Community Crimes and Public Policy Perspectives* (Routledge, 2015), pp.106–10.

3 BBC Politics 97, 'Immigration Rules Relaxed': http://www.BBC.co.uk/news/special/politics97/news/06/0605/straw.shtml

4 'Huge rise in forced marriages for women', Independent.ie, 20 juli 1998; 'MPS told: Don't aid forced marriages', *Independent*, 7 augustus 1998.

5 'MP calls for English tests for immigrants', BBC, 13 juli 2001: http://news.BBC.co.uk/1/hi/uk/1436867.stm

6 Helen Pidd: 'Rotherham report "reduced me to tears", says MP who exposed abuse decade ago', *Observer*, 14 augustus 2014.

7 Yasmin Alibhai-Brown: 'I'm no Tory, but we should all be thanking David Cameron for ending forced marriages', *Independent*, 14 juni 2015.

8 Idem.

9   Eerwraak | Moord om de familie-eer te redden

1 Aurangzeb Qureshi, 'Defending Pakistani women against honour killings', *Aljazeera*, 7 maart 2016.

2 'Pregnant Pakistani Woman Stoned to Death', *Guardian*, 28 mei 2014.

3 http://www.liquisearch.com/pakistani_diaspora_in_the_united_kingdom/health_and_social_issues/forced_marriage

4 IRIN, '"Honour" killings pose serious challenge to rule of law' (UNOCHA 2007): http://www.irinnews.org/report/74591/jordan-%E2%80%9Cho

nour%E2%80%9D-killings-pose-se-
rious-challenge-rule-law

5   Manuel Eisner, 'Belief that honour
killings are "justified" still prevalent
among next generation, study shows',
Cambridge University, 20 juni 2013:
http://www.cam.ac.uk/research/news/
belief-that-honour-killings-are-jus-
tified-still-prevalent-among-jor-
dans-next-generation-study-shows

6   Dan Bilefsky, 'How to avoid honor kil-
ling in Turkey? Honor Suicides', *New
York Times*, 16 juli 2006.

7   IPCC, november 2008, https://www.
ipcc.gov.uk/sites/default/files/Docu-
ments/investigation_commissioner_re-
ports/banaz_mahmod_executive_sum-
mary_nov_08_v7.pdf

8   BBC, '"Honour" attack numbers revealed by UK police forces', 3 december
2011: http://www.BBC.com/news/uk-
16014368

9   Jerome Taylor, Mark Hughes, 'Mystery
of Bradford's Missing Children: were
they forced into marriages abroad?',
Independent, 4 februari 2008.

10 Idem.

10 India | De ellendigste plek ter wereld voor meisjes

1   Ministerie van Justitie, New Delhi, 11
januari 2007, 1Pausa21, 1928 (Saka).

2   Idem.

3   Neeta Lal, 'India: Home to One in Three
Child Brides', Inter Press Service News
Agency, 20 augustus 2014.

4   'India police arrest eight for "brutal"
Haryana rape and murder', BBC News, 9
februari 2015.

5   De details over de verkrachting van en
moord op Jyoti Singh zijn afkomstig uit
krantenberichten uit die tijd en uit de
documentaire *India's Daughter*, geregisseerd door Leslee Udwin (Assassin
Films, maart 2015).

6   Geciteerd in *India's Daughter*, geregisseerd door Leslee Udwin (Assassin
Films, maart 2015).

7   'Soumya murder: CM remark has city
fuming', *The Times of India*, 3 oktober
2008.

8   India's National Crime Records Bureau
(NCRB), Crime against Women, 2013:
http://ncrb.nic.in/StatPublications/
CII/CII2013/Chapters/5-Crime%20
against%20Women.pdf

9   'Indians See Rape as a Major National
Problem: Majorities Say Law and Law
Enforcement Are Inadequate', Pew Re-
search Center, 22 april 2014.

10 Geciteerd in *India's Daughter*, geregisseerd door Leslee Udwin (Assassin
Films, maart 2015).

11 Idem.

12 http://www.censusindia.gov.
in/2011-common/census_2011.html

13 Geciteerd in *India's Daughter*, geregisseerd door Leslee Udwin (Assassin
Films, maart 2015).

14 http://www.censusindia.gov.
in/2011-common/census_2011.html

15 George Thomas, 'Disappearing Daugh-
ters: India's Female Feticide', CBN
World News, 6 juli 2012: http://www.
cbn.com/cbnnews/world/2012/june/
disappearing-daughters-indias-fema-
le-feticide/?mobile=false

16 http://www.ncpcr.gov.in/view_file.
php?fid=434

17 'Doctor sentenced to 2 years imprison-
ment for violating PCPNDT', *Business
Standard*, 12 februari 2013: http://www.
business-standard.com/article/pti-sto-
ries/doctor-sentenced-to-2-years-im-
prisonment-for-violating-pcpndt-
113021200833_1.html

18 Sriti Yadav, 'Female Feticide in India:
The Plight of Being Born a Woman',
Feminspire, 5 april 2013.

19 Amrita Guha, 'Disappearing Daugh-
ters: Female Feticide in India', *Seneca
International*, 20 januari 2014:
http://www.seneca-international.
org/2014/01/20/disappearing-daugh-
ters-female-feticide-in-india/

20 Geciteerd in 'Challenges in imple-
menting the ban on sex selection' van
Sandhya Srinivasan, Info Change India:

http://infochangeindia.org/women/
analysis/challenges-in-implemen-
ting-the-ban-on-sex-selection.html
21 http://www.censusindia.gov.
in/2011-common/census_2011.html
22 Manjeet Sehgal, 'Voters in Haryana
village demand brides for votes', *India
Today*, 25 september 2014.
23 India's National Crime Records Bureau
(NCRB) Crime against Women, 2012:
http://ncrb.nic.in/StatPublications/
CII/CII2012/cii-2012/Chapter%205.pdf
24 Dean Nelson, 'Women killed over
dowry "every hour" in India, *Telegraph*, 2 september 2013.
25 George Thomas, 'Disappearing Daugh-
ters: India's Female Feticide', CBN
World News, 6 juli 2012: http://www.
cbn.com/cbnnews/world/2012/june/
disappearing-daughters-indias-fema-
le-feticide/?mobile=false
26 Dean Nelson, 'India "most dangerous
place in world to be born a girl"', *Telegraph*, 1 februari 2012: http://www.
telegraph.co.uk/news/worldnews/asia/
india/9054429/India-most-dangerous-
place-in-world-to-be-born-a-girl.html
27 *Express Tribune*, 12 april 2016: http://
tribune.com.pk/story/393034/india-
advances-but-many-women-still-
trapped-in-dark-ages/
28 Anita Desai, *A Life in Literature*, BBC
HARDtalk, 21 januari 2005.
29 Anita Desai, *Voices in the City* (Orient
Longman India, 2001).
30 Neeru Tandon, *Anita Desai and her
Fictional World* (Atlantic Publisher &
Distributors, 2007), p. 204.
31 Joshua Barnes, '"You Turn Yourself into
an Outsider": An interview with Anita
Desai', *Sampsonia Way*, 14 januari 2014.
32 Rama Lakshmi, 'India's Modi just de-
livered the world's worst compliment',
Washington Post, 8 juni 2015.

11 Verkrachting als oorlogswapen |
Bosnië en Congo

1 Elisabeth J. Wood, 'Multiple perpetrator rape during war', in: Miranda A.H.

Horvath & Jessica Woodhams (red.),
*Handbook on the Study of Multiple
Perpetrator Rape: A Multidisciplinary
Response to an International Problem*
(Routledge), p. 140. Zie ook Wikipedia:
https://en.wikipedia.org/wiki/Rape_
during_the_Bosnian_War
2 'Bop for Bosnia' werd gehouden in de
tv-studio's van de BBC in White City. Er
werd ruim 60.000 pond bijeengebracht
voor Bosnië, en de actie vormde de opmaat tot War Child, een liefdadigheidsorganisatie die zich inzet voor steun
aan kinderen die gebukt gaan onder de
gevolgen van conflicten.
3 R. Gutman, 'General Mladic Directly
Involved in "Cleansing", Witnesses
Say', *Moscow Times*, 9 augustus 1995:
http://www.themoscowtimes.com/
4 Korporaal David Vaasen (indertijd
soldaat der eerste klasse) T.1429-30,
geciteerd in: Judgement, Prosecutor vs
Krstic, zaak no. IT-98-33-T, T, ChI, 2
augustus 2001 Klip/Sluiter (red.), ALC-
VII-575.
5 Albina Sorguc: 'Srebrenica Anni-
versary: The Rape Victims' Testimo-
nies', Balkan Insight, 11 juli 2014:
http://www.balkaninsight.com/
6 Andrea Dworkin, *Pornography: Men
Possessing Women* (New York, Dutton,
1989), p. 243.
7 Alexandra Stiglmayer, 'The Rapes in
Bosnia-Herzegovina', in: Alexandra
Stiglmayer (red.), *Mass Rape: The War
Against Women in Bosnia-Herzegovina*
(Universiteit van Nebraska, 1994), p. 96.
8 A. Zalihic-Kaurin, 'The Muslim Woman', in: A. Stiglmayer (red.), *Mass
Rape: The War Against Women in
Bosnia-Herzegovina* (Universiteit van
Nebraska, 1994), p. 173.
9 Getuige nr. 50, 29 maart 2000, ge-
citeerd in: Transcriptie 30, p. 1270,
Kunarac et al. (IT-96-23 & 23/1) 'Foča'.

10 Paragraaf 2, p. 1012, Oordeel Internationaal militair tribunaal voor het Verre
Oosten: http://www.ibiblio.org/
11 Tilman Remme, BBC History: World
Wars: 'The Battle for Berlin in World

War Two: http://www.bbc.co.uk/history/worldwars/wwtwo/berlin_01.shtml

12 Seada Vranić, *Breaking the Wall of Silence: The Voices of Raped Bosnia* (Izdanja Antiabarbarus, 1996).

13 Idem.

14 Alan Riding, 'European Inquiry says Serbs' Forces have Raped 20,000', *New York Times*, 9 januari 1993.

15 Alexandra Stiglmayer, 'The Rapes in Bosnia-Herzegovina', in: Alexandra Stiglmayer (red.), *Mass Rape: The War Against Women in Bosnia-Herzegovina* (Universiteit van Nebraska, 1994), p. 92.

16 Lindsey Crider, 'Rape as a War Crime and Crime against Humanity: The Effect of Rape in Bosnia-Herzegovina and Rwanda on International Law', p. 19: http://www.cla.auburn.edu/alapsa/assets/file/4ccrider.pdf

17 Alexandra Stiglmayer, 'The Rapes in Bosnia-Herzegovina', in: Alexandra Stiglmayer (red.), *Mass Rape: The War Against Women in Bosnia-Herzegovina* (Universiteit van Nebraska, 1994), p. 109.

18 De aantallen burgers die in deze oorlog zijn omgekomen variëren. Zie Centre for Justice and Accountability: http://www.cja.org/article.php?id=247; https://en.wikipedia.org/wiki/Bosnian_War#Casualties

19 Alexandra Stiglmayer, 'The Rapes in Bosnia-Herzegovina', in: Alexandra Stiglmayer (red.), *Mass Rape: The War Against Women in Bosnia-Herzegovina* (Universiteit of Nebraska, 1994), p. 118.

20 Alexandra Stiglmayer, p. 119.

21 Alexandra Stiglmayer, p. 133.

22 Alexandra Stiglmayer, p. 133.

23 Todd A. Salzman, 'Rape Camps as a Means of Ethnic Cleansing: Religious, Cultural, and Ethical Responses to Rape Victims in the Former Yugoslavia', *Human Rights Quarterly*, dl. 20, nr. 2 (mei 1998), pp. 361–362.

24 Angela Robson, 'Weapon of War', *New Internationalist*, editie 244 (juni 1993).

25 David M. Crowe, *War Crimes, Genocide, and Justice: A Global History* (Palgrave Macmillan, 2013).

26 Persverklaring Joegoslaviëtribunaal: uitspraak van kamer II in de zaak tegen Kunarac, Kovac en Vukovic, 22 februari 2001: http://www.icty.org/en/press/judgement-trial-chamber-ii-kunarac-kovac-and-vukovic-case

27 Joegoslaviëtribunaal, 2014: 'Seksueel geweld in getallen': http://www.icty.org/en/in-focus/crimes-sexual-violence/in-numbers

28 Jo Adetunji, 'Forty-eight women raped every hour in Congo, study finds', *Guardian*, 12 mei 2011.

29 'DRC: Some progress in the fight against impunity but rape still widespread and largely unpunished – UN report': http://www.ohchr.org/EN/NewsEvents/Pages/DisplayNews.aspx?NewsID=14489&

30 Chris McGreal, 'The roots of war in eastern Congo', *Guardian*, 16 mei 2008.

31 Human Rights Watch, 'Soldiers who Rape, Commanders who Condone: Sexual Violence and Military Reform in the Democratic Republic of Congo', 16 juli 2009: https://www.hrw.org/report/2009/07/16/soldiers-who-rape-commanders-who-condone/sexual-violence-and-military-reform

32 M. Ohambe, J. Muhigwa & B. Mamba: 'Women's Bodies as a Battleground: Sexual Violence Against Women and Girls During the War in the Democratic Republic of Congo' (International Alert 2005), p. 30.

33 'Atrocities Beyond Words: A Barbarous Campaign of Rape', *Economist*, 1 mei 2008: http://www.economist.com/node/11294767

34 Timothy Docking, United States Institute of Peace, 'Special Report: AIDS and Violent Conflict in Africa', 15 oktober 2001: http://www.usip.org/publications/aids-and-violent-conflict-in-africa

35 Human Rights Watch: 'Soldiers Who Rape, Commanders Who Condone: Sexual Violence and Military Reform in the Democratic Republic of Congo', 16 juli 2009: https://

www.hrw.org/report/2009/07/16/
soldiers-who-rape-comman-
ders-who-condone/sexual-violen-
ce-and-military-reform

36 Human Rights Watch, 'Soldiers Who
Rape, Commanders Who Condo-
ne: Sexual Violence and Military
Reform in the Democratic Republic of Congo', 16 juli 2009: https://
www.hrw.org/report/2009/07/16/
soldiers-who-rape-comman-
ders-who-condone/sexual-violen-
ce-and-military-reform

37 Human Rights Watch, interview met
achttienjarig slachtoffer, Sake, 29 maart
2009, idem.

38 Carly Brown, 'Rape as a Weapon of War
in the Democratic Republic of the Congo', *Torture*, dl. 22, nr. 1, 2012: http://
www.corteidh.or.cr/tablas/r29631.pdf

39 Jonathan Gottschall, 'Explaining Wartime Rape'; *Journal of Sex Research*,
dl. 41: uitgave 2 (2004).

40 Mark Townsend, 'Revealed: how the
world turned its back on rape victims of
Congo', *Guardian*, 13 juni 2015.

41 Human Rights Watch 2015, 'Justice
on Trial: Lessons from the Minova
Rape Case in the Democratic Republic of Congo': https://www.hrw.
org/report/2015/10/01/justice-trial/
lessons-minova-rape-case-democra-
tic-republic-congo

42 Mark Townsend, 'Revealed: how the
world turned its back on rape victims of
Congo', *Guardian*, 13 juni 2015.

43 Idem.

44 William Hague, End Sexual Violence in
Conflict Global Summit 2014: https://
www.gov.uk/government/uploads/
system/uploads/attachment_data/
file/319958/Global_Summit_to_End_
Sexual_Violence_Statement_of_Acti-
on_1_.pdf

45 Mark Townsend, 'Revealed: how the
world turned its back on rape victims of
Congo', *Guardian*, 13 juni 2015.

12 Verenigd Koninkrijk | Ongelijke beloning

1 Jaarlijks onderzoek ONS naar werkuren
en beloning, 2015: Provisional, Table
2.6a (uurlonen exclusief overwerk):
http://www.ons.gov.uk/employmen-
tandlabourmarket/peopleinwork/
earningsandworkinghours/datasets/
occupation2digitsocashetable2

2 https://www.tuc.org.uk/equality-is-
sues/gender-equality/equal-pay/wo-
men-still-earn-%C2%A35000-year-
less-men

3 Jaarlijks onderzoek ONS naar werkuren
en beloning, 2012. Cijfers m.b.t. de vijfendertig meest voorkomende beroepen
verkrijgbaar bij TUC press office. Alle
cijfers betreffen uurlonen exclusief
overwerk. De jaarbedragen zijn bere-
kend door de verschillen in uurloon te
vermenigvuldigen met 37,5 (gemiddeld
aantal werkuren per week van een full-
timer) en met 52.

4 EHRC 2015, 'Pregnancy and Mater-
nity-Related Discrimination and
Disadvantage First findings: Surveys
of Employers and Mothers': http://
www.equalityhumanrights.com/
publication/pregnancy-and-materni-
ty-related-discrimination-and-disad-
vantage-first-findings-surveys-em-
ployers-and-0

5 http://us11.campaign-archive1.
com/?u=a5b04a26aae05a24bc4ef-
b63e&id=64e6f35176&e=1ba-
99d671e#wage

6 http://www.newstatesman.com/poli-
tics/2015/07/motherhood-trap

7 http://hbswk.hbs.edu/item/kids-bene-
fit-from-having-a-working-mom

8 http://www.theguardian.com/com-
mentisfree/2015/dec/02/sue-lloyd-ro-
berts-memorial-service